Anaïs Nin

Henry & June

Diários não expurgados de Anaïs Nin (1931-1932)

Tradução de Rosane Pinho

www.lpm.com.br
L&PM POCKET

Coleção **L&PM** POCKET, vol. 613

Texto de acordo com a nova ortografia.

Primeira edição na Coleção **L&PM** POCKET: julho de 2007
Esta reimpressão: outubro de 2024

Tradução adquirida mediante acordo com Editora Record S.A.
Título original: *Henry and June: From A Journal of Love – The Unexpurgated Diary of Anaïs Nin (1931-1932)*.

Tradução: Rosane Pinho
Capa: Marco Cena
Revisão: Renato Deitos e Bianca Pasqualini

CIP-BRASIL. CATALOGAÇÃO-NA-FONTE
SINDICATO NACIONAL DOS EDITORES DE LIVROS, RJ.

N619h

Nin, Anaïs, 1903-1977
   Henry & June: diários não expurgados de Anaïs Nin (1931-1932) / Anaïs Nin; tradução de Rosane Pinho. – Porto Alegre, RS: L&PM, 2024.
   256p. – (Coleção L&PM POCKET ; v. 613)

   Tradução de: *Henry and June: From a Journal of Love – The Unexpurgated Diary of Anaïs Nin (1931-1932)*
   Apêndice
   ISBN 978-85-254-1651-3

   1. Nin, Anaïs, 1903-1977 - Diários. 2. Miller, Henry, 1891-1980 - Relações com mulheres. 3. Escritores americanos - Século XX - Diários. I. Pinho, Rosane Maria. II. Título. III. Série.

07-1799.   CDD: 818
                                 CDU: 821.111(73)-94

Copyright © 1959 by Anaïs Nin
Copyright renewed © 1982 by The Anaïs Nin Trust
Publicado mediante acordo com Barbara W. Stuhlmann, Author's representative

Todos os direitos desta edição reservados a L&PM Editores
Rua Comendador Coruja, 314, loja 9 – Floresta – 90.220-180
Porto Alegre – RS – Brasil / Fone: 51.3225.5777

PEDIDOS & DEPTO. COMERCIAL: vendas@lpm.com.br
FALE CONOSCO: info@lpm.com.br
www.lpm.com.br

Impresso no Brasil
Primavera de 2014

ANAÏS NIN
(1903-1977)

Anaïs Nin, uma das mais interessantes personalidades do século XX, precursora das lutas pela emancipação sexual da mulher, nasceu em 21 de fevereiro de 1903, em Neuilly (arredores de Paris), filha de Joaquín Nin, pianista e compositor espanhol, e de uma dançarina franco-dinamarquesa. Durante a infância, acompanhou o pai em suas excursões artísticas por toda a Europa. Com a separação dos pais, quando tinha onze anos de idade, viajou com sua mãe e seus dois irmãos para os Estados Unidos, instalando-se em Nova York. Nessa época, iniciou o famoso diário, que ao final da sua vida atingiu dezenas de volumes, transformando-se em um dos documentos de maior importância literária, psicanalítica e antropológica do século.

Em 1923, voltou a viver na Europa (a partir daí alternaria a vida entre os Estados Unidos e a Europa) e começou a escrever críticas, ensaios e ficção. Nesse mesmo ano, casou-se com o banqueiro Hugh Guiler, que lhe proporcionou uma vida confortável. Mudaram-se para Paris em 1924 e nessa época fizeram amizade com inúmeros escritores, entre os quais D. H. Lawrence, André Breton, Antonin Artaud, Paul Éluard, Jean Cocteau e Henry Miller seu grande amigo e amante de toda a vida, e quem primeiro chamou a atenção do público para a grandiosidade do diário, em artigo na revista inglesa *The Criterion*.

Anaïs Nin passou a maior parte da fase final da sua vida nos Estados Unidos, além de ter escrito toda sua obra em inglês. Juntamente aos vários volumes do seu diário, deixou várias obras literárias, entre as quais o poema em prosa *House of Incest* (1936), o livro de contos *Under a Glass Bell* (1944) e os romances, em parte autobiográficos, *Ladders to Fire* (1946), *Uma espiã na casa do amor*, 1954 (L&PM POCKET, 2006), *Pequenos pássaros*, 1959 (L&PM POCKET, 2005) *Seduction of the Minotaur* (1961), *The Novel of the Future* (1969), *Delta de Vênus,* 1969 (L&PM POCKET, 2005), entre outros. Morreu em 14 de janeiro de 1977, em Los Angeles, nos Estados Unidos.

Livros de Anaïs Nin publicados pela **L&PM** EDITORES:

Delta de Vênus (**L&PM** POCKET)
Fogo (**L&PM** POCKET)
Henry & June (**L&PM** POCKET)
Incesto
Pequenos pássaros (**L&PM** POCKET)
Ser mulher e outros ensaios
Uma espiã na casa do amor (**L&PM** POCKET)

Prefácio do editor original

Anaïs Nin soube bem cedo que seria escritora. Aos sete anos de idade, assinava suas histórias "Anaïs Nin, membro da Academia Francesa". Em seu francês de estudante, escreveu numerosas histórias e peças que pareciam fluir espontaneamente de uma imaginação dramática, intensificada pela necessidade de controlar os dois irmãos mais jovens. Isso, descobriu ela, só poderia ser feito contando-lhes histórias intermináveis e projetando-as em suas criações teatrais.

Em 1914, quando estava com onze anos, começou o agora famoso diário como uma série de cartas a seu pai, que abandonara a família. Tratava o diário como um confidente e escreveu nele quase diariamente por toda a sua vida – em francês, até 1920; depois disso, em inglês. (Os diários manuscritos, de aproximadamente 35 mil páginas, estão no Departamento de Coletâneas Especiais da Universidade de Los Angeles.) A disciplina da escrita diária sem leitores ou censura deu a Anaïs, ao longo dos anos, uma capacidade de descrever suas emoções do momento, uma capacidade não plenamente realizada até o período de *Henry & June,* que começou em 1931.

Ela escreveu sem parar, ora ficção ora em seu diário, por outros 45 anos. A Anaïs diarista e a Anaïs romancista tinham um relacionamento instável. Relatou no diário em 1933: "Meu livro [um romance] e meu diário interferem um no outro constantemente. Eu não consigo separá-los nem reconciliá-los. Sou uma traidora com ambos. Sou mais leal ao diário, porém. Colocarei páginas do meu diário no livro, mas nunca páginas do livro no diário, demonstrando uma fidelidade humana à autenticidade humana do diário".

No final da década de 1920, John Erskine disse a Anaïs que seu diário continha seus melhores escritos, e ela começou a amadurecer a ideia que lhe permitiria publicar "muitas páginas" dele. Nessa época ele poderia ter sido publicado na íntegra; ela não tinha nada a esconder. Depois disso, ela faria uma série de planos para publicação: transformar o diário em ficção, fazê-lo em forma de diário com nomes fictícios, ou em forma de diário com nomes fictícios e reais. Mas a partir de 1932, quando começou com Henry Miller o que se tornou uma busca eterna do amor perfeito, percebeu que nunca poderia publicar o diário como tal sem ferir seu marido, Hugh Guiler, assim como outros. Passou, em vez disso, a publicar ficção.

Por volta de meados da década de 1950, depois que suas histórias e romances não alcançaram mais do que um reconhecimento medíocre, pensou em um método mais eficaz de publicar o diário sem risco de ofender outras pessoas. Decidiu usar nomes verdadeiros e simplesmente publicar sua vida pessoal, seu marido e seus amantes. Depois de ler *Henry, June e Eu* qualquer um que conheça o primeiro diário publicado (1966) perceberá a obra engenhosa que este foi. A Anaïs diarista provavelmente teria começado aquele diário original verdadeiramente em 1914. Mas a Anaïs romancista, sempre dominante, decidiu começar em 1931, seu período mais interessante e dramático, quando acabava de conhecer Henry e June Miller.

O presente volume reexamina aquele período de uma nova perspectiva, mostrando matéria tirada do diário original e nunca publicada. Era desejo de Anaïs ter a história toda contada.

O texto é tirado dos diários 32 a 36, intitulados "June", "A possuída", "Henry", "Apoteose e queda" e "Diário de uma possuída", escritos de outubro de 1931 a outubro de 1932. Foi editado para mostrar a história de Anaïs, Henry e June. A matéria que aparecia em *O diário de Anaïs Nin, 1931-1934*, foi retirada, em sua maioria, mas parte dela foi repetida aqui para criar um relato coerente.

A escrita diária de Anaïs foi mais abundante durante esse período. Só em 1932 ela completou seis diários. Estes incluem as primeiras experiências em escrita erótica. A garota católica, puritana, que não era capaz de descrever em seu diário suas experiências obscenas (para a mente inocente) como modelo, agora se deparava com o registro de seu despertar para a paixão. Ela foi influenciada, é claro, pelo estilo e vocabulário de Henry Miller. Mas fundamentalmente prevalece sua própria voz, e seus escritos refletem o frenesi emocional e físico durante aquele ano significativo. Ela nunca será tão vibrante novamente.

Rupert Pole
Executor testamentário de Anaïs Nin

Los Angeles, Califórnia
Fevereiro de 1986

Paris, Outubro de 1931

Meu primo Eduardo veio a Louveciennes ontem. Conversamos durante seis horas. Ele chegou à mesma conclusão que eu: preciso de uma mente mais velha, de um pai, um homem mais forte do que eu, um amante que me conduza ao amor, porque tudo o mais é uma coisa autocriada. O ímpeto de crescer e viver intensamente é tão forte em mim que não consigo resistir a ele. Vou trabalhar, vou amar meu marido, mas vou me realizar.

Enquanto conversávamos, Eduardo de repente começou a tremer e pegou minha mão. Disse que eu lhe pertencia desde o começo; que havia um obstáculo entre nós: o seu medo da impotência porque a princípio eu havia provocado o amor ideal nele. Ele sofreu ao perceber que nós dois estamos buscando uma experiência que poderíamos ter proporcionado um ao outro. Isso me pareceu estranho também. Os homens que eu quis não pude ter. Mas estou decidida a ter uma experiência quando ela se apresentar a mim.

— A sensualidade é uma força secreta em meu corpo — disse a Eduardo. — Um dia ela aparecerá, saudável e ampla. Espere um pouco.

Ou não é esse o segredo do obstáculo entre nós? De que o tipo dele é a mulher graúda, rosada, cheia, enquanto eu sempre serei a virgem-prostituta, o anjo perverso, a mulher de duas caras sinistra e santa.

Durante uma semana inteira Hugo chegou em casa muito tarde e eu permaneci alegre e despreocupada, como tinha prometido a mim mesma. Mas na sexta-feira ele ficou preocupado e disse:

– Você percebeu que já são vinte para as oito, que estou muito atrasado? Diga alguma coisa. – E nós dois desatamos a rir. Ele não gostava da minha indiferença.

Por outro lado, nossas brigas, quando acontecem, parecem mais sérias e mais emocionais. Serão todas as nossas emoções mais fortes agora que damos vazão a elas? Existe um desespero em nossas reconciliações, uma nova violência tanto na raiva quanto no amor. O problema do ciúme por si só permanece. É o único obstáculo à nossa completa liberdade. Eu não posso nem falar de meu desejo de ir a um cabaré onde poderíamos dançar com dançarinos profissionais.

Agora chamo Hugo de meu "pequeno magnata". Ele tem um novo escritório particular do tamanho de um estúdio. O prédio inteiro do banco é magnífico e inspirador. Eu frequentemente o espero na sala de conferências, onde existem murais de Nova York vista de um avião, e sinto o poder de Nova York chegando até aqui. Não critico mais o trabalho dele porque tais conflitos o matam. Nós dois aceitamos o banqueiro-gênio como uma realidade e a artista como uma possibilidade muito vaga. Contudo, a psicologia, sendo pensamento científico, tornou-se uma ponte bem-sucedida entre o trabalho dele no banco e meus escritos. Essa ponte ele consegue atravessar sem muitos solavancos.

É verdade, como diz Hugo, que faço minhas reflexões e especulações em meu diário e que ele só percebe a dor que lhe posso causar quando um incidente acontece. Contudo, sou o diário *dele*. Ele só consegue pensar em voz alta comigo ou por meu intermédio. Então, domingo de manhã, ele começou a pensar em voz alta nas mesmas coisas que escrevi em meu diário, a necessidade de orgias, de realização em outras direções. Sua necessidade surgiu em meio à sua própria conversa. Ele desejava poder ir ao Quatz Art Ball. Ficou tão abalado de surpresa quanto eu pela súbita alteração de sua expressão, o afrouxamento da boca, o surgimento de instintos que ele nunca havia expressado.

Intelectualmente eu esperava isso, mas fiquei arrasada. Senti um conflito agudo entre ajudá-lo a aceitar sua própria natureza e preservar nosso amor. Enquanto pedia seu perdão por minha fraqueza, eu soluçava. Ele foi terno e se desculpou desesperadamente – fez promessas loucas que não aceitei. Quando se esgotou minha dor, fomos passear no jardim.

Eu lhe ofereci todo tipo de soluções: uma, deixar que eu fosse para Zurique para estudar e lhe dar liberdade temporária. Nós nos demos conta de que não podíamos suportar viver nossas novas experiências sob as vistas um do outro. Uma outra, deixar que ele vivesse em Paris por algum tempo, e eu ficaria em Louveciennes e diria à mamãe que ele estava viajando. Tudo que pedi foi tempo e distância entre nós para me ajudar a encarar a vida em que nos estávamos atirando.

Ele recusou. Disse que não podia suportar minha ausência neste momento. Nós simplesmente havíamos cometido um erro; tínhamos progredido rápido demais. Tínhamos levantado problemas que não éramos fisicamente capazes de enfrentar. Ele estava arrasado, quase doente, e assim estava eu.

Queremos desfrutar de nossa nova proximidade por algum tempo, viver inteiramente no presente, adiar as outras questões. Só pedimos tempo um ao outro para nos tornarmos sensatos novamente, para aceitarmos a nós mesmos e às novas condições.

Perguntei a Eduardo:

– Participar de orgias é uma daquelas experiências que se deve ter? E uma vez vivida, pode-se superá-la, sem a volta dos mesmos desejos?

– Não – respondeu ele. – A vida de instintos liberados é composta de camadas. A primeira camada leva à segunda, a segunda à terceira e assim por diante. No final leva a prazeres anormais. – Como Hugo e eu poderíamos preservar o nosso amor nessa liberação dos instintos ele não sabia. Experiências físicas, sem as alegrias do amor, dependem de distorções e perversões para o prazer. Prazeres anormais matam o gosto pelos normais.

Tudo isso, Hugo e eu sabíamos. A noite passada, quando conversamos, ele jurou que não desejava ninguém além de mim. Eu estou apaixonada por ele também, e assim deixamos o assunto de lado. No entanto, a ameaça daqueles instintos inconstantes está ali, dentro de nosso próprio amor.

NOVEMBRO

Nunca fomos tão felizes nem tão infelizes. Nossas brigas são prodigiosas, tremendas, violentas. Estamos ambos irados a ponto da loucura; desejamos a morte. Meu rosto está assolado pelas lágrimas, as veias em minhas têmporas latejam. A boca de Hugo treme. Um grito meu o traz de súbito a meus braços, soluçando. E então ele me deseja fisicamente. Nós choramos e nos beijamos e atingimos o orgasmo ao mesmo tempo. E no momento seguinte analisamos e conversamos racionalmente. É como a vida dos russos em *O idiota*. É histeria. Em momentos mais frios, admiro-me da extravagância de nossos sentimentos. A monotonia e a paz se foram para sempre.

Perguntamos a nós mesmos ontem, em meio a uma briga:

– O que está acontecendo conosco? Nunca dissemos coisas tão terríveis um ao outro.

E então Hugo disse:

– Esta é nossa lua de mel, e estamos agitados.

– Você tem certeza? – perguntei, incrédula.

– Talvez não pareça uma – respondeu ele, rindo –, mas é. Estamos apenas transbordando de sentimentos. Não conseguimos manter nosso equilíbrio.

Uma lua de mel madura, com sete anos de atraso, cheia do medo da vida. Nos intervalos de nossas brigas somos extremamente felizes. Inferno e céu ao mesmo tempo. Estamos ao mesmo tempo livres e escravizados.

Às vezes parece que sabemos que o único elo que pode nos unir agora é o da vida intensa, o mesmo tipo de intensidade que se encontra em amantes e concubinas. Inconscientemente criamos um relacionamento altamente efervescente dentro da segurança e paz do casamento. Estamos ampliando o círculo de nossas tristezas e prazeres dentro do círculo de nosso lar e nossos dois seres. É a nossa defesa contra o intruso, o desconhecido.

Dezembro

Conheci Henry Miller.

Ele veio almoçar com Richard Osborn, um advogado que eu tinha que consultar sobre o contrato para o meu livro de D.H. Lawrence.

Quando ele saltou do carro e se dirigiu para a porta onde eu estava esperando, vi um homem de que gostei. Em seus escritos ele é extravagante, viril, animal, opulento. É um homem a quem a vida embriaga, pensei. É como eu.

No meio do almoço, quando estávamos discutindo livros, seriamente, e Richard passara a um longo discurso, Henry começou a rir. Ele disse:

– Eu não estou rindo de você, Richard, mas simplesmente não consigo evitar. Não ligo a mínima, nem um pouco para quem está certo. Estou feliz demais. Estou feliz demais neste exato momento com todas as cores à minha volta, o vinho. O momento é tão maravilhoso, tão maravilhoso. – Ele ria quase a ponto de chorar. Estava bêbado. Eu estava bêbada, também, por completo. Sentia-me aquecida, tonta e feliz.

Conversamos durante horas. Henry disse as coisas mais verdadeiras e profundas, e ele tem um jeito de dizer "mmmm" enquanto divaga por sua viagem introspectiva.

Antes de conhecer Henry eu estava concentrada em meu livro sobre D.H. Lawrence. Ele está sendo publicado por Edward Titus, e eu estou trabalhando com o assistente dele, Lawrence Drake.

– De onde você é? – pergunta em nosso primeiro encontro.

– Sou metade espanhola, metade francesa. Mas fui criada na América.

– Você certamente sobreviveu ao transplante. – Ele parece estar zombando ao falar. Mas sei que não.

Ele passa a falar do trabalho com bastante entusiasmo e velocidade. Fico grata. Ele me chama de romântica. Eu fico zangada.

– Estou cheia do meu próprio romantismo!

Ele tem uma cabeça interessante – olhos pretos vívidos, cabelo preto, pele morena, narinas e boca sensuais, um bom perfil. Parece um espanhol, mas é judeu – russo, diz ele. É uma pessoa que me intriga. Parece selvagem, facilmente irritável. Converso cautelosamente.

Quando me leva a seu apartamento para examinar as provas, diz que eu lhe interesso. Eu não vejo por quê – ele parece ter tido muitas experiências; por que se preocupa com uma iniciante? Nós conversamos, na defensiva. Nós trabalhamos, não tão bem. Eu não confio nele. Quando me diz coisas agradáveis, acho que está zombando da minha inexperiência. Quando põe os braços à minha volta, acho que está se divertindo com uma mulherzinha superintensa e ridícula. Quando se torna mais intenso, desvio o rosto da nova experiência de seu bigode. Minhas mãos estão frias e úmidas. Eu digo a ele com franqueza:

– Você não devia flertar com uma mulher que não sabe flertar.

Isso o diverte, a minha seriedade. Ele diz:

– Talvez você seja o tipo de mulher que não magoa um homem. – Tinha sido humilhado. Quando achou que eu havia dito: "Você me aborrece", ele se afastou como se eu o tivesse mordido. Eu não digo esse tipo de coisa. Ele é muito impetuoso, muito forte, mas não me aborrece. Eu respondo a seu quarto ou quinto beijo. Começo a me sentir embriagada. Então me levanto e digo incoerentemente:

– Eu me vou agora... para mim não pode ser sem amor. – Ele me provoca. Morde minhas orelhas e me beija, e eu gosto de sua impetuosidade. Ele me atira no sofá por um momento, mas de certa maneira eu escapo. Estou consciente do desejo dele. Gosto de sua boca e da força de seus braços, mas o desejo dele me assusta, me repulsa. Acho que é porque eu não o amo. Ele me excitou mas eu não o amo, não o quero. Assim que noto isso (o desejo dele, apontando para mim, é como uma espada entre nós), eu me liberto e saio, sem magoá-lo de modo algum.

Eu penso, bem, só queria o prazer sem sentimento. Mas alguma coisa me detém. Há em mim algo intocado, inabalado, que me ordena. *Isto* terá que ser acionado se pretendo me agitar inteiramente. Penso nisso no metrô, e me perco.

Alguns dias depois encontro Henry. Estava esperando encontrá-lo, como se isso solucionasse alguma coisa, e solucionou. Quando eu o vi, pensei, aqui está um homem a quem eu poderia amar. E não tive medo.

Então leio o romance de Drake e descubro um inesperado Drake – estrangeiro, extirpado, fantástico, errático. Um realista, exasperado pela realidade.

Imediatamente o desejo dele deixa de me repulsar. Um pequeno elo se formou entre duas estranhezas. Eu reajo à imaginação dele com a minha. Seu romance esconde alguns de seus próprios sentimentos. Como sei? Eles não são compatíveis com a história, absolutamente. Estão ali porque lhe são naturais. O nome Lawrence Drake é imputado também.

Existem duas maneiras de chegar a mim: por meio de beijos ou por meio da imaginação. Mas há uma hierarquia: só os beijos não funcionam. Eu refleti sobre isso durante a noite passada ao fechar o livro de Drake. Sabia que levaria anos para esquecer John [Erskine], porque foi ele que primeiro estimulou a fonte secreta de minha vida.

Não há nada do próprio Drake no livro, estou convencida. Ele odeia as partes de que eu gosto. Tudo foi escrito objetiva e conscientemente, e até mesmo a fantasia foi planejada com cuidado. Nós acertamos isso no começo de minha próxima visita. Muito bom. Estou começando a ver as coisas mais claramente. Sei agora por que não confiei nele no primeiro dia. Suas ações não possuem nem sentimento nem imaginação. São motivadas por meros hábitos de viver, assimilar e analisar. Ele é um gafanhoto. Agora pulou para minha vida. Minha sensação de desagrado se intensifica. Quando tenta me beijar, eu fujo.

Ao mesmo tempo admito a mim mesma que ele conhece a técnica de beijar melhor do que ninguém que já conheci. Seus gestos nunca erram o alvo, nenhum beijo jamais se perde. Suas mãos são hábeis. Minha curiosidade por sensualidade é despertada. Sempre fui tentada por prazeres desconhecidos. Ele tem, como eu, um senso de cheiro. Eu o deixo aspirar-me, depois escapo. Finalmente deito-me imóvel no sofá, mas quando o desejo dele aumenta, tento fugir. Tarde demais. Então lhe digo a verdade: menstruação. Isto parece não detê-lo.

– Não pense que eu quero aquela maneira mecânica... existem outras maneiras. – Ele se senta e descobre o pênis. Eu não compreendo o que ele quer. Ele me faz ficar de joelhos. Oferece-o à minha boca. Eu me levanto como se atingida por um chicote.

Ele está furioso. Eu digo a ele:

– Eu lhe disse que nós temos maneiras diferentes de fazer coisas. Eu lhe avisei que era inexperiente.

– Eu nunca acreditei. Ainda não acredito. Você não pode ser, com seu rosto sofisticado e sua paixão. Está me enganando.

Eu o escuto; o analista em mim é predominante, ainda em ação. Ele me conta várias histórias para me mostrar que eu não aprecio o que outras mulheres fazem.

Em minha cabeça eu respondo:

"*Você* não sabe o que é sensualidade. Hugo e eu sabemos. Está em nós, não em suas práticas diabólicas; está no sentimento, na paixão, no amor."

Ele continua a conversar. Eu o observo como meu "rosto sofisticado". Ele não me odeia porque, embora com repulsa, embora zangada, tenho facilidade para perdoar. Quando vejo que o deixei excitado, parece natural deixá-lo aliviar seu desejo entre minhas pernas. Eu simplesmente o deixo, por pena. Isso, ele sente. Outras mulheres, diz, o teriam insultado.

Ele compreende minha pena por sua ridícula e humilhante necessidade física.

Eu lhe devia isso; ele tinha revelado um novo mundo para mim. Eu havia compreendido pela primeira vez as experiências anormais contra as quais Eduardo me advertira. Erotismo e sensualidade agora tinham um outro significado para mim.

Nada foi poupado a meus olhos, de forma que eu sempre pudesse me lembrar: Drake olhando para o lenço molhado, oferecendo-me uma toalha, aquecendo água no fogão a gás.

Conto a Hugo a história parcialmente, omitindo minha atividade, retirando o significado para mim e para ele. Como algo para sempre terminado, ele aceita isso. Passamos uma hora de amor apaixonado, sem distorções, sem sensações desagradáveis. Quando termina, não está terminado, nós ainda ficamos imóveis nos braços um do outro, acalentados por nosso amor, por ternura – sensualidade na qual todo o ser consegue participar.

Henry tem imaginação, um sentimento animal pela vida, o maior poder de expressão e o gênio mais verdadeiro que já conheci. "Nossa era tem necessidade de violência", ele escreve. E ele é violência.

Hugo o admira. Ao mesmo tempo ele se preocupa. Diz com justiça:

– Você se apaixona pelas mentes das pessoas. Eu vou perdê-la para Henry.

– Não, não, você não vai me perder. – Eu sei como minha imaginação é incendiária. Já sou devotada ao trabalho de Henry, mas separo meu corpo de minha mente. Aprecio a força dele, uma força feia, destrutiva, destemida e catártica. Eu poderia escrever um livro neste minuto sobre o gênio dele. Quase a cada duas palavras dele uma causa uma descarga elétrica: sobre a *Idade do ouro* de Buñuel, sobre Salavin, sobre Waldo Frank, sobre Proust, sobre o filme *Anjo azul,* sobre pessoas, sobre animalismo, sobre Paris, sobre prostitutas francesas, sobre mulheres americanas, sobre a América. Ele caminha à frente de Joyce. Repudia a forma. Escreve como pensamos, sobre vários níveis ao mesmo tempo, com aparente irrelevância, aparente caos.

Eu terminei meu novo livro, menos os retoques. Hugo leu-o no domingo e se sentiu enlevado. É surrealístico, lírico. Henry diz que escrevo como um homem, com tremenda clareza e concisão. Ficou surpreso com meu livro sobre Lawrence, embora não goste de Lawrence.

– Um livro tão inteligente. – É o bastante. Ele sabe que superei Lawrence. Já tenho outro livro na cabeça.

Transpus a sexualidade de Drake para um outro tipo de interesse. Os homens precisam de outras coisas além de um recipiente sexual. Têm que ser acalmados, acalentados, compreendidos, ajudados, encorajados e escutados. Ao fazer tudo isso terna e afetuosamente – bem, ele acendeu o cachimbo e me deixou sozinha. Eu o observei como se ele fosse um touro. Além disso, sendo inteligente, compreende que meu tipo não pode ser "feito" sem a ilusão. Ele não pode se incomodar com ilusões. Muito bem. Está um pouco zangado, mas... fará uma história disso. Ele fica divertido porque eu lhe digo que sei que ele não me ama. Ele pensou que eu poderia ser infantil o bastante para acreditar que ele me amava.

– Garota brilhante – diz ele. E me conta todos os seus problemas.

Novamente a questão: Nós queremos festas, orgias? Hugo diz definitivamente não. Ele não se arriscará. Seria forçar o nosso temperamento. Não gostamos de festas, não gostamos de beber, não invejamos a vida de Henry. Mas eu protesto: Não se fazem essas coisas lucidamente, fica-se embriagado. Hugo não quer se embriagar. Nem eu. De qualquer maneira, não vamos sair à procura da prostituta ou do homem. Se ela ou ele aparecerem em nosso caminho, inevitavelmente, então viveremos o que quisermos.

Enquanto isso vivemos satisfeitos com nossa vida menos intensa, porque, é claro, a intensidade diminuiu – depois do estímulo da paixão de Hugo devido ao meu envolvimento com John. Ele também ficou com ciúmes de Henry e de Drake – ficou infeliz –, mas eu o tranquilizei. Ele percebe que estou mais sensata, que na verdade nunca mais pretendo ir de encontro a um muro.

Acredito realmente que, se não fosse escritora, nem criadora, nem experimentadora, talvez tivesse sido uma esposa muito fiel. Tenho a fidelidade em alta conta. Mas meu temperamento pertence à escritora, não à mulher. Tal separação pode parecer infantil, mas é possível. Subtraia a superintensidade, o chiado de ideias, e você tem uma mulher que ama a perfeição. E fidelidade é uma das perfeições. Parece-me estúpido e pouco inteligente agora porque tenho planos maiores em mente. A perfeição é estática, e estou em pleno progresso. A esposa fiel é apenas uma fase, um momento, uma metamorfose, uma condição.

Eu talvez tivesse encontrado um marido que me amasse menos exclusivamente, mas não seria Hugo, e, seja o que Hugo for, sejam quais forem suas qualidades e defeitos, eu o amo. Nós lidamos com valores diferentes. Para a fidelidade dele, eu lhe dou minha imaginação – até o meu talento, se você quiser. Eu nunca fiquei satisfeita com nossas relações, mas elas devem permanecer.

Ele chega em casa à noite e eu o observo. Melhor do que qualquer homem que conheço, o homem quase perfeito. Tocantemente perfeito.

As horas que passei em cafés são as únicas que chamo de vivas, com exceção de meus escritos. Meu ressentimento cresce por causa da monotonia da vida bancária de Hugo. Quando vou para casa, sei que volto para o banqueiro. Ele cheira a banco. Eu abomino isso. Pobre Hugo.

Tudo se corrige com uma conversa com Henry toda a tarde – aquela mistura de intelecto e emocionalismo de que gosto. Ele consegue envolver por completo. Conversamos sem reparar no tempo até Hugo chegar em casa, e jantamos juntos. Henry comentou sobre a garrafa de vinho bojuda e verde e sobre o chiado da lenha ligeiramente umedecida no fogo.

Ele acha que devo saber sobre a vida porque posei para pintores. A extensão de minha inocência seria incrível para mim. Como acordei tarde e com que furor! O que importa o que Henry pensa de mim? Ele saberá em breve exatamente o que eu sou. Tem uma mente caricatural. Eu me verei na caricatura.

Hugo diz com razão que é preciso muito ódio para fazer uma caricatura. Henry e minha amiga Natasha [Troubetskoi] têm grandes ódios. Eu não. Tudo comigo ou é veneração e paixão ou pena e compreensão. Raramente odeio, embora quando odeie, odeie com furor assassino. Por exemplo agora, odeio o banco e tudo ligado a ele. Também odeio pinturas holandesas, chupar pênis, festas e tempo frio chuvoso. Mas estou mais preocupada com o amor.

Estou concentrada em Henry, que é incerto, autocrítico, sincero. Sinto um imenso prazer egoísta em presentear nosso dinheiro. O que penso quando me sento junto ao fogo? Comprar um punhado de bilhetes de trem para Henry; comprar *Albertine disparue* para ele. Henry quer ler *Albertine disparue*? Rápido, não ficarei feliz enquanto ele não tiver o livro. Eu sou uma tola. Ninguém gosta de ter essas coisas prontamente, ninguém a não ser Eduardo, e até ele, em determinados estados de espírito, prefere a total indiferença. Eu gostaria de dar a Henry um lar, uma comida maravilhosa, uma renda. Se eu fosse rica, não seria rica por muito tempo.

Drake não me interessa mais a mínima. Fiquei aliviada por ele não ter vindo hoje. Henry me interessa, mas não fisicamente. É possível que finalmente ficasse satisfeita com Hugo? Fiquei magoada quando ele partiu para a Holanda hoje. Senti-me velha, afastada.

Um rosto surpreendentemente branco, olhos ardentes. June Mansfield, a esposa de Henry. Quando ela veio em minha direção da escuridão do meu jardim até a luz da entrada, vi pela primeira vez a mulher mais linda da Terra.

Anos atrás, quando tentei imaginar uma verdadeira beleza, criara uma imagem em minha mente exatamente de tal mulher. Até imaginara que ela seria judia. Já conhecia há muito tempo a cor de sua pele, seu perfil, seus dentes.

A beleza dela sobrepujou-me. Quando me sentei à sua frente, senti que faria qualquer loucura por ela, qualquer coisa que ela me pedisse. Henry esvaneceu-se. Ela era cor, brilho, estranheza.

Apenas seu papel na vida a preocupa. Eu sabia as razões: sua beleza traz dramas e acontecimentos para ela. As ideias significam pouco. Eu vi nela uma caricatura do personagem teatral e dramático. Roupas, atitudes, conversa. Ela é uma atriz soberba. Nada mais. Eu não pude assimilar seu âmago. Tudo que Henry dissera sobre ela era verdadeiro.

No final da noite eu era como um homem, terrivelmente apaixonado por seu rosto e por seu corpo, que prometia tanto, e odiava o eu criado nela por outros. Outros sentem por causa dela; e por causa dela, outros escrevem poesia; por causa dela, outros odeiam; outros, como Henry, amam-na apesar deles mesmos.

June. À noite sonhei com ela, como se ela fosse muito pequena, muito frágil, e a amei. Amei uma insignificância que aparecera em sua conversa: o orgulho desproporcionado, um orgulho ferido. Falta-lhe a essência da certeza, ela anseia por admiração insaciavelmente. Vive dos reflexos de si mesma nos olhos dos outros. Não ousa ser ela própria. Não há nenhuma June Mansfield. Ela sabe disso. Quanto mais é amada, mais sabe. Sabe que existe uma mulher muito bela que tomou o exemplo de minha experiência a noite passada e tentou perder a profundidade de conhecimento.

Um rosto surpreendentemente branco retirando-se para a escuridão do jardim. Ela posa para mim ao partir. Tenho vontade de correr e beijar sua beleza fantástica, beijá-la e dizer: "Você carrega consigo um reflexo meu, uma parte de mim. Eu sonhava com você, desejava sua existência. Você sempre será uma parte de minha vida. Se eu a amar, deve ser porque partilhamos em alguma época dos mesmos pensamentos, da mesma loucura, do mesmo estágio.

"O único poder que a mantém unida é seu amor por Henry, e, por isso, você o ama. Ele a magoa, mas mantém seu corpo e alma juntos. Ele a integra. Ele a açoita, provocando integridade ocasional. Eu tenho Hugo."

Eu quis vê-la novamente. Achei que Hugo a amaria. Parecia-me tão natural que todo mundo a amasse. Conversei com Hugo sobre ela. Não senti nenhum ciúme.

Quando ela saiu da escuridão novamente, parecia ainda mais bela para mim do que antes. Também parecia mais sincera. Eu disse para mim mesma: "As pessoas são sempre mais sinceras com Hugo". Também achei que era porque ela ficava mais à vontade. Eu não podia dizer o que Hugo estava pensando. Ela estava subindo as escadas para ir até nosso quarto deixar o casaco. Parou por um segundo na metade dos degraus onde a luz a deixava contra o fundo azul-esverdeado na parede. Cabelo louro, rosto pálido, sobrancelhas pontudas demoníacas, um sorriso cruel com uma covinha sedutora. Pérfida, infinitamente desejável, atraindo-me a ela como para a morte.

No andar de baixo, Henry e June formavam uma aliança. Contavam-nos sobre suas discussões, brigas, conflitos de um contra o outro. Hugo, que fica inquieto na presença de emoções, tentou apaziguar a discórdia, o feio, o temível, para suavizar suas confidências. Como um francês, suave e sensato, ele dissolveu toda a possibilidade de drama. Talvez tenha havido uma cena horrível, cruel, desumana entre June e Henry, mas Hugo impediu-nos de saber.

Depois disso, fiz-lhe ver como ele impedira todos nós de viver, como fizera com que um momento vivido passasse por ele. Fiquei envergonhada de seu otimismo, de sua tentativa de acalmar as coisas. Ele compreendeu. Prometeu se lembrar. Sem mim ficaria inteiramente fechado por seu hábito de convencionalismo.

Tivemos um animado jantar juntos. Henry e June estavam famintos. Então fomos ao Grand Guignol. No carro, June e eu nos sentamos juntas e conversamos harmoniosamente.

– Quando Henry a descreveu para mim – disse ela –, ele omitiu as partes mais importantes. Ele não chegou a você absolutamente. – Ela logo soube disso; ela e eu tínhamos nos compreendido, cada detalhe e nuance de cada uma.

No teatro. Como é difícil reparar em Henry enquanto ela está ali resplandecente com um rosto igual ao de uma máscara. Intervalo. Ela e eu queremos fumar, Henry e Hugo não. Saindo juntas, que comoção nós criamos. Eu digo a ela:

– Você é a única mulher que já respondeu às exigências de minha imaginação.

Ela responde:

– É bom que eu me vá. Você logo me desmascararia. Eu sou impotente diante de uma mulher. Não sei como lidar com elas.

Ela está dizendo a verdade? Não. No carro ela havia me falado sobre sua amiga Jean, escultora e poetisa:

– Jean tinha o rosto mais lindo. – E então acrescenta, rapidamente: – Não estou falando de uma mulher comum. O rosto de Jean, sua beleza, era mais como a de um homem. – Ela para. – As mãos de Jean eram tão adoráveis, tão macias, porque ela manuseia argila. Os dedos afilaram-se. – Que raiva é provocada em mim quando June elogia as mãos de Jean? Ciúme? E sua insistência de que a vida tem sido cheia de homens, que ela não sabe como agir diante de uma mulher. Mentirosa!

Ela diz, olhando intensamente:

– Pensei que seus olhos fossem azuis. Eles são estranhos e belos, cinzentos e dourados, com esses longos cílios pretos. Você é a mulher mais graciosa que eu já vi. Você desliza quando caminha. – Nós conversamos sobre as cores que amamos. Ela sempre usa preto e roxo.

Voltamos aos nossos lugares. Ela se vira constantemente para mim em vez de se virar para Hugo. Saindo do teatro, pego em seu braço. Então ela passa a mão sobre a minha; nós as entrelaçamos. Ela diz:

– Na outra noite em Montparnasse, fiquei magoada ao ouvir seu nome mencionado. Eu não quero ver homens baratos arrastarem-se para sua vida. Eu me sinto... muito protetora.

No café, vejo cinzas sob a pele de seu rosto. Desintegração. Que terrível ansiedade eu sinto. Quero pôr meus braços em volta dela. Eu a sinto recuar para a morte e estou disposta a penetrar na morte para segui-la, para abraçá-la. Ela está morrendo diante dos meus olhos. Sua beleza provocante e sombria está morrendo. Sua estranha força viril.

Eu não compreendo as palavras dela. Estou fascinada por seus olhos e boca, sua boca sem cor, mal pintada. Ela sabe que me sinto imobilizada e fixa, perdida nela?

Ela estremece de frio sob sua capa de veludo leve.

– Você pode almoçar comigo antes de partir? – pergunto.

Ela está feliz por partir. Henry a ama imperfeita e brutalmente. Ele feriu seu orgulho, desejando mulheres opostas a ela: mulheres feias, comuns, passivas. Ele não consegue suportar sua afirmação, sua força. Eu odeio Henry agora, com todas as minhas forças. Odeio homens que têm medo da força das mulheres. Provavelmente Jean amou sua força, seu poder destrutivo. Pois June é destruição.

Minha força, como Hugo me diz mais tarde quando descubro que ele detesta June, é suave, indireta, delicada, insinuante, criativa, tenra, feminina. A dela é como a de um homem. Hugo me diz que ela tem um pescoço másculo, voz máscula e mãos ásperas. Eu não reparo? Não, não reparo, ou se reparo, não ligo. Hugo admite que tem ciúmes. Desde o primeiro minuto eles se odiaram.

– Ela pensa que com sua sensibilidade de mulher e sutileza pode amar aquilo em você que eu não amei?

É verdade. Hugo tem sido infinitamente terno comigo, mas enquanto fala de June eu penso em nossas mãos entrelaçadas. Ela não alcança o mesmo âmago sexual de meu ser que o homem alcança; ela não o toca. O que então provocou em mim? Eu quis possuí-la como se eu fosse um homem, mas também quis que ela me amasse com os olhos, as mãos, os sentidos que apenas as mulheres têm. É uma penetração suave e sutil.

Eu odeio Henry por ousar afrontar o enorme e superficial orgulho dela por si mesma. A superioridade de June provoca o ódio dele, até mesmo um sentimento de vingança. Ele olha para minha empregada educada e afável, Emilia. A afronta dele me faz amar June.

Eu a amo pelo que ela ousou ser, por sua dureza, sua crueldade, seu egoísmo, sua perversidade, sua destrutibilidade demoníaca. Ele me esmagaria sem hesitação. Ela é uma personalidade criada para o limite. Eu venero sua coragem de magoar, e estou disposta a ser sacrificada por ela. Ela acrescentará a soma de mim a si. Ela será June mais tudo que contenho.

JANEIRO DE *1932*

Nós nos encontramos, June e eu, no American Express. Sabia que ela se atrasaria e não me importei. Cheguei lá antes da hora, quase doente de tensão. Eu a veria, em pleno dia, sair da multidão. Seria possível? Tinha medo de ficar ali exatamente como ficara em outros lugares, observando uma multidão e sabendo que June alguma apareceria, porque June era um produto de minha imaginação. Eu mal podia acreditar que ela chegasse por aquelas ruas, atravessasse tal avenida, emergisse de um grupo de pessoas escuras, anônimas e caminhasse até aquele lugar. Que alegria observar a multidão correndo e então vê-la caminhando com passos largos, resplandecente, incrível, em minha direção. Eu seguro sua mão quente. Ela está indo em busca de correspondência. O homem no American Express não vê a maravilha que ela é? Ninguém como ela jamais pediu correspondência. Alguma mulher jamais usou sapatos gastos, um vestido preto velho, uma capa azul-escura velha e um velho chapéu cor de violeta como ela usa?

Eu não consigo comer em sua presença. Mas por fora estou calma, com aquela plácida atitude oriental que é tão enganadora. Ela bebe e fuma. É bem louca, num certo sentido, sujeita a medos e manias. Sua conversa, em grande parte inconsciente, seria reveladora para um analista, mas eu não posso analisá-la. É quase tudo mentira. Os conteúdos de sua imaginação são realidades para ela. Mas o que está construindo tão cuidadosamente? Um engrandecimento de sua personalidade, uma fortificação e uma glorificação dela. No calor óbvio e envolvente de minha admiração, ela se expande. Parece ao mesmo tempo destrutiva e impotente. Eu quero protegê-la. Que piada! Eu, proteger aquela cujo poder é infinito. Seu poder é tão forte que realmente acredito quando ela diz que sua destrutibilidade não é intencional. Ela tentou me destruir? Não, entrou em minha casa e eu estava disposta a suportar qualquer dor em suas mãos. Se existe alguma premeditação nela, esta vem apenas depois, quando ela se torna consciente de seu poder e se pergunta como deveria usá-lo. Não acho que sua maldade potencial seja dirigida. Até ela fica aturdida.

Eu a tenho em mim agora como alguém a proteger. Ela está envolvida em perversidades e tragédias com que não consegue lidar. Finalmente captei sua fraqueza. Sua vida está cheia de fantasias. Quero forçá-la a voltar à realidade. Quero lhe fazer uma violência. Eu, que estou afundada em sonhos, em atos semivividos, vejo-me possuída por uma intenção furiosa: quero agarrar as mãos evasivas de June, ah, com que força, levá-la a um quarto de hotel e realizar o sonho dela e o meu, um sonho que ela evitou enfrentar toda sua vida.

Eu fui ver Eduardo, tensa e despedaçada após minhas três horas com June. Ele viu a fraqueza nela e me pressionou para usar minha força.

Mal pude pensar claramente porque no táxi ela havia apertado minha mão. Eu não estava envergonhada de minha admiração, minha humildade. O gesto dela não foi sincero. Não acredito que ela pudesse amar.

Ela diz que quer guardar o vestido cor-de-rosa que usei na primeira noite em que ela me viu. Quando lhe digo que quero lhe dar um presente de despedida, ela diz que quer um pouco do perfume que sentiu em minha casa, para evocar lembranças. E precisa de sapatos, meias, luvas, roupas de baixo. Sentimentalismo? Romantismo? Se ela *realmente* diz que é isso... Por que duvido dela? Talvez ela seja apenas muito sensível, e pessoas hipersensíveis são falsas quando outras duvidam delas; elas oscilam. E as achamos insinceras. No entanto, quero acreditar nela. Ao mesmo tempo não parece tão importante que ela deva me amar. Não é seu papel. Estou tão inundada pelo meu amor por ela. E ao mesmo tempo sinto que estou morrendo. Nosso amor seria a morte. O abraço de imaginações.

Quando conto a Hugo as histórias que June me contou, ele diz que elas são simplesmente muito baratas. Eu não sei.

Então Eduardo passa dois dias aqui, o analista demoníaco, fazendo-me perceber a crise por que estou passando. Quero ver June. Quero ver o corpo de June. Não ousei olhar para o corpo dela. Eu sei que é bonito.

As perguntas de Eduardo me enlouquecem. Implacavelmente, ele observa como eu me humilhei. Não dei importância aos sucessos que poderiam glorificar-me. Ele me faz lembrar que meu pai me espancava, que minha primeira lembrança dele é uma humilhação. Ele havia dito que eu fiquei feia depois de ter febre tifoide. Perdera peso e perdera meus cachos.

O que me deixou doente agora? June. June e sua atração sinistra. Ela já tomou drogas; amou uma mulher; fala na linguagem de tiras quando conta histórias. E no entanto conservou aquele incrível e ultrapassado sentimentalismo.

– Dê-me o perfume que senti em sua casa. Ao subir a colina até sua casa, no escuro, fiquei em êxtase.

Pergunto a Eduardo:

– Você pensa realmente que sou lésbica? Leva isso a sério? Ou isso é apenas uma reação contra minha experiência com Drake? – Ele não tem certeza.

Hugo toma uma posição definida e diz que considera tudo externo ao nosso amor insignificante – fases, curiosidades apaixonadas. Ele quer viver com segurança. Eu me rejubilo com o fato de ele pensar assim. Digo-lhe que tem razão.

Finalmente Eduardo diz que não sou lésbica, porque não odeio homens – pelo contrário. Em meu sonho, na noite passada, desejei Eduardo, e não June. Na noite anterior, quando sonhei com June, eu estava no alto de um arranha-céu e esperava descer pela fachada do prédio por uma estreita escada de incêndio. Estava apavorada. Não conseguia fazer isso.

Ela veio a Louveciennes na segunda-feira. Eu lhe perguntei de forma cruel e exatamente como Henry havia feito:
– Você é lésbica? Já enfrentou seus impulsos em sua própria mente?

Ela me respondeu com tanta calma:
– Jean era máscula demais. Eu enfrentei meus sentimentos, estou plenamente consciente deles, mas nunca encontrei ninguém com quem quisesse viver até o fim, até agora. – E mudou de conversa, evasiva. – Você tem um jeito adorável de se vestir. Este vestido... sua cor rosa, cheio embaixo como os antigos, o coletinho de veludo preto, a gola de renda, a renda sobre os seios... é perfeito, absolutamente perfeito. Eu gosto da maneira como você se cobre, também. Há muito pouca nudez, apenas o pescoço, na verdade. Adoro seu anel de turquesa, e o coral.

As mãos dela tremiam; ela estava trêmula. Eu estava envergonhada de minha brutalidade. Estava muito nervosa. Ela me contou como no restaurante tivera vontade de ver meus pés e como não conseguiu olhar. Disse-lhe como tive medo de olhar para seu corpo. Conversamos entrecortadamente. Ela olhou para os meus pés, de sandálias, e achou-os adoráveis.

Eu disse:
– Você gosta destas sandálias? – Ela respondeu que sempre gostara de sandálias e as usara até ficar pobre demais para tê-las. Eu disse: – Venha até o meu quarto e experimente o outro par que eu tenho.

Ela as experimentou, sentada em minha cama. Eram pequenas demais para ela. Vi que usava meias de algodão, e fiquei magoada de ver June com meias de algodão. Mostrei-lhe minha capa preta, que ela achou bonita. Fiz com que a experimentasse, e então vi a beleza de seu corpo, sua exuberância, e isso me arrebatou.

Eu não podia compreender por que ela estava tão pouco à vontade, tão tímida, tão assustada. Disse-lhe que mandaria fazer para ela uma capa igual à minha. Por uma vez toquei em seu braço. Ela o afastou. Será que a assustara? Poderia haver alguém mais sensível e mais temerosa do que eu? Eu não podia acreditar. Não estava com medo naquele momento. Queria tocá-la desesperadamente.

Quando se sentou no sofá no andar de baixo, a abertura do vestido mostrou o começo dos seios, e tive vontade de beijá-la ali. Estava intensamente perturbada e trêmula. Começava a tomar consciência de sua sensibilidade e medo dos próprios sentimentos. Ela falava, mas agora eu sabia que falava para fugir de uma conversa íntima mais profunda – as coisas que não podíamos dizer.

Nós nos encontramos no dia seguinte no American Express. Ela veio em seu *tailleur* feito sob medida porque eu disse que gostava dele.

Ela havia dito que não queria nada de mim a não ser o perfume que eu usava e meu lenço cor de vinho. Mas insisti em que ela prometera me deixar comprar sandálias.

Em primeiro lugar eu a fiz ir até o toalete. Abri minha bolsa e tirei um par de meias finas.

– Vista-as – pedi-lhe. Ela obedeceu. Enquanto isso abri um vidro de perfume. – Ponha um pouco. – A servente ficou ali, olhando, à espera da gorjeta. Não liguei para ela. June tinha um furo na manga.

Eu estava imensamente feliz. June estava exultante. Falamos ao mesmo tempo.

– Tive vontade de lhe telefonar ontem à noite. Queria mandar-lhe um telegrama – disse June. Ela tivera vontade de me dizer que estava muito infeliz no trem, arrependendo-se de seu comportamento estranho, seu nervosismo, sua conversa sem nexo. Havia tanto, tanto que desejava dizer.

Nossos medos de desagradar uma à outra, de nos desapontarmos mutuamente eram os mesmos. Ela fora ao café à noite como se drogada, cheia de pensamentos sobre mim. As vozes das pessoas chegavam a ela de longe. Estava fascinada. Não conseguiu dormir. O que eu havia feito com ela? Ela sempre fora segura, sempre conseguira conversar bem, as pessoas nunca a intimidavam.

Quando percebi o que ela estava me revelando, quase fiquei louca de alegria. Ela me amava, então? June! Sentou-se ao meu lado no restaurante, pequena, tímida, apavorada. Dizia algo e então pedia perdão por sua estupidez. Não pude suportar isso. Disse-lhe:

– Nós duas nos perdemos, mas algumas vezes revelamos o máximo quando somos menos como nós mesmas. Eu não estou tentando pensar mais. Não consigo pensar quando estou com você. Você é como eu, desejando um momento perfeito, mas nada imaginado por muito tempo pode ser perfeito de uma maneira mundana. Nenhuma de nós consegue dizer a coisa certa. Estamos tomadas pelo arrebatamento. Vamos ficar assim. É tão adorável, tão adorável. Eu a amo, June.

E não sabendo mais o que dizer, estiquei no banco entre nós o lenço cor de vinho que ela queria, meus brincos de coral, meu anel de turquesa, que Hugo tinha me dado e que me foi difícil dar, mas era sangue que eu desejava verter diante da beleza de June e diante da sua incrível humildade.

Fomos até a loja das sandálias. Na loja a mulher feia que nos serviu odiou a nós e à nossa visível felicidade. Eu segurei a mão de June firmemente. Dei as ordens na loja. Fui o homem. Fui firme, dura, obstinada com as vendedoras. Quando elas mencionaram o tamanho dos pés de June, eu as repreendi. June não compreendia o francês delas, mas percebeu que eram desagradáveis. Disse-lhe:

– Quando as pessoas são desagradáveis com você tenho vontade de me ajoelhar à sua frente.

Escolhemos as sandálias. Ela recusou qualquer outra coisa, qualquer coisa que não fosse minha, simbólica ou representativa. Tudo que eu usava ela usaria, embora nunca tivesse desejado imitar outra pessoa antes.

Quando caminhamos juntas pelas ruas, os corpos juntos, de braços dados, as mãos dadas, não consegui falar. Estávamos caminhando pelo mundo, pela realidade, para o êxtase. Quando cheirou meu lenço, me aspirou. Quando vesti sua beleza, eu a possuí.

Ela disse:

– Existem tantas coisas que eu adoraria fazer com você. Com você eu tomaria ópio. June, que não aceita um presente que não tenha significado simbólico; June, que lava roupa para poder comprar um pouco de perfume. June, que não tem medo de pobreza e miséria e que fica insensível por isso, insensível pela embriaguez dos amigos; June, que julga, seleciona, descarta pessoas com severidade, que sabe, quando está contando suas histórias intermináveis, que elas são válvulas de escape, conservando a si mesma mais secreta por trás da conversa profusa. Secretamente minha.

Hugo começa a compreender. A realidade existe apenas entre ele e eu, em nosso amor. Todo o resto, sonhos. Nosso amor está resolvido. Eu sei ser fiel. Fiquei imensamente feliz durante a noite.

Mas devo beijá-la, devo beijá-la.

Se ela tivesse desejado, ontem eu me teria sentado no chão, com a cabeça encostada em seus joelhos. Mas ela não quis saber disso. No entanto, na estação enquanto esperamos pelo trem, ela implora por minha mão. Chamo seu nome. Nós permanecemos juntas, com os rostos quase se tocando. Sorrio para ela enquanto o trem parte. Eu me viro.

O chefe da estação quer me vender uns bilhetes de caridade. Eu os compro e os dou a ele, desejando-lhe sorte na loteria. Ele recebe o benefício de meu desejo de dar a June, a quem não se pode dar nada.

Que língua secreta nós falamos, conversas a meia-voz, nuances, abstrações, símbolos. Então voltamos para Hugo e Henry, cheias de uma incandescência que assusta a ambos. Henry está inquieto. Hugo está triste. Qual é essa poderosa coisa mágica a que nós nos entregamos, June e eu, quando estamos juntas? Maravilha! Maravilha! Isso vem com ela.

A noite passada, depois de June, tomada por June, eu não pude suportar Hugo lendo os jornais e falando sobre trustes e um dia bem-sucedido. Ele compreendeu – ele de fato compreende – mas não conseguiu partilhar, não conseguiu assimilar o incandescente. Provocou-me. Estava bem-humorado. Estava imensamente agradável e afetuoso. Mas não pude voltar.

Então permaneci no sofá, fumando e pensando em June. Na estação, eu havia desmaiado.

A intensidade está arrasando com nós duas. Ela está feliz por partir. É menos fraca do que eu. Quer realmente escapar daquilo que lhe está dando vida. Não gosta de meu poder, enquanto eu me alegro em me entregar a ela.

Quando nos encontramos durante meia hora hoje para discutir o futuro de Henry, ela me pediu para cuidar dele, e então me deu sua pulseira de prata com uma pedra de olho de gato, mesmo tendo tão poucos pertences. Eu recusei a princípio, mas a alegria de usar sua pulseira, uma parte dela, tomou conta de mim. Carrego essa pulseira como um símbolo. É preciosa para mim.

Hugo reparou nela e odiou-a. Quis tirá-la de mim, para me provocar. Agarrei-me a ela com toda minha força enquanto ele esmagava minhas mãos, deixando-o machucar-me.

June ficou com medo de que Henry me pusesse contra ela. O que ela teme? Eu disse a ela:

– Existe um segredo fantástico entre nós. Eu só a conheço através de meu próprio conhecimento. Fé. Qual é o conhecimento de Henry sobre mim?

Então encontrei Henry casualmente no banco. Vi que ele me odiava, e fiquei surpresa. June dissera que ele estava inquieto, porque tem mais ciúme de mulheres do que de homens. June, inevitavelmente, semeia loucura. Henry, que me considerava uma pessoa "rara", agora me odeia. Hugo, que raramente odeia, odeia June.

Hoje ela disse que quando conversou com Henry sobre mim tentou ser muito natural e direta para não deixar transparecer nada de incomum. Ela lhe disse:

– Anaïs só estava entediada com a vida, então se apegou a nós. – Isso me pareceu rude. Foi a única coisa feia que a ouvi dizer.

Hugo e eu nos entregamos inteiramente um ao outro. Não podemos ficar um sem o outro, não podemos suportar a discórdia, a guerra, o mal-estar, não podemos dar passeios sozinhos, não gostamos de viajar um sem o outro. Nós nos entregamos apesar de nosso individualismo, de nossa aversão à intimidade. Absorvemos nossos eus egocêntricos em nosso amor. Nosso amor *é* nosso ego.

Eu não creio que June e Henry tenham alcançado isso, porque suas individualidades são muito fortes. Então eles estão em conflito; o amor é um conflito; eles têm que mentir um para o outro, sem confiar um no outro.

June quer voltar para Nova York e fazer alguma coisa útil, ser adorável para mim, satisfazer-me. Tem medo de me desapontar.

Almoçamos juntas num lugar com iluminação suave que nos cercou de aconchego aveludado. Tiramos os chapéus. Bebemos champanhe. June recusou toda comida doce ou sem gosto. Podia viver de toranja, ostras e champanhe.

Falamos em abstrações com meias-palavras, claras apenas para nós. Ela me fez perceber como evadiu de todas as tentativas de Henry de assimilá-la logicamente, de alcançar um conhecimento dela.

Ficou ali sentada cheia de champanhe. Falou sobre a maconha e seus efeitos. Eu disse:

– Já experimentei tais estados sem maconha. Não preciso de drogas. Carrego tudo isso em mim. – Então ela ficou um pouco zangada. Não percebeu que eu alcançava aqueles estados sem destruir minha mente. Minha mente não deve morrer, porque sou uma escritora. Sou o poeta que deve ver. Não sou apenas o poeta que pode ficar embriagado com a beleza de June.

Foi sua culpa eu começar a reparar discrepâncias em suas histórias, mentiras infantis. Sua falta de coordenação e lógica deixava buracos, e quando juntei as peças, formei um julgamento, um julgamento que ela sempre teme, do qual quer fugir. Ela vive sem lógica. Assim que se tenta coordenar June, June se perde. Ela deve ter visto isso acontecer muitas vezes. É como um homem que fica bêbado e se entrega.

Estávamos conversando sobre perfumes, sua substância, suas misturas, seu significado. Ela disse casualmente:

– Sábado, quando a deixei, comprei um perfume para Ray. (Ray é uma moça de quem ela me falou.) No momento não pensei. Guardei o nome do perfume, que era muito caro.

Continuamos a conversar. Ela fica tão impressionada pelos meus olhos quanto eu por seu rosto. Disse-lhe como sua pulseira se prendia a meu pulso como seus próprios dedos, segurando-me em escravidão bárbara. Ela quer minha capa em volta de seu corpo.

Depois do almoço nós caminhamos. Ela teve que comprar a passagem para Nova York. Primeiro entramos num táxi e fomos até o hotel. Ela trouxe uma marionete, Conde Bruga, feita por Jean. Ele tinha cabelo roxo e pálpebras roxas, olhos de prostituta, um nariz adunco, uma boca solta e depravada, faces de tuberculoso, um queixo mesquinho e agressivo, mãos de assassino, pernas de madeira, um *sombrero* espanhol, um paletó de veludo preto. Estivera no palco.

June sentou-o no chão do táxi, à nossa frente. Eu ri dele.

Fomos a várias agências de viagem. June não tinha dinheiro suficiente nem mesmo para uma passagem de terceira classe e tentava conseguir um abatimento. Eu a vi debruçar-se sobre o balcão, com o rosto nas mãos, sedutora, de forma que os homens atrás do balcão devoraram-na com os olhos, ousadamente. E ela tão suave, persuasiva, atraente, sorrindo de uma maneira secreta para eles. Eu a observava implorar. O Conde Bruga olhava de esguelha para mim. Eu só tinha consciência de meu ciúme daqueles homens, não da humilhação dela.

Nós saímos. Disse a June que lhe daria o dinheiro de que precisava, que era mais do que eu tinha condições de dar, muito mais.

Entramos em outra agência de viagens, com June mal terminando algum conto de fadas louco antes de dizer o que queria. Vi o homem do balcão fascinado, pasmo pelo seu rosto e a maneira suave de falar com ele, de pagar e assinar. Fiquei ali ao lado e observei quando ele lhe perguntou:

– Você quer tomar um drinque comigo amanhã? – June apertava a mão dele. – Três horas?
– Não. Às seis. – Ela sorriu para ele como faz comigo. Então ao sairmos ela se explicou rapidamente: – Ele me foi muito útil, muito atencioso. Vai fazer muito por mim. Eu não pude dizer não. Não pretendo ir, mas não podia dizer não.
– Você deve ir, já que disse sim – respondi zangada, e então a literalidade e a estupidez dessa afirmação nausearam-me. Tomei o braço de June e disse quase num soluço: – Não posso suportar isso, não posso suportar. – Fiquei zangada com uma coisa indefinível. Pensei na prostituta, honesta porque dá o corpo em troca de dinheiro. June nunca daria seu corpo. Mas ela implorava como eu nunca faria, prometia como eu jamais faria a menos que desejasse.

June! Houve uma tamanha desilusão em meu sonho. Ela sabia disso. Então pôs minha mão contra seu seio morno e caminhamos, eu sentindo seu seio. Ela estava sempre nua sob o vestido. Fez isso talvez inconscientemente, como se para acalmar uma criança zangada. E conversou sobre coisas que não tinham nada a ver.

– Você preferia que eu tivesse dito não, brutalmente, ao homem? Às vezes sou brutal, você sabe, mas não consegui ser assim na sua frente. Não quis ferir os sentimentos dele. Ele havia sido muito prestativo. – E como eu não sabia o que me irritava, não disse nada. Não era uma questão de aceitar ou recusar um drinque. Era preciso voltar à raiz de por que ela deveria precisar da ajuda daquele homem. Uma afirmação sua me veio à mente. "Por piores que estejam as coisas para mim sempre encontro alguém que me compre champanhe." É claro. Ela era uma mulher que acumulava enormes dívidas que não pretendia pagar nunca, pois depois disso gabava-se de sua inviolabilidade sexual. Uma aproveitadora. Orgulho na posse do próprio corpo mas não orgulhosa demais para se humilhar com olhos de prostituta por cima de um balcão de uma agência de viagens.

Dizia-me que ela e Henry tinham discutido sobre comprar manteiga. Não tinham dinheiro e...

– Não tinham dinheiro? – disse eu. – Mas sábado dei-lhe quatrocentos francos, para você e Henry comerem. E hoje é segunda.

Tínhamos dívidas a pagar...

Achei que ela falava do quarto de hotel. Então subitamente me lembrei do perfume, que custava duzentos francos. Por que ela não me disse: "Comprei perfume, luvas e meias sábado"? Ela não olhou para mim quando confessou que tinham o aluguel a pagar. Então lembrei-me de uma outra coisa que ela havia dito: "As pessoas me dizem que se eu tivesse uma fortuna, conseguiria gastá-la num dia, e ninguém jamais saberia como. Eu nunca consigo dar conta da maneira como gasto dinheiro".

Essa era a outra face da fantasia de June. Caminhamos pelas ruas, e toda a maciez de seu seio não conseguiu suavizar a dor.

Fui para casa e me joguei nos braços de Hugo. Disse a ele:

– Eu voltei. – E ele ficou muito feliz.

Mas ontem às quatro, quando eu a esperava no American Express, o porteiro me disse:

– Sua amiga esteve aqui esta manhã e me disse adeus como se não fosse voltar.

– Mas nós tínhamos combinado nos encontrar aqui. – Se eu nunca mais visse June caminhando para mim... impossível. Era como morrer. O que importava, tudo que pensei no dia anterior? Ela era inescrupulosa, irresponsável – era sua natureza. Eu não iria me intrometer em sua natureza. Meu orgulho em relação a assuntos de dinheiro era aristocrático. Eu era escrupulosa e orgulhosa demais. Não mudaria nada em June que fosse básico e estivesse na raiz de seu ser fantástico. Ela sozinha não tinha limitações. Eu era um ser restrito, ético, apesar de meu intelecto amoral. Não poderia ter deixado Henry ficar faminto. Aceitava-a inteiramente. Não a censuraria. Se pelo menos ela viesse e se encontrasse comigo por aquela última vez.

Eu tinha me vestido com toda a pompa para ela, numa roupa que criava um vácuo entre mim e outras pessoas, uma roupa que era um símbolo de meu individualismo e que só ela compreenderia. Turbante preto, vestido cor-de-rosa velho com corpete de renda preta e gola igual, casaco rosa velho com gola Médici. Eu havia criado *frisson* ao caminhar e estava solitária como nunca porque a reação foi parcialmente hostil, zombeteira.

Então veio June, toda de veludo preto, capa preta e chapéu emplumado, mais pálida e mais incandescente do que nunca, e trazendo o Conde Bruga, como eu lhe pedira. O encanto de seu rosto e sorriso, seus olhos sérios...

Eu a levei a um salão de chá russo. Os russos cantavam como nos sentíamos. June se perguntou se estavam realmente ardendo, como suas vozes e música intensa deixavam transparecer. Provavelmente não ardiam como June e eu.

Champanhe e caviar com June. É o único momento em que se sabe o que o champanhe e o caviar são. Eles são June, vozes russas e June.

Pessoas feias, insignificantes e mortas nos cercam. Somos cegas para elas. Olho para June, de veludo negro. June correndo para a morte. Henry não pode correr com ela porque ele luta pela vida. Mas June e eu juntas não nos detemos. Eu a sigo. E é uma alegria intensa acompanhá-la, cedendo à dissolução da imaginação, ao seu conhecimento de experiências estranhas, às nossas brincadeiras com o Conde Bruga, que cumprimenta o mundo com a cabeleira roxa semelhante a um salgueiro chorão.

Está tudo terminado. Na rua, June diz com tristeza:

– Eu havia desejado abraçá-la e acariciá-la. – Eu a ponho num táxi. Ela se senta ali prestes a me deixar, e eu fico parada ao lado em tormento.

– Eu quero beijá-la – digo.

– Eu quero beijá-la – diz June, e oferece sua boca, que eu beijo durante muito tempo.

Quando ela partiu, só desejei dormir durante muitos dias, mas ainda tinha algo a enfrentar, meu relacionamento com Henry. Nós o convidamos a vir a Louveciennes. Quis oferecer-lhe paz e uma casa agradável, mas é claro que eu sabia que falaríamos de June.

Caminhamos para sacudir a inquietação e conversamos. Existe em nós dois uma obsessão de apreender June. Ele não tem ciúmes de mim, porque disse que eu despertei coisas maravilhosas em June, que foi a primeira vez que June se apegou a uma mulher de valor. Ele parecia esperar que eu tivesse poder sobre a vida dela.

Quando viu que eu compreendia June e estava pronta a ser sincera com ele, conversamos livremente. Mas por um momento eu parei, hesitante, questionando minha infidelidade para com June. Então Henry comentou que embora a verdade, no caso de June, tivesse que ser posta de lado, seria a única base de qualquer relacionamento entre nós.

Nós dois sentimos a necessidade de aliar nossas mentes, nossas lógicas diferentes, para compreender o problema de June. Henry a ama e sempre a ela. Também quer possuir June a personagem, a poderosa e fictícia personagem. Em seu amor por ela, ele tem suportado tantos tormentos que o amante se refugiou no escritor. Ele escreveu um feroz e deslumbrante livro sobre June e Jean.

Ele questionava o lesbianismo. Quando me ouviu dizer certas coisas que ouvira June dizer, ficou surpreso, porque acredita em mim. Eu disse:

– Afinal de contas, se existe uma explicação do mistério é esta: o amor entre mulheres é um refúgio e uma fuga para a harmonia. No amor entre homem e mulher existe resistência e conflito. Duas mulheres não se julgam, não se violentam, nem encontram algo para ridicularizar. Elas se entregam ao sentimento, à compreensão mútua, ao romantismo. Tal amor é a morte, admito.

A noite passada fiquei acordada até uma hora lendo o romance de Henry, *Moloch*, enquanto ele lia o meu. O dele era arrasador, a obra de um gigante. Não fui capaz de lhe dizer como sua obra me afetou. E esse gigante ficou ali sentado calmamente e leu meu livro com tamanha compreensão, tamanho entusiasmo, falando sobre a habilidade dele, a sutileza, a voluptuosidade, gritando em certas passagens, criticando, também. Que força ele é!

Eu lhe dei a única coisa que June não consegue dar: honestidade. Estou pronta a admitir o que um ego supremamente desenvolvido não admitiria: que June é um personagem aterrorizante e inspirador que torna qualquer outra mulher insípida, que eu viveria sua vida exceto por minha compaixão e minha consciência, que ela talvez destrua Henry, o homem, mas Henry o escritor é mais enriquecido por provações do que por paz. Eu, por outro lado, não consigo destruir Hugo, porque ele não tem nada mais. Mas como June, tenho capacidade para realizar delicadas perversões. O amor de apenas um homem ou uma mulher é uma prisão.

Meu conflito vai ser maior do que o de June, porque ela não tem nenhuma mente observando sua vida. Outros fazem isso para ela, e ela nega tudo que dizem ou escrevem. Eu tenho uma mente que é maior do que todo o resto de mim, uma consciência inexorável.

Eduardo diz:
– Faça análise. – Mas isso parece simples demais. Eu quero fazer minhas próprias descobertas.

Não preciso de drogas nem de estímulos artificiais. No entanto, quero experimentar essas coisas com June, penetrar no mal que me atrai. Procuro a vida, e as experiências que quero me são negadas porque carrego em mim uma força que as neutraliza. Encontro June, a quase prostituta, e ela se torna pura. Uma pureza que enlouquece Henry, uma pureza de rosto e ser que é terrível, assim como eu a vi uma tarde na ponta do divã, transparente, sobrenatural.

Henry fala comigo de sua extrema vulgaridade. Eu conheço a falta de orgulho dela. A vulgaridade dá a alegria de profanar. Mas June não é um demônio. A vida é o demônio, possuindo-a, e seu coito é violento porque a voracidade dela por vida é enorme, um gosto de seus sabores mais amargos.

Depois da visita de Henry, comecei a andar pela casa de um lado para o outro e a dizer a Hugo que eu tinha que ir embora. Houve gritos:

– Você não está doente realmente... só cansada. – Mas Hugo, como sempre, compreendeu e consentiu. A casa me sufocava. Eu não podia ver pessoas, não podia escrever, não podia descansar também.

Domingo, Hugo me levou para um passeio. Encontramos algumas tocas de coelho grandes e profundas. Ele incitou nosso cachorro Banquo a enfiar o focinho nelas, a cavar. Senti uma opressão terrível, como se eu tivesse me arrastado para dentro de um buraco e estivesse sufocada. Lembrei-me de muitos sonhos que tenho tido em que sou forçada a me arrastar de barriga no chão, como uma cobra, através de túneis e passagens pequenas demais para mim, a última sempre menor do que todas as outras, e a ansiedade se torna tão forte que me desperta. Fiquei diante da toca de coelho e gritei zangada para que Hugo parasse. Minha raiva o surpreendeu. Era apenas uma brincadeira com o cachorro.

Agora que a sensação de sufocamento estava tão cristalizada, eu estava decidida a ir embora. À noite, nos braços de Hugo, minha decisão vacilou. Mas fiz todos os preparativos, descuidados, ao contrário de meu eu costumeiro. Não liguei para minha aparência, roupas. Parti apressadamente. Para me encontrar. Para encontrar Hugo em mim mesma.

Sonloup, Suíça. Para Hugo escrevo: "Creia-me, quando falo sobre experimentar todos os instintos, isto é apenas energia. Existem muitos instintos que não deveriam ser vividos porque são pútridos. Henry está errado em desprezar D.H. Lawrence por se recusar a se atirar em desgraça desnecessária. A primeira coisa que June e Henry fariam seria iniciar-nos na pobreza, na miséria, só para partilharmos de seus sofrimentos. Esta é a maneira mais fraca de curtir a vida: deixá-la açoitar-nos. Vencendo a miséria, estamos criando uma independência futura de ser que eles jamais conhecerão. Quando você se aposentar do banco, querido, nós conheceremos uma liberdade que eles nunca conheceram. Estou um pouco cansada desse refestelamento russo na dor. A dor é algo a ser dominado, e não estimulado.

"Vim aqui para procurar minha força, e encontrá-la. Estou lutando. Esta manhã vi silhuetas jovens, altas e sólidas de esquiadores, com botas pesadas, e seu andar lento e conquistador foi como uma rajada de poder. A derrota é apenas uma fase para mim. Eu devo vencer, viver. Perdoe-me pelo sofrimento que causo em você. Pelo menos nunca será sofrimento inútil."

Deito-me na cama, semiadormecida, fingindo estar dormindo. A fortaleza de calma que erijo contra a invasão de ideias, contra a febre, é como o limbo. Eu durmo no limbo, e as ideias insistem em me pressionar. Quero compreender lentamente. E começo: June, você destruiu a realidade. Suas mentiras não são mentiras para você; são condições que você quer experimentar. Você fez esforços maiores do que nós para viver ilusões. Quando você disse a seu marido que sua mãe tinha morrido, que nunca conheceu seu pai, que era uma bastarda, queria começar de lugar nenhum, começar sem raízes, lançar-se na invenção...

Procuro iluminar o caos de June não com a mente direta do homem, mas com toda a destreza e circunlocução próprias da mulher.

Henry disse:

– June tinha lágrimas nos olhos quando falou de sua generosidade. – E eu pude ver que ele a amava por isso. Em seu romance está claro que a generosidade de June não se estendia a ele – ela o torturava constantemente – mas a Jean, porque ela era obcecada por Jean. E o que faz a Henry? Ela o humilha, deixa-o carente, destrói sua saúde, atormenta-o – e ele floresce; escreve seu livro.

Magoar e ser consciente da mágoa, saber de sua necessidade, isso é intolerável para mim. Eu não tenho a coragem de June. Luto para poupar Hugo de toda humilhação. Não passo por cima de seus sentimentos. Apenas duas vezes em minha vida a paixão foi mais forte que a piedade.

Uma tia minha ensinou nossa cozinheira a fazer um suflê de cenoura, e a cozinheira ensinou nossa empregada Emilia. Emilia serve esse prato em todas as refeições festivas. Serviu-o a Henry e June. Eles já estavam hipnotizados pela estranheza de Louveciennes, a cor, minha roupa diferente, meus modos de estrangeira, o cheiro de jasmim, a lareira na qual eu queimava em vez de lenha três raízes, as quais parecem monstros. O suflê pareceu um prato exótico, e eles o comeram como se come caviar. Também comeram um purê de batatas que ficara fofo com um ovo batido. Henry, que é inteiramente burguês, começou a se sentir pouco à vontade, como se não tivesse sido adequadamente alimentado. Sua carne estava benfeita e suculenta, mas cortada de forma redonda com perfeição, e estou certa de que ele não a reconheceu. June estava em êxtase. Quando Henry já nos conhecia melhor, aventurou-se a perguntar se sempre comíamos daquela forma, exprimindo preocupação por nossa saúde. Então lhe contamos a origem do suflê e rimos. June teria mantido o caso em segredo para sempre.

Uma manhã, quando Henry estava passando uns tempos conosco, após toda a fome, refeições malfeitas, cafezinhos etc., tentei preparar-lhe um belo café da manhã. Desci e acendi o fogo na lareira. Emilia trouxe, numa bandeja verde, café quente, leite fumegante, ovos quentes, um pão gostoso, biscoitos e a manteiga mais fresca. Henry se sentou junto ao fogo na mesa laqueada. Tudo que conseguiu dizer foi que sentia falta do bistrô da esquina, do balcão de zinco, do café esverdeado ruim e do leite cheio de nata.

Não fiquei ofendida. Achei que lhe faltava uma certa capacidade de apreciar o incomum, é tudo. Eu poderia ter chafurdado na lama uma centena de vezes, que de cada vez eu sairia novamente para ter um bom café numa bandeja laqueada ao lado de uma lareira. Toda vez eu me esforçaria para voltar a usar meias de seda e perfume. O luxo não é uma necessidade para mim, mas coisas bonitas e boas são.

June é uma contadora de histórias. Está constantemente contando histórias inconsequentes sobre sua vida. A princípio tentei uni-las num todo, mas depois me rendi ao seu caos.

Não sabia na época que, como as histórias de Albertine, para Proust, cada uma era uma chave secreta para algum acontecimento de sua vida que é impossível esclarecer. Muitas dessas histórias estão no romance de Henry. Ela não hesita em se repetir. Está intoxicada com seus próprios romances. Eu permaneço humildemente diante dessa criança fantástica e entrego minha mente.

No hotel, ontem à noite, o choro febril de um bebê manteve-me acordada, e meu pensamento foi como uma máquina cheia de energia. Desgastou-me. De manhã *uma femme de chambre* monstruosamente feia veio abrir os postigos. Um homem que tinha tufos de cabelo vermelho em volta do rosto varria os tapetes do corredor. Telefonei para Hugo, implorando-lhe que viesse mais cedo do que prometera. Suas cartas tinham sido ternas e tristes. Mas no telefone ele foi sensato:

– Irei imediatamente *se* você estiver doente.

Eu disse:

– Não se preocupe. Irei para casa na quinta-feira. Não posso mais ficar. – Quinze minutos depois ele ligou, agora ciente de minha tristeza, para dizer que estaria aqui na sexta-feira em vez de no sábado de manhã. Fiquei desesperada com a súbita e terrível necessidade de Hugo. Ela teria me levado a cometer qualquer ato. Permaneci sentada na cama, tremendo. Estou definitivamente doente, pensei. Minha mente não está bem.

Fiz um tremendo esforço para escrever para Hugo uma carta precisa e firme, para tranquilizá-lo. Havia feito o mesmo esforço para me tranquilizar quando vim para a Suíça. Hugo compreendeu. Escrevera para mim: "...como eu entendo a intensidade ardente em que você vive. Você já viveu muitas vidas, inclusive algumas que partilhou comigo – vidas cheias e ricas do nascimento à morte, e só precisara ter esses períodos de descanso no intervalo entre elas.

"Você percebe que força viva é, só para falar de você no abstrato? Sinto-me como um motor sem combustível. Você representa tudo que é vital, vivo, vibrante, esvoaçante, enlevante..."

June se opõe fortemente ao sensualismo aberto de Henry. O dela é muito mais intricado. Além disso, ele representa a bondade para ela. Ela se agarra desesperadamente a isso. Tem medo de que ele se estrague. Todos os instintos de Henry são bons, não no sentido cristão nauseante, mas no simples sentido humano. Até a ferocidade de seus escritos não é monstruosa nem intelectual, mas humana. Mas June não é humana. Ela possui apenas dois sentimentos humanos fortes: seu amor por Henry e sua tremenda generosidade abnegada. O resto é fantástico, perverso, impiedoso.

Que registros demoníacos ela consegue guardar, de forma que Henry e eu encaramos com horror sua monstruosidade, que nos enriquece mais do que a piedade de outros, o amor medido de outros, a abnegação de outros. Não vou despedaçá-la como Henry fez. Vou amá-la. Vou enriquecê-la. Vou imortalizá-la.

Henry envia uma carta desesperada de Dijon. Dostoiévski na Sibéria, só que a Sibéria era bem mais interessante, pelo que o pobre Henry diz. Envio-lhe um telegrama: "Conforme-se e volte para casa, para Versalhes". E envio-lhe dinheiro. Penso nele a maior parte do dia.

Mas nunca deixaria Henry tocar-me. Luto para descobrir a razão exata, e só consigo encontrá-la na linguagem dele. "Não quero ser apenas mijada".

Você faz essas coisas, June, faz? Ou Henry caricatura seus desejos? Você está semimergulhada em tais sentimentos tão sofisticados, tão obscuros, tão intensos que os bordéis de Henry parecem quase cômicos? Ele conta comigo para compreender, porque, como ele, sou uma escritora. Devo saber. Deve estar claro para mim. Para surpresa dele eu lhe digo exatamente o que você diz: "Não é a mesma coisa". Existe um mundo fechado para sempre para ele – o mundo que contém nossas conversas abstratas, nosso beijo, nossos êxtases.

Ele sente inquietamente que existe um certo lado seu que não captou, tudo que fica fora de seu romance. Você escorrega por entre os dedos dele!

A riqueza de Hugo. Seu poder para amar, perdoar, dar, compreender. Meu Deus, sou uma mulher abençoada.

Irei para casa amanhã à noite. Estou cansada de vida de hotel e solidão à noite.

FEVEREIRO

Louveciennes. Voltei para casa para um amante terno e ardente. Carrego comigo cartas ricas e melancólicas de Henry. Avalanches. Preguei na parede de meu escritório duas grandes páginas de palavras de Henry, escolhidas casualmente, e um mapa panorâmico de sua vida, para um romance não escrito. Cobrirei as paredes com palavras. Será *la chambre des mots* [o quarto das palavras].

Hugo encontrou meus diários sobre John Erskine e leu-os enquanto eu estava fora, com uma última ânsia de curiosidade. Não havia nada neles que ele não soubesse, mas sofreu. Eu reviveria isso, sim, e Hugo sabe.

Também enquanto eu estava fora, ele encontrou minha roupa de baixo de renda preta, beijou-a, descobriu meu cheiro e aspirou-o com prazer.

Houve um incidente divertido no trem que ia para a Suíça. Para tranquilizar Hugo, eu não havia pintado os olhos, passei uma leve camada de pó e uma leve camada de batom e não tocara nas unhas. Estava tão feliz em minha negligência. Vestira-me descuidadamente com um vestido velho de veludo preto que adoro, rasgado nos cotovelos. Senti-me como June. Meu cachorro Ruby ficou sentado do meu lado, e assim meu casaco preto e a jaqueta de veludo ficaram cobertos de seu pelo branco. Um italiano que tentou atrair minha atenção durante toda a viagem finalmente, em desespero, se aproximou e me ofereceu uma escova. Isso me divertiu, e eu ri. Quando terminei de escovar (e a escova dele ficou cheia de pelos brancos), agradeci-lhe. Ele disse com nervosismo:

– Quer tomar um café comigo? – Respondi que não, e pensei: como teria sido se tivesse pintado os olhos?

Hugo diz que minha carta para Henry é a coisa mais falsa que já viu. Começo tão honesta e franca. Pareço ser o contrário de June, mas no final sou falsa da mesma maneira. Ele acha que vou perturbar Henry e prejudicar o estilo dele por algum tempo – sua força crua, suas "mijadas e trepadas", nas quais estava tão seguro.

Quando escrevi para Henry, fiquei tão grata por sua riqueza de ideias que desejei dar-lhe tudo que estava em minha mente. Comecei com grande ímpeto. Fui franca, mas ao me aproximar da dádiva final, a dádiva da *minha* June e de meus pensamentos sobre ela, senti-me reticente. Empreguei muita habilidade e ilusionismo para interessá-lo, ao mesmo tempo que guardava o que era precioso para mim.

Sento-me diante de uma carta ou de meu diário com desejo por honestidade, mas talvez no final seja a maior mentirosa de todos, maior do que June, maior do que Albertine, por causa da aparência de sinceridade.

O verdadeiro nome dele é Heinrich – como prefiro. Ele é alemão. Para mim parece um eslavo, mas tem o sentimentalismo e o romantismo alemães com relação a mulheres. O sexo é *amor* para ele. Sua imaginação mórbida é alemã. Ele tem amor pela feiura. Não se importa com cheiro de urina nem de repolho. Adora xingamentos, gírias, prostitutas, lugares frequentados por gângsteres, sordidez, dureza.

Ele escreve suas cartas para mim no verso de folhas soltas de "Anotações" – cinquenta modos de dizer "bêbado", informações sobre venenos, nomes de livros, trechos de conversas. Ou listas como esta: "Visite o Café des Mariniers na margem do rio perto de Exposition Bridge fora de Champs Elysées – uma espécie de pensão para pescadores. Coma 'Bouillabaisse', Caveau des Oubliettes Rouges. Le Paradis, Rue Pigalle – ponto violento, batedores de carteira, gângsteres etc. O bar de Fred Payne, Rue Pigalle, 14 (veja a galeria de arte no andar de baixo, ponto de encontro de dançarinas inglesas e americanas). Café de la Régence, Rue St. Honoré, 261 (Napoleão e Robespierre jogavam xadrez aí. Veja a mesa deles)".

As cartas de Henry me dão a sensação de plenitude que tenho tão raramente. Sinto enorme prazer em respondê-las, mas a quantidade delas se sobrepuja. Mal terminei de responder uma e ele já escreve outra. Comentários sobre Proust, descrições, estados de espírito, sua própria vida, sua sexualidade infatigável, o modo como imediatamente se vê envolvido em ação. Ação demais, para minha mente. Mal digerida. Não admira que ele se maravilhe com Proust. Não admira que eu observe sua vida com a consciência de que minha vida nunca se parecerá com a dele, pois a minha é mais retardada pelo pensamento.

Para Henry: "Ontem à noite li seu romance. Havia algumas passagens que eram *éblouissants*, surpreendentemente bonitas. Sobretudo a descrição de um sonho que você teve, a descrição da noite de *jazz* com Valeska, toda a última parte quando a vida com Blanche chega a um clímax... outras coisas são insignificantes, sem vida, vulgarmente realistas, fotográficas. No entanto outras coisas – a amante mais velha, Cora, até mesmo Naomi – ainda não *nasceram*. Existe uma correria precipitada, descuidada. Você já se afastou disso há muito. Sua escrita tem correspondido à sua vida, e graças à sua vitalidade animal você tem vivido com tanta intensidade...

"Tenho a estranha certeza de que sei exatamente o que deveria ser omitido, da mesma forma como você soube o que deveria ser omitido de meu livro. Acho que o romance é passível de sofrer certos cortes. Você me permite?"

Para Henry: "Por favor, compreenda, Henry, que estou em plena rebelião contra minha mente, que quando vivo, vivo por impulso, por emoção, por excitação. June compreendeu isso. Minha mente não existia quando passeamos insanamente por Paris, indiferentes às pessoas, ao tempo, ao lugar, aos outros. Não existia quando li pela primeira vez Dostoiévski em meu quarto de hotel e ri e chorei ao mesmo tempo, sem conseguir dormir e sem saber onde estava. Mas depois disso, compreenda-me, faço um tremendo esforço de me levantar novamente, para não me espojar mais, para não continuar apenas sofrendo ou queimando. Por que deveria fazer tal esforço? Porque tenho medo de ser *exatamente* como June. Tenho uma aversão ao caos completo. Quero ser capaz de viver com June em completa loucura, mas também quero ser capaz de compreender, de entender o que vivi depois disso.

"Você pergunta coisas contraditórias e impossíveis. Quer saber que sonhos, que impulsos, que desejos June tem. Nunca saberá, não através dela. Não, ela não lhe poderia dizer. Mas você percebe que alegria eu senti em dizer a ela quais são os nossos sentimentos, naquela linguagem especial? Porque não estou sempre apenas vivendo, apenas seguindo todas as minhas fantasias; venho à tona para respirar, para compreender. Estonteei June porque quando nos sentamos juntas o esplendor do momento não me deixou apenas embriagada; eu a vivi com a consciência do poeta, não com a consciência dos psicanalistas autores de fórmulas mortas. Chegamos ao clímax, com nossas imaginações. E você bate com a cabeça contra a parede de nosso mundo, e quer que eu rasgue todos os véus. Quer transformar sensações delicadas, profundas, vagas, obscuras, voluptuosas em algo que você possa pegar. Você não pede isso de Dostoiévski. Agradece a Deus pelo caos vivo. Por que, então, quer saber mais sobre June?"

June não tem ideias nem fantasias próprias. Elas lhe são dadas por outros, que são inspirados por seu ser. Hugo diz com irritação que ela é uma caixa vazia e que eu sou a caixa cheia. Mas quem quer as ideias, as fantasias, os conteúdos, se a caixa é bela e inspiradora? Sou inspirada por June, a caixa vazia. Pensar nela no meio do dia me eleva da vida comum. O mundo nunca foi tão vazio para mim desde que a conheci. June fornece a carne bela incandescente, a voz fulgurante, os olhos inescrutáveis, os gestos intoxicados, a presença, o corpo, a imagem encarnada de nossas imaginações. O que somos nós? Apenas os criadores. Ela *é*.

Recebo cartas de Henry dia sim, dia não. Respondo-lhe imediatamente. Dei a ele minha máquina de escrever, escrevo à mão. Penso nele dia e noite.

Sonho com uma outra vida extraordinária que vou viver algum dia, que talvez possa mesmo encher um outro diário especial. Ontem à noite, depois de ler o romance de Henry, não consegui dormir. Era meia-noite. Hugo dormia. Eu quis me levantar e ir para o meu escritório e escrever a Henry sobre seu primeiro romance. Mas teria despertado Hugo. Há duas portas para abrir, e elas rangem. Hugo estava muito exausto quando foi dormir. Fiquei bem quieta e me esforcei para dormir, com frases correndo por minha cabeça como um ciclone. Achei que me lembraria delas de manhã. Mas não consegui me lembrar, nem mesmo da metade. Se Hugo não tivesse que ir trabalhar, eu poderia tê-lo acordado, e ele poderia ter dormido na manhã seguinte. Toda nossa vida é estragada pelo trabalho dele no banco. Tenho que tirá-lo disso. E isso me faz trabalhar em meu romance, reescrevendo, o que eu odeio, pois um novo livro está fervilhando em minha cabeça – o livro de June.

O conflito entre meu ser "possuído" e minha devoção a Hugo está se tornando insuportável. Eu o amarei com toda a minha força, mas à minha maneira. É impossível para mim crescer em apenas uma direção?

Esta noite estou toda alegre porque Henry está aqui novamente. A impressão é sempre a mesma: fica-se cheio do peso e do açoite dos escritos dele, e então ele chega perto de você tão suavemente – voz suave, gestos suaves, mãos brancas finas e suaves – e nos rendemos a sua infatigável curiosidade e a seu romantismo em relação às mulheres.

A descrição de Henry da casa de Henry Street (onde June levou Jean para morar com eles):

Camas desfeitas o dia todo; gente subindo nelas de sapatos a toda hora; os lençóis uma desordem. Camisas sujas usadas como toalhas. Roupa suja raramente levada para lavar. Pias entupidas de excesso de lixo. Pratos lavados na banheira, que era engordurada e tinha as bordas pretas. O banheiro sempre frio como um frigorífico. Móveis quebrados e usados para fazer fogo. Os postigos sempre abaixados, vidros sempre sujos, atmosfera sepulcral. O chão constantemente coberto de gesso, ferramentas, tintas, livros, pontas de cigarro, lixo, pratos sujos, panelas sujas. Jean andando de um lado para o outro o dia todo de macacão. June, sempre seminua e reclamando do frio.

O que é isso tudo para mim? Um lado de June que nunca conhecerei. E o outro lado, que pertence a mim, é cheio de magia e estonteante de beleza e fineza. Esses detalhes apenas me mostram o lado duplo de todas as coisas, de mim própria, agora sedenta por uma vida abjeta, por animalidade.

Para Henry: "Você diz: 'Gide tem cabeça, Dostoiévski tem outra coisa, e é o que Dostoiévski tem que realmente importa.' Para você e para mim o momento culminante, o prazer mais intenso, não é quando nossas mentes dominam, mas quando perdemos a cabeça, e você e eu a perdemos da mesma maneira, através do amor. Perdemos a cabeça por June...

"Diga-me uma coisa. Você tem uma tendência para o macabro. Sua imaginação é atraída por certas imagens obscuras. Você contou a Bertha que viver com June era o mesmo que carregar um peso morto? Você realmente se importa com as neuroses e doenças de June, ou está apenas praguejando contra o que o escraviza?"

Tenho uma luta a travar com Henry, a quem não quero ceder, e para manter o relacionamento entre June e eu como um segredo precioso.

Ontem no café ele arrancou de mim partes de nossa história. Isso me magoou e me enlouqueceu. Voltei para casa e lhe escrevi uma longa e ardente carta. Se ele mostrasse essa carta para June, eu a perderia. Henry não consegue me fazer amá-la menos, mas consegue me atormentar fazendo-a parecer mais irreal, mais egoísta, provando que não existe nenhuma June, apenas uma imagem, inventada por nós, pela mente de Henry, e minha poesia. Ele falou sobre influências sobre ela. A influência de Jean, a mulher em Nova York. Isso foi tortura para mim.

E então ele disse:

– Você me mistifica. – E eu não disse nada. Será que ele vai me odiar? Quando nos encontramos pela primeira vez era tão afetuoso e tão atencioso à minha presença. Seu corpo todo estava consciente de mim. Nós nos debruçamos ansiosamente para olhar para o livro que eu lhe trouxera. Estávamos ambos exultantes. Ele se esqueceu de tomar o café.

Estou presa numa armadilha, entre a beleza de June e o gênio de Henry. De maneira diferente, sou dedicada a ambos, uma parte de mim vai para cada um deles. Mas amo June loucamente, insensatamente. Henry me dá vida, June me dá morte. Devo escolher, e não consigo. Para mim, dar a Henry todos os sentimentos que tenho tido com relação a June é o mesmo que dar meu corpo e alma para ele.

Para Henry: "Talvez você não tenha percebido isso, mas pela primeira vez hoje você me chocou e me arrancou de um sonho. Todas as suas observações, as suas histórias sobre June nunca me magoaram. Nada me magoou até você tocar na fonte do meu terror: June e a influência de Jean. Que terror eu sinto quando me lembro da conversa dela e percebo, no que ela diz, como ela é enriquecida com as riquezas de outros, de todos os outros que amam sua beleza. Até o Conde Bruga foi criação de Jean. Quando estávamos juntas, June disse: 'Você vai inventar o que faremos juntas'. Eu estava pronta a lhe dar tudo que jamais inventei e criei, de minha casa, minhas roupas, minhas joias, até meus escritos, meus pensamentos, minha vida. Teria trabalhado apenas para ela.

"Compreenda-me. Eu a venero. Aceito tudo o que ela é, mas ela deve *ser*. Só me revolto se não houver nenhuma June (como escrevi na primeira noite em que a conheci). Não me diga que não há June exceto a June física. Não me diga, porque você deve saber. Você viveu com ela.

"Nunca temi, até o dia de hoje, o que nossas duas mentes descobririam juntas. Mas que veneno você destilou! Talvez o próprio veneno que está em você. É isso que você teme também? Você se sente atormentado e, no entanto, iludido por uma criação de seu próprio cérebro? É o medo ou uma ilusão que você combate com palavras cruas? Diga-me que ela não é uma bela imagem. Às vezes quando conversamos sinto que estamos tentando assimilar a realidade dela. Ela é irreal até para nós, até para você que a possuiu, e para mim, a quem ela beijou."

Hugo lê um dos meus diários velhos, o período de John Erskine, Boulevard Suchet, e quase soluça de pena de mim, percebendo que eu estava vivendo na Casa dos Mortos. Não tive sucesso em ressuscitá-lo até ele quase me perder para John e para o suicídio.

Mais cartas de Henry, partes do livro enquanto ele o escreve, citações, anotações enquanto ouve Debussy e Ravel, no verso de cardápios de pequenos restaurantes em lugares pobres. Uma torrente de realismo. Um excesso de realismo em proporção à imaginação, que está ficando menor. Ele não sacrifica um momento de vida para seu trabalho. Está sempre correndo e escrevendo sobre o trabalho e no final nunca o capta realmente, escreve mais cartas do que livros, faz mais investigações do que verdadeira criação. Entretanto, a forma de seu último livro, discursiva, uma corrente de associações, reminiscências, é muito boa. Ele assimilou Proust, menos a poesia e a música.

Mergulhei na obscenidade, na sujeira e em seu mundo de "merda, boceta, pica, sacana, puta" e já rumo em sentido contrário novamente. O concerto sinfônico hoje confirmou meu estado de espírito desligado. Atravessei várias vezes as regiões de realismo e encontrei-as áridas. E retorno à poesia. Escrevo a June. É quase impossível. Não consigo encontrar palavras. Faço um esforço tão violento da imaginação para alcançá-la, para alcançar a minha imagem dela. E quando volto para casa, Emilia diz:

– Há uma carta para a *señorita*. – Corro ao andar de cima, esperando que seja uma carta de Henry.

Quero ser um poeta forte, tão forte quanto Henry e John são em seu realismo. Quero combatê-los, invadi-los e aniquilá-los. O que me desconcerta sobre Henry e o que me atrai são os *flashes* de imaginação, os *flashes* de introspecção, e os *flashes* de sonhos. Fugazes. E as profundezas. Apague o realista alemão, o homem que "representa a merda", como Wambly Bald diz a ele, e temos um imagista vigoroso. Em certos momentos ele consegue dizer as coisas mais delicadas ou profundas. Mas sua suavidade é perigosa, porque quando escreve não escreve com amor, escreve para caricaturar, para atacar, ridicularizar, destruir, rebelar-se. Está sempre contra alguma coisa. A raiva o incita. Eu estou sempre a favor de alguma coisa. A raiva me envenena. Eu amo, eu amo, eu amo.

Então em certos momentos lembro-me de uma de suas palavras e de repente sinto a mulher sensual fulgurando, como se violentamente acariciada. Digo a palavra para mim mesma, com prazer. É nesse momento que meu verdadeiro corpo vive.

Passei um dia tenso e angustiante ontem com Eduardo, que ressuscita o passado. Ele foi o primeiro homem que amei. Era fraco, sexualmente. Sofri com sua fraqueza, eu sei agora. Aquela dor foi enterrada. Foi reavivada quando nos reencontramos há dois anos. Foi enterrada novamente.

Sempre tive elementos másculos em mim, sabendo exatamente o que eu quero, mas só a partir de John Erskine é que amei homens fortes; amava homens fracos ou tímidos. A indecisão e o amor etéreo de Eduardo e o amor assustado de Hugo causaram-me tormento e confusão. Eu agia delicadamente, porém como um homem. Teria sido mais feminino ter ficado satisfeita com a paixão de outros admiradores, mas eu insistia em minha própria seleção, na natureza refinada que encontrei num homem mais fraco do que eu era. Sofri profundamente com minha audácia como mulher. Como homem, teria ficado feliz em ter o que desejava.

Agora Hugo é forte, mas temo que seja tarde demais. O lado másculo em mim fez muitos progressos. Agora, mesmo que Eduardo quisesse viver comigo (e ontem estava atormentado por um ciúme impotente), não poderíamos fazê-lo porque criativamente sou mais forte do que ele, e ele não poderia suportar isso. Descobri o prazer de uma direção masculina de minha vida ao cortejar June. Também descobri o terrível prazer da morte, da desintegração.

Sentada junto ao fogo com Hugo a noite passada, comecei a chorar; a mulher se dividiu novamente numa mulher-homem, implorando que, por um milagre, pela grande força humana de poetas, pudesse ser salva. Mas a força animal que satisfaz a mulher está em homens brutais, nos realistas como Henry, e dele eu não quero amor. Prefiro ir adiante e escolher minha June, livremente, como um homem. Mas meu corpo morrerá, porque tenho um corpo sensual, um corpo vivo, e não há vida no amor entre mulheres.

Apenas Hugo me possui, porém, com sua idolatria, seu amor humano afetuoso, sua maturidade, pois ele é o mais velho entre nós todos.

Quero escrever tão maravilhosamente para June que não consigo escrever nada para ela. Que carta patética e inadequada:

"Não posso acreditar que você não venha de novo me ver da escuridão do jardim. Espero algumas vezes onde costumávamos nos encontrar, esperando sentir outra vez o prazer de vê-la caminhar até a mim vinda de uma multidão – você, tão distinta e única.

"Depois que você se foi, a casa me sufocou. Quis ficar sozinha com minha imagem de você...

"Aluguei um estúdio em Paris, um lugar pequeno e incerto, e tento fugir apenas por algumas horas por dia, pelo menos. Mas que outra vida é essa que quero levar sem você? Tenho que imaginar que você está ali, June, algumas vezes. Tenho a sensação de que quero ser você. Nunca quis ser ninguém a não ser eu mesma. Agora quero misturar-me a você, ficar tão unida a você que meu próprio eu desapareça. Estou mais feliz em meu vestido de veludo preto porque ele é velho e está rasgado nos cotovelos.

"Quando olho para o seu rosto, quero extravasar e partilhar de sua loucura, que carrego dentro de mim como um segredo e não consigo mais esconder. Estou cheia de uma alegria aguda e horrível. É a alegria que se sente quando se aceitou a morte e a desintegração, uma alegria mais terrível e mais profunda do que a alegria de viver, de criar."

Março

Ontem, no Café de la Rotonde, Henry me contou que havia escrito uma carta para mim que rasgara. Porque era uma carta louca. Uma carta de amor. Recebi isso em silêncio, sem surpresa. Percebera isso. Há tanta ternura entre nós. Mas estou insensível. Deprimida. Tenho medo desse homem, como se nele eu tivesse que encarar todas as realidades que me aterrorizam. Seu ser sensual me afeta. Sua ferocidade, envolvida em ternura, sua súbita seriedade, a mente fértil, rica. Estou um pouco hipnotizada. Observo suas mãos brancas finas e macias, sua cabeça, que parece pesada demais para o corpo, a testa prestes a explodir, uma cabeça trêmula, guardando tanta coisa que amo e odeio, que desejo e temo. Meu amor por June me paralisa. Sinto ternura por esse homem, que consegue ser dois seres separados. Ele quer pegar minha mão e pareço não notar. Faço um gesto rápido de fuga.

Quero que seu amor morra. O que tenho sonhado – que um homem como ele me deseje – agora rejeito. Chegou o momento de mergulhar em sensualidade, sem amor nem drama, e não consigo fazer isso.

Ele interpreta mal tantas vezes: meu sorriso quando fala sobre June a princípio combatendo todas as suas ideias violentamente e depois absorvendo-as e expressando-as como se fossem dela.

– Isso acontece a nós todos – diz ele, olhando para mim com agressividade, como se meu sorriso fosse de desdém. Creio que ele quer brigar. Depois da violência, da amargura, da brutalidade, do pesar que conheceu, meu estado de doçura o perturba. Ele descobre que, como um camaleão, mudo de cor no café, e talvez perca a cor que tenho em meu próprio lar. Não me adapto à vida dele.

Sua vida – o submundo, Carco*, violência, impiedade, monstruosidade, devassidão. Leio as anotações dele com avidez e horror. Durante um ano, em semissolidão, minha imaginação teve tempo de crescer além da medida. À noite, numa febre, as palavras de Henry se impõem a mim. Sua masculinidade violenta, agressiva, me persegue. Provo essa violência com minha boca, com meu útero. Esmagada contra a terra com o homem sobre mim, possuída até desejar gritar.

No Café Viking, Henry fala sobre descobrir minha verdadeira natureza uma noite quando dancei rumba sozinha durante alguns minutos. Ele ainda se lembra de uma passagem em meu romance, quer ter o manuscrito, ser capaz de lê-lo. Diz que são os escritos mais belos que já leu ultimamente. Fala sobre as fantásticas possibilidades em mim: sua primeira impressão de mim de pé no degrau da porta – "tão adorável" – e depois sentada na grande poltrona preta "como uma rainha". Ele quer destruir a "ilusão" da minha imensa honestidade.

Leio para ele o que escrevi sobre o efeito de suas anotações. Ele disse que eu só poderia escrever daquela maneira, com intensidade imaginativa, porque não tinha experimentado o que escrevia, que a experiência mata a imaginação e a intensidade, como acontece a ele.

Bilhete para Henry em tinta roxa sobre papel prateado: "A mulher se sentará eternamente na alta poltrona preta. Eu serei a única mulher que você jamais terá. A vivência excessiva desgasta a imaginação. Nós não viveremos, apenas escreveremos e conversaremos para içar as velas".

Os escritores fazem amor com qualquer coisa de que precisam. Henry se conforma com minha imagem e tenta ser mais sutil, tornar-se poético. Ele disse que podia muito bem imaginar June lhe dizendo: "Eu não me importaria que você amasse Anaïs porque é Anaïs".

---

* Referência ao escritor e poeta Francis Carco (1886-1958). (N.E.)

Eu afeto a imaginação deles. É o poder mais forte.

Já vi o romantismo sobreviver aos realistas. Já vi homens esquecerem-se das belas mulheres que possuíram, esquecerem as prostitutas e lembrarem-se da primeira mulher que idolatraram, a mulher que nunca poderiam ter. A mulher que os estimulou romanticamente os possui. Vejo o anseio tenaz em Eduardo. Hugo nunca se curará de mim. Henry nunca poderá amar realmente depois de amar June.

Quando falo sobre ela, Henry diz:

– Que maneira adorável você tem de colocar as coisas.

– Talvez isto seja uma evasão de fatos.

Ele me diz exatamente o que escrevi há algum tempo: submeto-me à vida e então descubro belas explicações para o meu ato. Faço a peça adequar-se à trama criativa.

– Você e June queriam me embalsamar – digo.

– Porque você parece tão frágil.

Sonho com uma nova fé, que receba estímulo de outros e tenha vida criativa e em que meu corpo pertença apenas a Hugo.

Minto. Naquele dia no café, sentada com Henry, vendo sua mão tremer, ouvindo suas palavras, fiquei emocionada. Foi loucura ler minhas anotações para ele, mas ele me incitou; foi loucura beber e responder às suas perguntas enquanto olhava para o seu rosto, como eu nunca ousara olhar para qualquer homem. Nós não nos tocamos. Estávamos ambos debruçados sobre o abismo.

Ele falou da "grande gentileza de Hugo, mas ele é um menino, um menino". Henry tem a mente mais velha, é claro. Eu, também, estou sempre esperando por Hugo, mas pulando à frente, algumas vezes perfidamente, com a mente mais velha. Tento deixar meu corpo fora disso. Mas fui apanhada. E então, quando chego em casa, liberto-me e lhe escrevo aquele bilhete.

E enquanto isso leio sua carta de amor dez ou quinze vezes. E embora não acredite em seu amor, nem no meu, o pesadelo da outra noite toma conta de mim. Estou possuída.

– Cuidado – disse Hugo – para não ficar presa a suas próprias imaginações. Você instila centelhas em outros, carrega-os com suas ilusões e, quando eles explodem em luzes, você fica presa.

Caminhamos na floresta. Ele brinca com Banquo. Lê ao meu lado. Sua intuição lhe diz: seja gentil, seja terno, seja cego. Comigo, é o método mais hábil e mais inteligente. É o modo de me torturar, de me conquistar. E penso em Henry a cada momento, caoticamente, temendo sua segunda carta.

Encontro-me com Henry no obscuro e cavernoso Viking. Ele não recebeu meu bilhete. Trouxe-me outra carta de amor. Quase grita:

– Você está mascarada agora. Seja real! Suas palavras, seus escritos, no outro dia. Você foi real. – Eu nego isso. Então ele diz humildemente: – Ah, eu sabia, eu sabia que era presunção minha aspirar a você. Sou um camponês, Anaïs. Só as prostitutas conseguem me apreciar. – Isso provoca as palavras que ele quer ouvir. Febrilmente, nós discutimos. Lembramo-nos do começo: começamos com a mente. – Será que começamos mesmo? – diz Henry, trêmulo. E de repente se debruça e me envolve com um beijo interminável. Eu não quero que o beijo termine. Ele diz: – Venha ao meu quarto.

Como é sufocante o véu que me cerca, que Henry luta para rasgar, meu medo da realidade. Estamos caminhando para o quarto dele, e não sinto o chão, mas sinto o corpo dele contra o meu. Ele diz:

– Olhe para o tapete da escada, está rasgado – e eu não vejo, apenas sinto que estou subindo. Meu bilhete está nas mãos dele.

– Leia – digo, ao pé da escada – e eu o deixarei. – Mas eu o sigo. Seu quarto, eu não vejo. Quando ele me toma nos braços, meu corpo derrete. A ternura de suas mãos, a inesperada penetração, até o âmago do meu ser mas sem violência. Que força suave e estranha.

Ele, também, grita:

– É tudo tão irreal, tão rápido.

E vejo um outro Henry, ou talvez o mesmo Henry que entrou naquele dia em minha casa. Conversamos como desejei que conversássemos, tão facilmente, tão verdadeiramente. Deito-me em sua cama coberta por seu casaco. Ele me observa.

– Você esperava... mais brutalidade?

Suas montanhas de palavras, de bilhetes, de citações rompem-se. Fico surpresa. Não conhecia esse homem. Não estávamos apaixonados pelos escritos um do outro. Mas pelo que estamos apaixonados agora? Não consigo suportar o retrato do rosto de June sobre a lareira. Mesmo no retrato, é fantástico, ela possui a nós dois.

Escrevo bilhetes loucos para Henry. Não podemos nos encontrar hoje. O dia está vazio. Estou presa. E ele? O que sente? Estou invadida, perco tudo, minha mente vacila, só tenho consciência de sensações.

Há momentos no dia em que não acredito no amor de Henry, quando sinto June dominando a nós dois, quando digo para mim mesma: "Esta manhã ele acordará e perceberá que não ama a ninguém a não ser June". Momentos em que acredito, loucamente, que vamos viver algo novo, Henry e eu, fora do mundo de June.

Como ele impôs a verdade a mim? Estava prestes a me libertar da prisão de minha imaginação, mas ele me leva a seu quarto e lá vivemos um sonho, não uma realidade. Ele me coloca onde quer colocar. Incenso. Veneração. Ilusão. E todo o resto de sua vida é apagado. Ele vem com uma nova alma para esta hora. É a poção do sono dos contos de fadas. Fico deitada com um útero ardente e ele mal repara. Nossos gestos são humanos, mas há uma maldição sobre o quarto. É o rosto de June. Lembro-me, com grande dor, de um de seus bilhetes: "o momento mais louco da vida – June, ajoelhada na rua". É de June ou de Henry que tenho ciúmes?

Ele pede para me ver novamente. Quando espero na poltrona em seu quarto, e ele se ajoelha para me beijar, é mais estranho do que todos os meus pensamentos. Com sua experiência ele me domina. Domina com sua mente, também, e fico calada. Sussurra para mim o que meu corpo deve fazer. Eu obedeço, e novos instintos são despertados em mim. Ele me tomou. Um homem tão humano; e eu, súbita e desavergonhadamente natural. Fico assombrada de ficar ali deitada na cama de ferro dele, com minha roupa de baixo preta arrancada e pisada. E minha intimidade rompida por um momento, por um homem que se diz ser "o último homem na terra".

Escrever não é, para nós, uma arte, mas é como respirar. Depois de nosso primeiro encontro respirei alguns bilhetes, acentos de reconhecimento, admissão humana. Henry ainda estava atordoado, e eu exalava a alegria insuportável. Mas da segunda vez, não houve palavras. Meu prazer era intocável e aterrador. Inflava dentro de mim ao caminhar pelas ruas.

Ele transpira, ele fulgura. Não consigo escondê-lo. Sou mulher. Um homem me dominou. Ah, que prazer quando uma mulher encontra um homem a quem consegue se sujeitar, o prazer de sua feminilidade expandindo em braços fortes.

Hugo olha para mim quando nos sentamos junto ao fogo. Estou conversando embriagadoramente, brilhantemente. Ele diz:

– Eu nunca a vi tão bonita. Nunca senti seu poder com tanta intensidade. Que nova confiança é essa?

Ele me deseja, assim como desejou aquela outra vez, depois da visita de John. Minha consciência morre naquele momento. Hugo se deita sobre mim e instintivamente obedeço às palavras sussurradas de Henry. Fecho minhas pernas em volta de Hugo, e ele exclama de êxtase:

– Querida, querida, o que você está fazendo? Está me deixando louco. Nunca senti tal prazer antes!

Eu o engano, eu o iludo, no entanto o mundo não mergulha em névoas cor de enxofre. A loucura vence. Não consigo mais montar o meu mosaico. Apenas choro e rio.

Depois de um concerto, Hugo e eu saímos juntos, como amantes, disse ele. Foi o dia depois que Henry e eu admitimos certos sentimentos no Viking. Hugo foi tão atencioso, tão terno. Foi um feriado para ele. Nós jantávamos num restaurante em Montparnasse. Eu inventara um pretexto para visitar uma amiga para apanhar a primeira carta de amor de Henry. Ela estava em meu livro de bolso. Eu pensava nela quando Hugo me perguntou:

– Você quer ostras? Coma ostras esta noite. É uma noite especial. Toda vez que saio com você tenho a sensação de estar saindo com minha amante. Você é minha amante. Eu a amo mais do que nunca.

Quero ler a carta de Henry. Peço licença. Vou ao toalete. Leio a carta lá. Não é muito eloquente, e fico abalada com o fato. Não sei o que mais eu sinto. Volto para a mesa, tonta. Foi onde encontramos Henry quando voltou de Dijon e onde percebi que estava feliz por ele ter voltado.

Em outra ocasião, Hugo e eu vamos ao teatro. Estou pensando em Henry. Hugo sabe, e demonstra a mesma velha inquietação, o desejo de acreditar, e eu o tranquilizo. Ele próprio havia me dado um recado de que eu deveria telefonar para Henry às oito e meia.

Assim, antes da peça vamos a um café, e Hugo me ajuda a encontrar o número do escritório de Henry. Brinco sobre o que ele vai ouvir. Henry e eu não dizemos muita coisa:

– Você recebeu minha carta?
– Sim. Você recebeu meu bilhete?
– Não.

Tenho uma noite ruim depois da peça. Hugo se levanta de manhãzinha para me trazer um remédio, um sonífero.

– O que houve? – pergunta ele. – O que você está sentindo? – Oferece o refúgio de seus braços.

A primeira vez que volto do quarto de Henry, atordoada, encontro dificuldade em conversar de meu modo normal com alegria.

Hugo se senta, pega seu diário e escreve loucamente sobre mim e "arte" e como tudo que faço é certo. Enquanto lê para mim, sangro até a morte. Antes do final ele começa a soluçar. Não sabe por quê. Fico de joelhos diante dele.

– O que é, querido, o que é? – E digo esta coisa terrível:
– Você tem uma intuição? – O que, graças à sua fé e a seus sentidos pouco perspicazes, ele não consegue compreender. Acredita que Henry apenas me estimula imaginativamente, como um escritor. E é por acreditar nisso que ele se senta para escrever também, para me galantear com a escrita.

Tenho vontade de gritar:
– Isso é tão infantil de sua parte; é como a fé de uma criança. – Deus, eu sou velha, sou a última *mulher* na Terra. Estou ciente de um monstruoso paradoxo: entregando-me eu aprendo a amar Hugo ainda mais. Vivendo como estou, preservo nosso amor da amargura e da morte.

A verdade é que essa é a única maneira em que posso viver: em duas direções. Preciso de duas vidas. Eu sou dois seres. Quando volto para Hugo à noite, para a paz e o calor da casa, volto com uma satisfação profunda, como se essa fosse a única condição para mim. Trago para Hugo uma mulher inteira, livre de todas as febres "possuídas", curada do veneno da inquietação e da curiosidade que costumava ameaçar nosso casamento, curada através da ação. Nosso amor vive porque eu vivo, eu o sustento e alimento. Sou leal a ele à minha maneira, que não pode ser a dele. Se algum dia ler estas linhas, deve acreditar em mim. Estou escrevendo calma e lucidamente enquanto espero que ele venha para casa, como se espera pelo amante escolhido, pelo amante eterno.

Henry faz anotações sobre mim. Registra tudo o que eu digo. Ambos estamos registrando, cada um com diferentes sensores. A vida dos escritores é uma outra vida.

Sento-me em sua cama, com meu vestido cor-de-rosa espalhado à minha volta, fumando, e enquanto me observa, diz que nunca me levará para dentro de sua vida, para os lugares de que me falou, que para mim todas as armadilhas de Louveciennes estão certas e adequadas, que devo tê-las.
– Você não conseguiria viver de outra maneira. – Contemplo seu quarto sórdido e exclamo:
– Eu acho que é verdade. Se você me pusesse neste quarto, pobre, eu começaria tudo outra vez.

No dia seguinte, escrevo-lhe um dos bilhetes mais humanos que ele já recebeu: nenhum intelecto, apenas palavras sobre sua voz, seu riso, suas mãos.

E ele me escreve: "Anaïs, fiquei pasmo quando recebi seu bilhete esta noite. Nada que eu possa dizer se comparara a estas palavras. A vitória é sua – você me silenciou –, quero dizer no que diz respeito a expressar estas coisas por escrito. Não sabe como fico encantado com sua capacidade de assimilar rapidamente e depois virar-se, lançar os espetos, pregá-los, penetrá-los, envolvê-los com seu intelecto. A experiência me deixou apático; senti uma exaltação singular, uma onda de vitalidade, depois de fadiga, de apatia, de fascínio, de incredulidade, tudo, tudo. Ao vir para casa continuei falando sobre o vento primaveril – tudo passara a ser suave e balsâmico, o ar lambia meu rosto, por mais que o engolisse nunca seria o suficiente. E até receber seu bilhete fiquei em pânico. Tive medo de que você fosse repudiar tudo. Mas ao ler – li muito lentamente porque cada palavra foi uma revelação para mim – pensei em seu rosto sorridente, em seu tipo de alegria inocente, algo que eu sempre procurara em você mas de que nunca me dei conta. Houve vezes em que você começou dessa maneira, em Louveciennes, e então a mente se despedaçou e eu via os olhos graves e redondos e os lábios cerrados, que costumavam quase assustar-me, ou que de qualquer maneira sempre me intimidaram.

"Você me faz tremendamente feliz em manter-me como um todo – em deixar-me ser o artista, como foi, e no entanto não me adiantar ao homem, o animal, ao amante ávido e insaciável. Nenhuma mulher jamais me concedeu todos os privilégios de que preciso – e você, ora você canta tão jovialmente, tão arrojadamente, com um riso até –, sim, você me convida a ir em frente, a ser eu mesmo, a me aventurar a tudo. Eu a adoro por isso. É onde você é verdadeiramente real, uma mulher extraordinária. Que mulher você é! Rio para mim mesmo agora quando penso em você – não tenho medo de sua feminilidade. E de que você ardeu. Então lembro-me vividamente de seu vestido, da cor e da textura dele, a voluptuosidade, a leveza dele – precisamente o que eu lhe teria pedido para usar se tivesse podido antecipar o momento.

"Repare como você estava esperando o que escrevi hoje – refiro-me a suas palavras sobre caricatura, ódio etc.

"Eu poderia ficar aqui toda noite descrevendo-a. Vejo-a diante de mim constantemente, com a cabeça baixa e os longos cílios pousados sobre as faces. E me sinto muito humilde. Não sei por que você deveria me escolher – isso me intriga. Parece-me que a partir do momento em que você abriu a porta e estendeu a mão, sorrindo, eu fiquei cativado, fui seu. June também sentiu isso. Ela disse imediatamente que você estava apaixonada por mim, ou melhor, eu por você. Mas eu mesmo não sabia que era amor. Falei sobre você sem reservas. E então June a encontrou e se apaixonou por você."

Henry está brincando com a ideia de santidade. Estou pensando nos tons de voz e nas expressões e admissões que recebo dele. E estou pensando em sua capacidade de ser influenciado, que significa sentir a divindade. Quando fui mais natural, mais feminina, levantando-me da cama para dar um cigarro a ele, para lhe servir champanhe, para pentear o cabelo, para me vestir, ele ainda disse:

– Eu ainda não me sinto natural com você.

Ele vive muito sossegado, quase friamente em certos momentos. Ausenta-se do presente. Depois disso, quando está escrevendo, anima-se, começa a dramatizar e a arder.

Nossas contendas: ele em sua linguagem, eu na minha. Nunca uso as palavras dele. Acho que meu registro é mais inconsciente, mais instintivo. Não aparece na superfície, e no entanto, eu não sei, pois ele estava consciente disso, do peso de meus olhos. A obscenidade de minha mente contra sua dissecação implacável. Minha crença no maravilhoso contra seus bilhetes amargos, realistas. A alegria, quando ele se atém ao maravilhoso:

– Seus olhos parecem estar esperando milagres. – Ele os fará?

Ele faz anotações tais como: "Anaïs: pente verde com cabelo preto. Ruge indelével. Colar primitivo. Quebrável. Frágil".

Naquela segunda tarde, ele esperou por mim no café e eu esperei por ele em seu quarto, por causa de um mal-entendido. O servente limpava o quarto dele. Pediu que eu esperasse no outro quarto do outro lado do corredor, um cômodo muito pobre e pequeno. Sentei-me numa cadeira simples. O servente veio com outra cadeira forrada de veludo vermelho.
– Será melhor para a senhora – disse. Fiquei sensibilizada. Pareceu-me que Henry me oferecia cadeiras forradas de veludo. Estava feliz enquanto esperava. Então fiquei um pouco cansada e fui me sentar no quarto de Henry. Abri uma pasta intitulada "Notas de Dijon". A primeira página era uma cópia de uma carta para mim que eu ainda não tinha recebido. Então ele entrou, e quando eu disse:
– Não acredito em nosso amor – ele me silenciou.
Senti-me fraca naquele dia, diante da força dele. A carne tão forte ou mais forte do que a mente. Vitória dele. Ele me abraçou com uma espécie de medo.
– Você parece tão frágil. Tenho medo de matá-la. – E realmente me senti pequena em sua cama, nua, com minhas joias bárbaras tilintando. Mas ele sentiu a força do meu âmago, que queima ao toque dele.
Pense nisso, Henry, quando segura meu corpo muito frágil em seus braços, um corpo que você mal sente porque está tão acostumado à carne ondulante, mas sente os movimentos de seu prazer como as ondulações de uma sinfonia, não o peso estático, mas a dança dele em seus braços. Você não me quebrará. Está me moldando como um escultor. O fauno será feito mulher.
– Henry, eu lhe juro, sinto prazer em lhe dizer a verdade. Algum dia, depois de mais uma de suas vitórias, responderei a qualquer pergunta que você fizer.
– Sim, sei disso – respondeu Henry. – Estou certo disso. Espero pacientemente. Posso esperar.

O que eu poderia ter achado ridículo apenas me sensibilizou com sua qualidade de ser humano: Henry arrastando-se para encontrar minhas ligas de seda pretas, que tinham caído atrás da cama. Seu espanto em ver meu colar de doze francos:

– É uma joia tão fina e rara essa que você usa.

Quando o vi nu, ele me pareceu indefeso, e minha ternura transbordou. Depois disso ele estava lânguido, e eu alegre. Chegamos até a falar sobre nosso trabalho:

– Gosto – disse Henry – de ter minha mesa em ordem antes de começar, só anotações à minha volta, muitas anotações. – Você faz isso? – disse excitadamente, como se fosse uma afirmação muito interessante. Nosso trabalho. Prazer em falar de técnicas.

Eu imagino, Henry, que você está sofrendo do esforço de revelações completas sobre você mesmo e June, franqueza inexorável obtida com dificuldade. Você tem momentos de reserva, de sentir que está violando intimidades secretas, a vida secreta de seu próprio ser assim como a de outros.

Em certos momentos estou disposta a ajudá-lo por causa de nossa paixão comum objetiva pela verdade. Mas isso magoa, Henry, magoa. Estou tentando ser honesta em meu diário, dia após dia.

Você tem razão, num certo sentido, quando fala de minha honestidade. Um esforço, de qualquer maneira, com as habituais retrações humanas ou femininas. Retroceder não é feminino, masculino, nem traiçoeiro. É um terror frente à completa destruição. O que analisamos inexoravelmente morrerá? June morrerá? Nosso amor morrerá, de repente, instantaneamente, se você fizer uma caricatura dele? Henry, há um perigo no conhecimento excessivo. Você tem paixão por conhecimento absoluto. É por isso que as pessoas o odiarão.

E algumas vezes acredito que sua análise implacável de June omite algo, que é seu sentimento por ela além do conhecimento, ou apesar do conhecimento. Frequentemente vejo como você lamenta o que destrói, como quer parar e apenas venerar; e você para realmente, e então um momento depois está sobre o fato de novo com uma faca, como um cirurgião.

O que você fará depois de ter revelado tudo que há para saber sobre June? A verdade. Que ferocidade nessa busca. Você destrói e sofre. De uma maneira estranha não estou com você, estou contra você. Estamos destinados a ter duas verdades. Eu o amo e o condeno. E você, a mesma coisa. Ficaremos mais fortes para isso, cada um de nós, mais fortes com nosso amor e nosso ódio. Quando você caricatura, crucifica e destrói, eu o odeio. Quero responder-lhe, não com poesia leve ou tola, mas com uma admiração tão forte quanto a sua realidade. Quero combater seu bisturi de cirurgião com todas as forças ocultas e mágicas do mundo.

Quero combatê-lo e me submeter a você ao mesmo tempo, porque como mulher adoro sua coragem, adoro a dor que ela produz, adoro a luta que você carrega em si mesmo, que eu sozinha percebo plenamente, adoro sua sinceridade aterrorizante, adoro sua força. Você tem razão. O mundo é para ser caricaturado, mas eu sei, também, o quanto se pode amar o que se caricatura. Quanta paixão há em você! É isso que sinto em você. Não sinto o sábio, o revelador, o observador. Quando estou com você, é o sangue que sinto.

Desta vez você não vai despertar dos êxtases de nossos encontros para revelar apenas os momentos ridículos. Não. Não fará isso desta vez, porque enquanto vivemos juntos, enquanto você examina meu batom indelével apagando o contorno de minha boca, espalhando-se como sangue após uma operação (você beijou minha boca e ele desapareceu, o desenho dela se perdeu como numa aquarela, as cores escorreram); enquanto você faz isso, eu me agarro ao fascínio do momento (o fascínio, ah, o fascínio de estar deitada sob o seu corpo), e o trago a você. Respiro-o à sua volta. Tomo-o. Sinto-me pródiga com meus sentimentos quando você me ama, sentimentos tão vivos, tão novos, Henry, não perdidos na semelhança com outros momentos, tão nossos, seus, meus, você e eu juntos, não qualquer homem e qualquer mulher juntos.

O que é mais tocantemente real do que o seu quarto. A cama de ferro, o travesseiro duro, o único espelho. E tudo brilhando como as luzes de um Quatro de Julho por causa de minha alegria, do prazer suave e crescente do útero que você inflamou. O quarto está cheio da incandescência que você derramou em mim. O quarto explodirá quando eu me sentar em sua cama e você conversar comigo. Não ouço suas palavras: sua voz reverbera contra meu corpo como um outro tipo de carícia, um outro tipo de penetração. Não tenho nenhum poder sobre sua voz. Ela vem diretamente de você para dentro de mim. Eu poderia entupir meus ouvidos e ela encontraria caminho até meu sangue e o faria esquentar.

Sou alheia ao simples ataque visual das coisas. Vejo sua camisa cáqui pendurada num pregador. É a sua camisa, e eu poderia ver você nela – você, usando uma cor que eu detesto. Mas eu vejo você, não a camisa cáqui. Algo se agita em mim quando olho para ela, e certamente é o lado humano de você nela. É uma visão do seu eu humano revelando uma surpreendente fragilidade para mim. É a sua camisa cáqui e você é o homem que é o eixo do meu mundo agora. Eu revolvo em volta de sua riqueza de ser.

"Chegue para perto de mim, chegue mais perto. Eu lhe prometo que será bonito."

Você mantém sua promessa.

Ouça, não creio que só eu sinta que estamos vivendo algo novo porque é novo para mim. Não vejo em seus escritos nenhum dos sentimentos que você demonstra a mim nem nenhuma das frases que você usou. Quando li seus escritos, me perguntei: Que episódio nós vamos repetir?

Você leva sua visão, e eu a minha, e elas se misturaram. Se em determinados momentos vejo o mundo como você vê (porque elas são as prostitutas de Henry, eu as amo), você algumas vezes o verá como eu.

Para Henry, o investigador, ofereço respostas enigmáticas.

Enquanto me vestia, comentava em tom de galhofa sobre minha roupa de baixo, de que June gostara, June que está sempre nua debaixo do vestido.

– É espanhola – eu disse.

Henry disse:

– O que me vem à mente quando você diz isso é: como é que June sabia que você usava tais roupas de baixo?

Respondi:

– Não pense que estou tentando fazer a coisa parecer mais inocente do que era, mas, ao mesmo tempo, não se precipite tanto em suas ideias ou nunca saberá a verdade.

Ele contempla a voluptuosidade do semiconhecimento, da semiposse, de se debruçar sobre o abismo perigosamente, para não obter nenhum clímax específico.

Tanto Henry quanto June destruíram a lógica e a unidade de minha vida. É bom, pois uma vida padronizada não é vida. Agora estou vivendo. Não estou fazendo padrões.

O que me ilude para sempre é a realidade de ser um homem. Quando a imaginação e as emoções de uma mulher ultrapassam os limites normais, ocasionalmente ela é possuída por sentimentos que não consegue expressar. Eu quero possuir June. Identifico-me com os homens que conseguem penetrar nela. Mas sou impotente. Posso lhe dar o prazer do meu amor, mas não o coito supremo. Que tormento!

E as cartas de Henry: "...terrivelmente, terrivelmente vivo, atormentado, e sentindo absolutamente que preciso de você... Mas eu devo vê-la: vejo-a vibrante e maravilhosa e ao mesmo tempo tenho escrito para June, arrasado, mas você compreenderá: você deve compreender. Anaïs, fique do meu lado. Você me envolve como uma chama acesa. Anaïs, por Deus, se você soubesse o que estou sentindo agora.

"Quero me familiarizar mais com você. Eu a amo. Amei-a quando você veio e se sentou na cama – toda aquela segunda tarde foi como um nevoeiro morno –, e ouço novamente a maneira como você diz meu nome, com aquele seu sotaque estranho. Você desperta em mim tamanha mistura de sentimentos, que não sei como me aproximar de você. Apenas venha a mim – chegue mais perto de mim. Será belo, eu lhe prometo. Gosto tanto de sua franqueza – quase uma humildade. Eu nunca poderia magoar isso. Tive um pensamento esta noite de que era com uma mulher como você que eu devia ter me casado. Ou será que o amor, no começo, sempre inspira tais pensamentos? Não tenho medo de que você queira magoar-me. Vejo que você tem uma força também – de uma ordem diferente, mais ilusória. Não, você não se deixará abater. Falei muitas tolices – sobre sua fragilidade. Tenho ficado sempre um pouco embaraçado. Mas menos do que da última vez. Tudo isso desaparecerá. Você tem um senso de humor tão delicioso – adoro isso em você. Quero vê-la rindo sempre. Isso faz parte de você. Tenho pensado em lugares a que deveríamos ir juntos – pequenos lugares obscuros, espalhados por aí, em Paris. Só para dizer: aqui eu vim com Anaïs; aqui nós comemos ou dançamos ou nos embriagamos. Ah, vê-la realmente bêbada alguma vez, isso seria um prazer! Tenho quase medo de sugerir isso – mas Anaïs, quando penso em como você se esfrega em mim, com que ansiedade você abre as pernas e como você é úmida, Deus, fico louco de pensar como seria quando tudo acabasse.

"Ontem pensei em você, em suas pernas apertadas contra mim de pé, no quarto, tremendo, em cair sobre você na escuridão e não saber de mais nada. E estremeci e gemi de prazer. Estou pensando que se tiver que passar o fim de semana sem vê-la será insuportável.

"Se necessário for, irei a Versalhes no domingo – qualquer coisa –, mas tenho que vê-la. Não tenha medo de me tratar friamente. Será suficiente ficar perto de você, olhar para você com admiração. Eu a amo, é tudo."

Hugo e eu estamos no carro, dirigindo-nos para uma noite elegante. Eu canto até parecer que meu canto está conduzindo o carro. Inflo o peito e imito o *roucoulement* dos pombos. Meu *rrrrrrrrrrr* francês rola. Hugo ri. Mais tarde, com um marquês e uma marquesa, saímos do teatro, e as prostitutas nos cercam, muito próximas. A marquesa cerra os lábios. Acho que elas são as prostitutas de Henry, e me sinto afável para com elas, amigável.

Uma noite sugiro a Hugo irmos a um *show* juntos, só para ver.

– Você quer ir? – digo, embora em minha mente esteja pronta para viver, não para ver. Ele fica curioso, fascinado.

– Sim, sim. – Nós telefonamos para Henry para pedir informações. Ele sugere a Rue Blondel, 32.

No caminho, Hugo hesita, mas eu rio a seu lado e o estimulo a ir. O táxi nos deixa numa ruazinha estreita. Tínhamos esquecido o número. Mas vejo o "32" em vermelho numa das portas. Sinto que estávamos num trampolim e pulamos. E agora estamos numa peça. Estamos diferentes.

Empurro uma porta de vaivém. Tive que ir na frente para barganhar o preço. Mas quando vejo que não é uma casa, mas um café cheio de pessoas e mulheres nuas, volto para chamar Hugo, e entramos.

Barulho. Luzes que cegam. Muitas mulheres cercando-nos, chamando-nos, tentando atrair nossa atenção. A *patronne* nos conduz a uma mesa. As mulheres continuam gritando e fazendo sinais. Temos que escolher. Hugo sorri, confuso. Olho para elas. Escolho uma mulher muito corpulenta, gorda, rude, parecendo espanhola, e depois me viro de costas para o grupo turbulento, me volto para o fim da fila e chamo uma mulher que não havia feito nenhum esforço para atrair minha atenção, pequena, feminina, quase tímida. Agora elas se sentam diante de nós.

A mulher pequena é doce e dócil. Nós conversamos, ah, tão educadamente. Falamos sobre as unhas uma da outra. Elas falam sobre a estranheza de meu esmalte de unhas nacarado. Peço a Hugo para olhar cuidadosamente para ver se escolhi bem. Ele assim faz e diz que eu não poderia ter escolhido melhor. Observamos as mulheres dançando. Vejo apenas pontos, com intensidade. Certos lugares são completamente vagos para mim. Vejo quadris grandes, nádegas e seios flácidos, tantos corpos, tudo de uma vez. Tínhamos esperado que houvesse um homem para a exibição.

– Não – responde a *patronne* –, mas as duas moças vão diverti-los. Vocês verão tudo. – Não seria a noite de Hugo, então, mas ele aceita tudo. Discutimos sobre o preço. As mulheres sorriem. Concluem que é minha noite porque eu lhes pedi para me mostrarem cenas lésbicas.

Tudo é estranho para mim e familiar para elas. Só me sinto à vontade porque são pessoas que precisam de coisas, para quem se pode fazer coisas. Dou todos os meus cigarros. Gostaria de ter uma centena de maços. Gostaria de ter muito dinheiro. Vamos para o andar de cima. Gosto de olhar para o andar das mulheres despidas.

O quarto está suavemente iluminado e a cama é baixa e ampla. As mulheres estão animadas, e se lavam. Como o gosto pelas coisas deve diminuir com tanto automatismo. Observamos a mulher corpulenta atar um pênis a si, uma coisa rosada, uma caricatura. E elas fazem poses, desavergonhadamente, profissionalmente. Árabes, espanholas, parisienses, o amor quando não se tem o preço de um quarto de hotel, o amor num táxi, o amor quando um dos parceiros está sonolento...

Hugo e eu observamos, rindo um pouco das investidas delas. Não aprendemos nada de novo. É tudo irreal, até eu pedir pelas poses lésbicas.

A mulher pequena adora isso, gosta mais do que quando a outra faz papel de homem. A mulher graúda me revela um lugar secreto no corpo da mulher, uma fonte de um novo prazer, que eu algumas vezes sentira mas nunca definidamente – aquele pequeno âmago na abertura dos lábios da mulher, bem o que o homem deixa passar. Ali, a mulher corpulenta trabalha lambendo com a língua. A mulher pequena fecha os olhos, geme e treme de êxtase. Hugo e eu nos debruçamos sobre elas, tomados por aquele momento de beleza da mulher menor, que oferece aos nossos olhos seu corpo dominado, trêmulo. Hugo fica transtornado. Não sou mais mulher; sou homem. Estou tocando o âmago do ser de June.

Percebo os sentimentos de Hugo e digo:

– Você quer a mulher? Tome-a. Eu lhe juro que não vou me importar, querido.

– Eu poderia gozar com qualquer pessoa agora – responde ele.

A mulher pequena está deitada, imóvel. Então elas estão de pé, brincando, e o momento passa. Eu quero...? Elas desabotoam meu vestido; eu respondo que não, não quero nada.

Não poderia ter tocado nelas. Apenas um minuto de beleza – a pequena mulher está ofegando, suas mãos acariciando a cabeça da outra mulher. Aquele momento por si só agitou meu sangue com outro desejo. Se tivéssemos sido um pouco mais loucos... Mas o quarto nos pareceu sujo. Saímos. Estonteados. Felizes. Fascinados.

Fomos dançar no Bal Nègre. Um temor estava acabado. Hugo estava liberado. Tínhamos compreendido os sentimentos um do outro. Juntos. De braços dados. Uma generosidade mútua.

Não fiquei com ciúmes da mulher que Hugo havia desejado. Mas ele pensou: "E se houvesse um homem...". Então ainda não sabemos. Tudo o que sabemos é que a noite foi aproveitada maravilhosamente. Eu conseguira dar a Hugo uma parte do prazer que me enchia.

E quando voltamos para casa, adorou meu corpo porque ele estava mais adorável do que o que havia visto, e mergulhamos na sensualidade juntos com nova conscientização. Estamos matando fantasmas.

Fui ao Viking para me encontrar com Eduardo. Temos feito confidências um ao outro: ele, sobre uma mulher em sua pensão; eu, sobre Henry. Sentamo-nos na penumbra. Eduardo está com medo de ficar fora da minha vida.

– Não – respondo –, há lugar de sobra. Amo Hugo, mais do que nunca, amo Henry e June, e você, também, se desejar. – Ele sorri. – Vou ler para você as cartas de Henry – disse eu, porque ele estava preocupado com minha "imaginação" (Talvez Henry não seja nada, ele pensava). E quando li para ele, ele me deteve. Não pôde suportar.

Ele fala comigo sobre psicanálise, que revela como ele me ama, como ele me vê agora. O amor de Henry cria uma auréola à minha volta. Sento-me tão seguramente diante da timidez de Eduardo. Observo-o aproximando-se de mim, buscando intimidade, encostando em minha mão, no meu joelho. Observo-o tornar-se humano. Por esse momento, há muito tempo, eu teria dado tanto, mas deixei tudo isso para trás.

— Antes de partirmos — diz — eu quero... — E ele começa a me beijar.

— É Eduardo — murmuro, dócil. O beijo é adorável. Estou meio sensibilizada, semitomada. Mas ele não persegue o desejo. Tinha desejado uma semimedida. Aqui estava. Deixamos o lugar. Tomamos um táxi. Ele está subjugado com o prazer de me tocar.

— Impossível — grita. — Finalmente! Mas isso significa mais para mim do que para você. — É verdade. Estou emocionada apenas porque me acostumei a desejar aquela boca tão linda.

Veja o que eu fiz! Vejo o espetáculo do tormento de Eduardo. Meus belos Eduardo, Keats e Shelley, poemas e açafrão — tantas horas olhando nos olhos verdes límpidos dele e vendo os reflexos de homens e prostitutas. Durante treze anos seu rosto, mente e imaginação se voltaram para mim, mas o corpo estava morto. O corpo está vivo agora. Ele diz meu nome, gemendo:

— Quando a verei? Preciso vê-la amanhã. — Beijos, nos olhos, no pescoço. O mundo parece ter virado de cabeça para baixo. Amanhã ele morrerá, pensei.

Mas amanhã, como não fico esperando nada, a loucura de Eduardo volta, e sinto, pela primeira vez, o *destino,* uma necessidade imperativa de uma resolução psicológica. Caminhamos em plena luz do sol para um hotel que ele conhece, subimos as escadas, alegremente, entramos num quarto amarelo. Peço-lhe para fechar as cortinas. Estamos exaustos de sonhos, de pensamentos, de tragédia, de literatura.

No andar de baixo ele paga pelo quarto. Digo à mulher:
— Trinta francos é demais para nós. Da próxima vez a senhora não pode deixar por menos?

E na rua desatamos a rir: da próxima vez!

O milagre está feito. Caminhamos, soltos. Estamos com muita fome. Vamos ao Viking e comemos quatro sanduíches grandes (houve uma época em que eu não conseguia engolir na presença de Eduardo).

– O quanto eu devo a você! – ele grita. E em meu coração eu respondo: "O quanto você deve a Henry".

Não consigo deixar de sentir hoje que uma parte de mim fica de lado me observando viver e maravilhando-se. Jogada à vida sem experiência, ingênua, eu sinto que algo me salvou. Sinto-me quite com a vida. É como as cenas de uma peça excepcional. Henry me conduziu. Não. Ele esperou. Ele me observou. *Eu* me movi, *eu* agi. Fiz coisas inesperadas, surpreendentes para mim mesma – naquele momento, como menciona Henry, quando me sentei na beira da cama. Eu estava de pé diante do espelho penteando meu cabelo. Ele ficou na cama e disse:

– Eu não me sinto à vontade com você ainda. – Impulsivamente, com rapidez, fui até a cama, sentei-me perto dele, pus o rosto bem perto do dele. Meu casaco escorregou, e as alças de minha blusa também, e no gesto todo, no que eu disse, houve algo tão naturalmente generoso, dócil, humano que ele não conseguiu falar.

Sinto que quando Henry fala ou escreve para mim, ele procura uma outra língua. Eu o sinto evadir-se da palavra que vem com mais facilidade aos seus lábios, apegando-se a uma outra, mais sutil. Algumas vezes sinto que o levei a um mundo intricado, um novo país, e ele não caminha como John, aos tropeços, mas com uma consciência que senti nele desde o primeiro dia. Ele caminha dentro das sinfonias de Proust, das insinuações de Gide, dos enigmas do ópio de Cocteau, dos silêncios de Valéry; ele caminha para a sugestividade, para os espaços; para as iluminações de Rimbaud. E eu caminho com ele. Hoje à noite eu o amo pelo modo adorável como ele me deu a Terra.

Ao caminhar, não posso e não devo me deixar abalar. Não pedirei a Hugo nem mesmo por uma noite livre. Por causa disso provoco novos e profundos sentimentos em Henry.

– Você está feliz – pergunta Eduardo – por ele querer escrever, trabalhar, por ele estar exaltado em vez de destruído?

– Sim.

– O verdadeiro teste virá quando você começar a querer usar seu poder sobre os homens destrutiva e cruelmente.

Chegará esse dia?

Conto a Hugo sobre meu diário *imaginário* de uma mulher possuída, que o fortalece em sua atitude de que tudo é faz de conta exceto o nosso amor.

– Mas como você sabe que não existe realmente tal diário? Como sabe que não estou mentindo para você?

– Talvez esteja – disse ele.

– Você tem uma mente flexível mesmo agora.

– Dê-me realidades para combater – me disse ele. – Minha imaginação torna isso pior. – Eu o deixei ler minha carta para June, e ele encontrou alívio em saber. As melhores mentiras são meias-verdades. Eu lhe conto meias-verdades.

Domingo. Hugo vai jogar golfe. Visto-me ritualisticamente e comparo a alegria em me vestir para Henry com minha tristeza em me vestir para banqueiros idiotas e reis do telefone.

Mais tarde, um pequeno quarto escuro, tão simples, como uma alcova profunda. Imediatamente, a riqueza da voz e da boca de Henry. A sensação de mergulhar em sangue morno. E ele, subjugado com meu calor e umidade. Penetração lenta, com pausas e com movimentos contorcidos, fazendo-me ofegar de prazer. Não tenho palavras para isso, é tudo novo para mim.

A primeira vez em que Henry fez amor comigo, percebi um fato terrível – que Hugo era sexualmente grande demais para mim, de forma que meu prazer não foi puro, sempre um pouco doloroso. Teria sido aquilo o segredo de minha insatisfação? Eu estremeço ao escrever isso. Não quero me ater a isso, no efeito de tal fato em minha vida, em minha fome. Minha fome não é anormal. Com Henry estou satisfeita. Chegamos ao clímax, conversamos, comemos e bebemos, e antes de eu sair ele me enche de amor novamente. Nunca conheci tamanha plenitude. Não é mais Henry; e eu sou apenas mulher. Perco o sentido de seres separados.

Volto para Hugo reconfortada e alegre; ele percebe isso. E diz:

– Nunca fui tão feliz com você.

É como se eu tivesse parado de devorá-lo, de exigir algo dele. Não admira que eu seja humilde diante de meu gigante, Henry. E ele fica humilde diante de mim. – Você compreende, Anaïs, nunca amei uma mulher com uma mente. Todas as outras mulheres eram inferiores a mim. Eu a considero uma igual. – E ele também parece estar repleto de uma grande alegria, uma alegria que não conheceu com June.

Aquela última tarde no quarto de hotel de Henry foi para mim como um forno ardente. Antes, só sentia tal calor ardente na mente e na imaginação; agora, é no sangue. Plenitude sagrada. Saio estonteada na noite de primavera adocicada e penso: "Agora eu não me importaria em morrer".

Henry despertou meus verdadeiros instintos, de forma que não estou mais insatisfeita, carente, incongruente em meu mundo. Descobri onde me encaixo. Eu o amo, e no entanto não sou cega aos elementos em nós que se chocam e dos quais, posteriormente, decorrerá nosso divórcio. Só consigo sentir o agora. O agora é tão rico e tão incrível. Como Henry diz:

– Tudo é bom, bom.

São dez e meia, Hugo foi a um banquete, e eu estou esperando por ele. Ele se tranquiliza apelando para minha mente. Acha que minha mente está sempre controlada. Não sabe de que loucuras sou capaz. Vou guardar essa história para quando ele for mais velho, quando ele também tiver liberado seus instintos. Contar a verdade sobre mim agora apenas o mataria. O desenvolvimento dele é naturalmente mais lento. Aos quarenta ele saberá o que sei hoje. Perceberá e absorverá coisas sem sofrer nesse meio-tempo.

Estou sempre preocupada com Hugo, como se ele fosse meu filho. É porque eu o amo muito. Gostaria que ele fosse dez anos mais velho.

Henry me perguntou, da última vez:
– Eu fui menos brutal, menos apaixonado do que você esperava? Meus escritos por acaso a levaram a esperar mais?

Fiquei assombrada. Lembrei-lhe de como as primeiras palavras que lhe escrevi depois de nosso encontro quase foram: "A montanha de palavras se rachou, a literatura caiu por terra". Quis dizer que os verdadeiros sentimentos tinham começado – e que o intenso sensualismo da escrita dele foi uma coisa, e a nossa sensualidade juntos foi outra, uma coisa verdadeira.

Nem mesmo Henry, com sua vida aventureira, tem confiança de modo geral. Não admira que Eduardo e eu, excessivamente ternos, carecêssemos dela a um ponto trágico. Foi essa confiança delicada que alimentamos em nosso último encontro. Eduardo e eu tentamos reparar o mal que fizemos um ao outro involuntariamente, tentando corrigir e curar o curso de um estranho destino. Nós apenas nos deitamos juntos porque foi isso que deveríamos ter feito no começo.

Minha amiga Natasha ralha comigo sobre minha atitude idiota. E quanto às cortinas de Henry? Por que sapatos para June?
– E você? E você? – Ela não compreende como sou mimada. Henry me dá o mundo. June me deu loucura. Deus, como estou grata de encontrar dois seres que posso amar, que são generosos comigo de uma maneira que não consigo explicar a Natasha. Posso explicar a ela que Henry me dá suas aquarelas e June sua única pulseira? E mais.

No Viking, digo a Eduardo delicadamente, com palavras suaves, que não devemos continuar, que sinto que a experiência não devia ser levada avante, foi apenas uma adulteração do passado. Foi maravilhosa, mas não existe nenhuma polaridade de sangue entre nós.

Eduardo está magoado. Seu terror fundamental de não ser capaz de me prender agora está realizado. Por que não esperamos até ele estar inteiramente curado? Curado? O que significa isso? Maturidade, virilidade, o poder de me conquistar? Já sei que ele não pode me conquistar, nunca. Guardo isso como um segredo. Ah, a pena que sinto em ver a bela cabeça dele curvada, seu tormento. O conhecimento de Henry agora fica entre nós. Ele me suplica:

— Venha ao nosso quarto, mais uma vez, só para ficarmos juntos sozinhos. Acredite em meus sentimentos.

Respondo:

— Nós não devemos. Vamos preservar o momento que compartilhamos.

Eu não tinha nenhum desejo de ir. Premonições. Mas ele quer esclarecer o assunto.

Nosso quarto estava cinzento hoje, e frio. Chovia. Lutei contra a desolação que me invadiu. Se algum dia representei em minha vida, foi hoje. Não fiquei excitada, mas não admiti. Então ele sentiu a insatisfação, e nós vivemos páginas dos livros de Lawrence. Pela primeira vez eu as compreendi, melhor talvez do que Lawrence o fez, porque ele descreveu apenas os sentimentos do homem.

E o que Eduardo sente? Ele sente mais por mim do que por qualquer mulher; ele teve o gosto mais aproximado da virilidade.

Eu não podia arrasá-lo. Continuei com palavras suaves:

— Não force a vida. Deixe as coisas crescerem lentamente. Não sofra.

Mas ele sabe agora.

Isso foi como um pesadelo para mim. Meu ser clamava por Henry. Eu o vi hoje. Ele estava com o amigo Fred Perlès, o homem suave e delicado com olhos poéticos. Gosto de Fred, e no entanto senti-me mais próxima a Henry, tão próxima que não conseguia olhar para ele. Nós estávamos sentados na cozinha do novo apartamento deles em Clichy. Henry estava cheio de desejo. Quando eu disse que tinha que ir, depois de conversarmos por muito tempo, Henry me levou ao seu quarto e começou a me beijar, e com Fred tão perto, Fred, o aristocrata sensível, provavelmente magoado.

— Não posso deixá-la ir — disse Henry. — Nós vamos fechar a porta.

Eu me entreguei àquele momento com frenesi. Acho que estou perdendo a cabeça, pois os sentimentos que isso despertou em mim me perseguem, me possuem a todo momento, e anseio cada vez mais por Henry.

Venho para casa, Hugo lê o jornal. A ternura, a trivialidade, a monotonia disso tudo. Mas eu tenho Henry, e penso no que ele disse, loucamente, enquanto chegava ao clímax. Penso em como nunca fui tão natural quanto sou agora, nunca vivi meus verdadeiros instintos. Não me importei hoje com o fato de Fred ver minha loucura. Gostaria de encarar o mundo, gritar para o mundo:

— Eu amo Henry.

Não sei por que confio tanto nele, por que quero lhe dar tudo esta noite — a verdade, o meu diário, minha vida. Cheguei mesmo a desejar que June subitamente anunciasse sua chegada para sentir a dor que a perda de Henry causaria em mim.

Fui fazer uma massagem. A massagista era miúda e bonita. Ela usava um maiô. Vi seus seios quando se debruçou sobre mim, pequenos mas cheios. Senti suas mãos sobre meu corpo, sua boca perto da minha. Por um momento minha cabeça ficou perto das pernas dela. Eu poderia tê-las beijado facilmente. Fiquei excitadíssima. Logo percebi a frustração de meu desejo. O que eu podia fazer não pareceu suficientemente satisfatório. Eu a beijaria? Notei que ela não era lésbica. Percebi que ela me humilharia. O momento passou. Mas que meia hora de estranha tortura! Que tortura querer ser homem! Fiquei assombrada comigo mesma, ciente da natureza de meus sentimentos por June. E ontem mesmo criticava o vício do que

Hugo e eu chamamos sexualidade coletiva, despersonalizada, que agora compreendo.

Para Henry: "As perseguições começaram – estão todos magoados, ofendidos, com o fato de eu defender [D. H.] Lawrence. Olham tristemente para mim. Espero com impaciência pelo dia em que possa defender seus escritos, como você defendeu Buñuel.

"Fico feliz por não ter corado diante de Fred. Aquele dia foi o ápice de meu amor, Henry. Tive vontade de gritar: 'Hoje eu amo Henry'. Talvez você deseje que eu tivesse fingido casualidade, não sei. Escreva para mim. Preciso de suas cartas, como uma afirmação humana de realidade. Um homem que conheço quer me assustar. Quando falo sobre você ele diz: 'Ele não pode apreciar você'. Ele está errado."

Para Henry: "Isto é estranho, Henry. Antes, assim que eu chegava em casa de todo tipo de lugares, eu me sentava e escrevia em meu diário. Agora tenho vontade de escrever para você, de conversar com você. Nossos 'encontros' são tão pouco naturais – os intervalos entre eles, quando eu tenho, como esta noite, uma necessidade desesperada de vê-lo. Sugeri a Hugo que saíssemos com você amanhã à noite, mas ele não tomou conhecimento.

"Adoro quando você diz: 'Tudo o que acontece é bom'. Eu digo: 'Tudo o que acontece é maravilhoso'. Para mim é tudo sinfônico, e fico tão estimulada pela vida – Deus, Henry, em você sozinho encontrei o mesmo entusiasmo, a mesma rápida efervescência do sangue, a realização. Antes, quase costumava pensar que havia algo errado. Todo mundo parecia ter freios. E quando sinto sua excitação em relação à vida chamejando como a minha fico estonteada. O que faremos, Henry, na noite em que Hugo for para Lyon? Hoje gostaria de ter ficado costurando cortinas em seu apartamento enquanto você conversava comigo.

"Você acha que somos felizes juntos porque sentimos que estamos 'chegando a algum lugar', enquanto você tinha a sensação, com June, de que estava sendo conduzido a mais obscuridade, mais mistério, mais obstáculos?"

Encontro Henry na estação cinzenta, com uma instantânea efervescência do sangue, e reconheço os mesmos sentimentos nele. Ele me conta que mal conseguiu andar até a estação porque estava aleijado com seu desejo por mim. Eu me recuso a ir a seu apartamento porque Fred está lá e sugiro o Hotel Anjou, onde Eduardo me levou. Vejo a suspeita nos olhos dele, e gosto disso. Vamos ao hotel. Ele quer que eu fale com a porteira. Peço a ela o quarto número três. Ela diz que são trinta francos. Digo:
— A senhora pode deixar por 25? — e tiro a chave do lugar em que está pendurada. Começo a subir as escadas. Henry para no meio para me beijar. Estamos no quarto. Ele diz com aquele seu riso quente:
— Anaïs, você é um demônio. — Eu não digo nada. Ele está tão ávido que não tenho tempo de me despir.

E aqui cambaleio, por causa de minha inexperiência, estonteada pela intensidade e selvageria daquelas horas. Só me lembro da voracidade de Henry, de sua energia, sua descoberta de minhas nádegas, que ele acha lindas e ah, o fluir do mel, os paroxismos de prazer, horas e horas de coito. Igualdade! As profundezas por que eu ansiava, a escuridão, a finalidade, o absoluto. O fundo de meu ser é tocado por um corpo que sobrepuja o meu, inunda o meu, que torce sua língua em chamas dentro de mim com tamanho poder. Ele grita:
— Diga-me, diga-me o que você sente. — Mas não consigo. Há sangue em meus olhos, em minha cabeça. As palavras se afogam. Quero gritar com selvageria — gritos inarticulados, sem sentido, da base primitiva de meu ser, jorrando de meu útero como o mel.

Prazer lacrimejante, que me deixa inerte, sem palavras, vencida, muda.

Deus, conheci tal dia, tais horas de submissão feminina, tal dádiva de mim mesma a ponto de não restar nada para dar.

Mas eu deito. Eu enfeito. Minhas palavras não são profundas o bastante, selvagens o bastante. Elas disfarçam, elas escondem. Não descansarei enquanto não tiver falado de minha queda para uma sensualidade que foi tão escura, tão magnífica, tão louca quanto meus momentos de criação mística estonteantes, extáticos, exaltados.

Antes de nos encontrarmos naquele dia, ele havia escrito para mim:

"Tudo o que posso dizer é que estou louco por você. Tentei escrever uma carta e não consegui. Estou esperando impacientemente para vê-la. Terça-feira está tão distante. E não apenas terça-feira – tenho me perguntado quando você virá para passar a noite, quando posso tê-la por um longo período. Atormenta-me vê-la apenas algumas horas e então entregá-la. Quando a vejo, tudo o que tinha vontade de dizer desaparece. O tempo é tão precioso e as palavras são insignificantes. Mas você me faz tão feliz, porque eu *posso* conversar com você. Amo sua vivacidade, seus preparativos para voar, suas pernas como um visgo, o calor entre suas pernas. Sim, Anaïs, quero desmascará-la. Sou galante demais com você. Quero olhar para você longa e ardentemente, pegar seu vestido, apalpá-la, examiná-la. Você sabe que mal olhei para você? Existe ainda tanto de sagrado preso a você. Não sei como lhe dizer o que sinto. Vivo numa expectativa perpétua. Você vem e o tempo voa num sonho. É só quando você vai que percebo completamente sua presença. E então é tarde demais. Você me deixa dormente. Tento imaginar sua vida em Louveciennes mas não consigo. Seu livro? Ele também parece irreal. Só quando você vem e olho para você a imagem se torna mais clara. Mas você vai embora tão rapidamente, não sei o que pensar. Sim, vejo a lenda Pouchkine claramente. Vejo-a em minha mente sentada naquele trono, joias em volta de seu pescoço, sandálias, grandes anéis, unhas pintadas, uma voz espanhola estranha, vivendo um tipo de mentira que não é uma mentira exatamente, mas um conto de fadas. Esta é uma pequena Anaïs embriagada. Digo para mim mesmo: 'Aqui está a primeira mulher com quem consigo ser absolutamente sincero'. Lembro-me de você dizer: 'Você poderia enganar-me, eu não saberia'. Quando caminho pelas avenidas e penso nisso, não consigo enganá-la – e no entanto gostaria de fazê-lo. Quero dizer que nunca posso ser absolutamente leal – não está em mim. Amo as mulheres, ou a vida, demais – qual é, não sei. Mas ria, Anaïs... adoro ouvi-la rir. Você é a única mulher que teve um senso de alegria, uma tolerância sensata – não, mais, você parece levar-me a traí-la. Eu a amo por isso. E o que a faz fazer isso – amor? Ah, é belo amar e ser livre ao mesmo tempo.

"Eu não sei o que espero de você, mas é algo parecido com um milagre. Vou exigir tudo de você – até mesmo o impossível, porque você estimula isso. Você é realmente forte. Gosto até de sua traição. Parece-me aristocrática. (Por acaso aristocrático soa errado em minha boca?)

"Sim, Anaïs, eu estava pensando como poderia traí-la, mas não posso. Quero você. Quero despi-la, vulgarizá-la um pouco – ah, não sei o que estou dizendo. Estou um pouco embriagado porque você não está aqui. Gostaria de poder estalar as mãos e *voilà*, Anaïs! Quero possuí-la, usá-la, quero trepar com você, quero ensinar-lhe coisas. Não, não a aprecio – Deus me perdoe! Talvez eu queira até humilhá-la um pouco – por que, por quê? Por que não me ponho de joelhos e apenas a venero? Não posso, eu a amo divertidamente. Você gosta disso? E minha cara Anaïs, eu sou tantas coisas. Você vê apenas as coisas boas agora – ou pelo menos me leva a crer que sim. Eu a quero por um dia inteiro pelo menos. Quero ir a lugares com você – possuí-la. Você não sabe como sou insaciável. Ou covarde. E o quanto sou egoísta!

"Tenho sido bem-comportado com você. Mas eu lhe advirto, não sou nenhum anjo. Penso principalmente que sou um pouco bêbado. Eu a amo. Vou para a cama agora – é doloroso demais ficar acordado. Sou insaciável. Vou lhe pedir para fazer o impossível. O que é, eu não sei. Você me dirá provavelmente. Você é mais rápida do que eu. Adoro sua boceta, Anaïs – ela me deixa louco. E o modo como você diz meu nome! Deus, é irreal. Ouça, estou muito embriagado. Estou magoado por estar aqui sozinho. Preciso de você. Posso dizer tudo a você? Posso, não posso? Venha rapidamente então e trepe comigo. Faça amor comigo. Enrole as pernas em volta do meu corpo. Aqueça-me."

Eu me senti como se estivesse lendo os sentimentos mais inconscientes dele. Senti a vida toda me abraçando, naquelas palavras. Senti o desafio supremo à minha veneração da vida, e tive vontade de ceder, de me entregar a toda a vida que é Henry. Que sensações novas ele desperta em mim, que tormentos novos, que medo novo e que coragem nova!

Nenhuma carta dele depois de nosso dia. Ele sentiu tremendo alívio, satisfação, fadiga, exatamente como eu.

E então?

Ontem ele veio a Louveciennes. Um novo Henry, ou melhor, o Henry percebido por trás daquele já conhecido, o Henry além do que ele escreveu, além de todo o conhecimento literal, o meu Henry, o homem que amo intensamente agora, demais, perigosamente.

Ele parecia tão sério. Recebera uma carta de June, a lápis, irregular, louca, como a de uma criança, gritos simples, emocionantes de seu amor por ele.

– Tal carta apaga tudo. – Senti que chegara o momento de eu liberar minha June, de dar a ele a minha June "porque", disse eu, "isso o fará amá-la mais". É uma bela June. Em outras épocas achei que você talvez risse do meu retrato, zombasse de sua ingenuidade. Hoje eu sei que você não rirá.

Leio para ele tudo que escrevi em meu diário sobre June. O que está acontecendo? Ele fica profundamente emocionado, sensibilizado. Ele acredita.

– É desta maneira que você devia ter escrito sobre June. A outra é incompleta, superficial. Você a captou, Anaïs. – Mas espere! Ele deixou a suavidade, a ternura fora de seu trabalho, escreveu apenas o ódio, a violência. Eu só inseri o que ele deixou de fora. Ele não deixou de fora porque não sente isso, ou não sabe disso, ou não compreende (como June pensa), apenas porque é mais difícil de expressar. Até aqui seus escritos só derivaram de violência, foram arrancados dele, os golpes o fizeram gemer e praguejar. E agora ele se senta e confio nele completamente, no sensível e profundo Henry. Ele está vencido.

Ele diz:

– Um amor assim é maravilhoso, Anaïs. Eu não odeio nem desprezo isso. Compreendo o que vocês dão uma à outra. Compreendo isso muito bem. Leia, leia... isto é uma revelação para mim.

Leio, e tremo ao ler, até o nosso beijo. Ele compreende muito bem.

De repente, diz:

– Anaïs, acabo de perceber que o que lhe dou é algo rude e tosco, comparado a isso. Percebo que quando June voltar...

Eu o detenho.

– Você não sabe o que me deu! Não é rude e tosco! Hoje, por exemplo. – Fico sufocada com sentimentos que estão confusos demais. Quero dizer a ele o quanto ele me deu. Estamos oprimidos pelo mesmo medo. Digo: – Você vê uma bela June agora.

– Não, eu a odeio!

– Você a odeia?

– Sim, eu a odeio – diz Henry –, porque vejo por suas anotações que nós somos dois ingênuos nas mãos dela, que você está iludida, que existe uma direção perniciosa, destrutiva para as mentiras dela. Perfidamente, elas têm a intenção de deformar-me aos seus olhos, e você aos meus. Se June voltar, ela nos envenenará um contra o outro. Eu temo isso.

– Existe algo entre nós, Henry, um elo que June não consegue compreender nem captar.

– A mente – murmurou ele.

– Por essa razão ela nos odiará, sim, e lutará com suas próprias armas.

– E as armas dela são mentiras – retrucou.

Nós dois estávamos tão conscientes do poder dela sobre nós, dos novos elos que nos uniam.

Eu disse:

– Se eu tivesse condições de ajudar a trazer June de volta, você gostaria que eu fizesse isso?

Henry recuou e subitamente se lançou em minha direção.

– Ah, não me faça tal pergunta, Anaïs, não me faça.

Um dia nós conversávamos sobre os escritos dele.

– Talvez você não conseguisse escrever aqui em Louveciennes – disse eu. – É tranquilo demais, nada o inspira.

– Seria uma escrita diferente – disse ele. Ele pensava em Proust, cujo manuseio de Albertine o persegue.

Como estamos distantes de sua carta de bêbado. Ontem ele estava um charme; estava tão inteiro. Como ele absorvia! June raramente confiava nele. Será que ele vai se virar e negar todos os seus sentimentos? Eu o provoquei.

– Talvez tudo que eu tenha escrito seja falso, não condiga com June, não condiga comigo. Talvez seja hipocrisia.

– Não! Não! – Ele sabia. Paixões reais, amores reais, impulsos reais. – Pela primeira vez vejo alguma beleza em tudo isso – diz Henry.

Tenho medo de não ter sido confiável o bastante. Fico assombrada com a emoção de Henry.

– Eu não sou o Idiota? – pergunto.

– Não, você *vê,* você apenas vê mais – diz Henry. – O que você vê está ali, com certeza. Sim. – Ele reflete enquanto fala. Frequentemente repete uma expressão, para ter tempo de refletir. O que se passa por trás daquela testa compacta me fascina.

A extravagância da linguagem de Dostoiévski libertou a nós dois. Ele foi um autor portentoso para Henry. Agora, quando vivemos com o mesmo fervor, a mesma temperatura, a mesma extravagância, estou em êxtase. Esta é a vida, a conversa, estas são as emoções que pertencem a mim. Respiro livremente agora. Estou em casa. Sou eu mesma.

Depois de estar com Henry, vou me encontrar com Eduardo.

– Eu a quero, Anaïs! Dê-me outra chance! Você pertence a mim. Como sofri esta tarde, sabendo que você estava com

Henry. Nunca conheci o ciúme; e agora ele é tão forte que está me matando. – O rosto dele está terrivelmente branco. Ele sempre sorri, como eu. Agora não consegue. Ainda não estou acostumada à infelicidade causada por mim, ou melhor, causada a Eduardo. Ela me perturba. No entanto, bem no íntimo, estou fria. Fico ali sentada, vendo o rosto de Eduardo contorcido de dor, e realmente só sinto pena. – Você vem comigo?

– Não. – Uso todas as desculpas que não o magoem. Digo-lhe tudo exceto que amo Henry.

Finalmente, eu venço. Deixo que ele me leve de táxi até a estação para encontrar Hugo. Deixo que ele me beije. Prometo vir vê-lo na segunda-feira. Estou fraca. Mas não quero magoar a vida dele, mutilá-lo, privá-lo de sua nova autoconfiança. O suficiente de meu antigo amor por ele sobrevive para isso. Eu o adverti de que poderia destruí-lo, embora odiasse destruir, e que havia encontrado um homem que não podia destruir, que ele era o homem certo para mim. Tentei fazer com que me odiasse. Mas ele disse:

– Eu a quero, Anaïs. – E o horóscopo diz: nós somos complementos.

O importante é a reação à vida. June e Henry reagem com extravagância, como eu. Hugo é mais apático, mais indiferente. Hoje saiu da apatia para perceber *A possuída*. Eu o fiz escrever seus pensamentos, eles eram tão maravilhosos. Seus melhores momentos são muito profundos.

Ele representa a verdade. É Shatov, capaz de amor e fé. Então o que sou eu? Naquela sexta-feira, quando estive nos braços de três homens, o que fui eu?

Para Eduardo: "Ouça, *cousin chéri,* estou-lhe escrevendo no trem, a caminho de casa. Tremo de dor por esta manhã. O dia me pareceu tão tenso que eu não conseguia respirar... Você foi belo com atividade, vida, emoção força. É uma tragédia para mim que você estivesse em seu melhor momento quando o amo mais, só que não sensualmente, não sensualmente.

Estamos destinados a nunca termos os mesmos sentimentos. Neste momento é Henry que possui meu corpo. *Cousin chéri,* tentei hoje pela última vez dirigir a vida, de acordo com um ideal. Meu ideal era esperar por você toda a minha vida, e eu esperei tempo demais, e agora vivo por instinto, e o fluir me carrega para Henry. Perdoe-me. Não é que você não tenha a força de me prender. Você diria que não me amou antes porque eu era menos adorável? Não. Tanto seria igualmente mentira dizer que você não tinha força quanto dizer que eu mudei. A vida não é racional; é louca e cheia de mágoa. Hoje não vi Henry nem o verei amanhã. Concedo estes dois dias à memória de nossas horas. Seja um fatalista, sim, como sou hoje, mas não tenha sentimentos mesquinhos nem amargos tal como a ideia de que brinquei com você por vaidade. Ah, Eduardo, querido, aceito a dor que vem não de tais motivos, mas de fontes verdadeiras – a verdadeira dor, com a traição da vida, que nos fere a ambos de maneiras diferentes. Não busque o *porquê* – no amor não existem porquês, nem razões, nem explicação, nem soluções".

Vim para casa e me atirei no sofá; tive dificuldade em respirar. Em resposta à súplica de Eduardo, encontrei-o cedo esta manhã. Ele passara dois dias sentindo ciúmes de Henry, percebendo que ele, o narcisista, estava finalmente possuído por outra pessoa.

– Que bom é sair do próprio eu! Pensei em você continuamente por dois dias, dormi mal, sonhei que a golpeei fortemente, ah, com tanta força, e que sua cabeça caiu e eu a carreguei nos braços. Anaïs, vou ficar com você o dia todo. Você me prometeu. O dia todo. – Tudo o que quero é sair depressa do café. Eu lhe digo isso. As súplicas dele, a delicadeza, a intensidade vagamente despertam o meu antigo amor e minha pena, o amor de Richmond Hill, com suas vagas expectativas, o velho hábito de pensar: é claro que quero Eduardo.

Temo que ele se feche novamente no narcisismo por não conseguir suportar a dor.

— E pensar que eu cheguei a venerar seus próprios ossos, Anaïs! — Fico ligeiramente, ligeiramente sensibilizada, no entanto desejo mais do que tudo fugir dele. Não sei por quê, eu o obedeço, eu o sigo.

Sinto-me magoada ao ler *Albertine disparue,* porque está marcado por Henry, e Albertine é June. Consigo acompanhar cada amplificação de seus ciúmes, dúvidas, ternura, arrependimentos, horror, paixão, e sou invadida por um ciúme ardente de June. No momento este amor, que tinha sido tão equilibrado entre Henry e June que eu não conseguia sentir nenhum ciúme, este amor é mais forte por Henry, e me sinto torturada e com medo.

No entanto sonhei com June ontem à noite. June havia voltado subitamente. Nós nos fechamos num quarto. Hugo, Henry e outras pessoas esperavam por nós para nos vestirmos e jantarmos juntos. Eu desejava June. Implorei a ela que se despisse. Peça por peça despi o corpo dela, com gritos de admiração, mas no pesadelo vi os seus defeitos, estranhas deformações. Mas, no todo, ela era desejável. Implorei-lhe que me deixasse ver entre suas pernas. Ela as abriu e as levantou, e eu vi a carne coberta de pelos pretos grossos, como os de um homem, mas a ponta da carne era branca como neve. O que me horrorizou foi que ela se movia freneticamente e que os lábios se abriam e se fechavam rapidamente como a boca de um peixe-dourado no aquário quando ele come. Eu a observava apenas, fascinada e repugnada, e então me atirei sobre ela e disse: "Deixe-me pôr a língua aí", e ela deixou, mas não parecia satisfeita enquanto eu a lambia. Parecia fria e inquieta. De repente ela se sentou, me jogou para o chão e se debruçou sobre mim e ao fazê-lo senti um pênis me tocando. Interroguei-a e ela respondeu, triunfante: "Sim, eu tenho um pequenininho; você não está feliz?". "Mas como você o esconde de Henry?", perguntei. Ela sorriu, traiçoeiramente. Durante todo o sonho houve uma sensação de grande confusão, de movimentos que não executavam nada, de tudo estar atrasado, de todos esperando, inquietos e derrotados.

E no entanto fico com ciúmes de todo o sofrimento que Henry vive com ela. Sinto que estou me distanciando de toda sensatez e de toda compreensão, que meus instintos estão urrando como feras. Quando me lembro das tardes com Henry no Hotel Anjou, sofro. Duas tardes que estão marcadas a fogo em meu corpo e em minha mente.

Quando vim para casa depois do encontro com Eduardo ontem, refugiei-me nos braços de Hugo. Estava sobrecarregada de sentimentos de ansiedade com Eduardo e desejo por Henry, e ao mesmo tempo, deitada nos braços de Hugo e apenas beijando sua boca e pescoço, encontrei um sentimento tão doce e profundo que pareceu vencer toda escuridão e baixeza da vida. Eu me senti como um leproso, e a força dele era tão grande que ele conseguia curar-me imediatamente por um beijo. Eu o amei ontem à noite com uma sinceridade que ultrapassa todos os clímaxes que minha febre me faz desejar. Proust escreve que felicidade é algo livre de paixão. Ontem à noite conheci a felicidade e a reconheci, e posso dizer verdadeiramente que só Hugo me deu felicidade, e ela flui com serenidade pelos sobressaltos de meu corpo e mente exaltados.

Agora, quando vivo o período mais fecundo de minha vida, novamente a saúde me falta. Todos os médicos dizem a mesma coisa: nenhuma doença, nada de errado, apenas fraqueza geral, pouca resistência. O coração bate com dificuldade, estou fria, me canso com facilidade. Hoje estava exausta demais para Henry. Que precioso foi o momento na cozinha de Clichy, com Fred, também. Eles tomavam café da manhã às duas horas. Os livros empilhados, aqueles que eles querem que eu leia e aquele que eu lhes trouxe. Então no quarto de Henry, sozinhos. Ele fecha a porta, e nossa conversa se transforma em carícias, em ato sexual hábil, agudo e profundo.

A conversa é sobre Proust, e traz esta confissão de Henry:

– Para ser inteiramente honesto comigo mesmo, gosto de estar longe de June. É quando a admiro mais. Quando ela está aqui eu sou mórbido, oprimido, desesperado. Com você...

bem, você é *luz*. Fico saciado de experiências e dor. Talvez eu a atormente. Não sei. Eu a atormento?

Não posso responder a isso muito bem, embora seja óbvio que ele é escuridão para mim. E por quê? Por causa dos instintos que despertou em mim? A palavra "saciar" me aterrorizou. Pareceu a primeira gota de veneno derramada em mim. Contra a saciação dele, eu combino meu frescor temeroso, o novo em mim, que dá intensidade ao que para ele talvez seja de menos valor. Aquela primeira gota de veneno, derramada tão acidentalmente, foi como um presságio de morte. Não sei através de que fresta nosso amor subitamente vazará e se desgastará.

Henry, hoje estou triste pelos momentos que estou perdendo, aqueles momentos quando você conversa com Fred até o amanhecer, quando você é eloquente ou brilhante ou violento ou exultante. E fiquei triste por você perder um momento maravilhoso comigo. Ontem à noite eu estava sentada junto ao fogo e conversando como raramente converso, estonteando Hugo, sentindo-me imensa e surpreendentemente rica, contando histórias e ideias que o teriam divertido. Foi sobre mentiras, os diferentes tipos de mentiras, as mentiras especiais que conto para razões específicas, para melhorar a vida. Uma vez, quando Eduardo estava sendo excessivamente analítico, contei a história de meu amante russo imaginário. Ele ficou fascinado. E por intermédio dessa história transmiti-lhe a necessidade de loucura, a riqueza de emoção que falta a ele, porque ele é emocionalmente impotente. Quando estou com problemas, confusa, perdida, invento a amizade de um velho sábio com quem converso. Falo sobre ele com todo mundo, como ele é, o que disse, o efeito dele sobre mim (alguém em quem se apoiar por um momento), e no final sinto-me fortalecida por minha experiência com o velho sábio e tão satisfeita como se tudo fosse verdade. Também inventei amigos quando os que eu tinha não eram satisfatórios. E como desfruto de minhas experiências! Como elas me contentam, acrescentam coisas a mim. Ornamento.

Hoje eu encontro Fred, e ao caminharmos em direção à Trinité juntos o sol sai de uma nuvem de chuva e nos cega. E começo a citar trechos de seus escritos sobre uma manhã ensolarada no mercado, o que o emociona. Ele me disse que sou boa para Henry, que dou coisas a ele que June não conseguiria dar. No entanto ele admite que Henry é inteiramente dominado por June quando ela está lá. June é mais forte. Estou passando a amar Henry mais do que June.

Fred se maravilha com o fato de Henry conseguir amar duas mulheres ao mesmo tempo.

– Ele é um grande, grande homem – diz ele. – Há tanto espaço nele, tanto amor. Se eu a amasse, não poderia amar outra mulher. – E eu pensava: sou como Henry. Consigo amar Hugo, Henry e June.

Henry, eu compreendo seu amor por nós duas. Uma não exclui a outra. Mas June talvez não sinta isso, e certamente você não compreendeu June amando você e Jean ao mesmo tempo. Não, você exigiu uma escolha.

Nós vamos provar tudo que podemos dar um ao outro. Antes que June venha, vamos nos deitar juntos o mais possível. Nossa felicidade está em perigo, sim, mas nós vamos devorá-la rapidamente, completamente. A cada dia dela eu sou grata.

Carta para June: "Esta manhã acordei com um desejo profundo e desesperado por você. Tenho sonhos estranhos. Agora você é pequena, macia e dócil em meus braços, agora você é poderosa e dominante e a líder. Ao mesmo tempo dócil e indomável. June, o que você é? Sei que você escreveu uma carta de amor a Henry, e eu sofri. Encontrei pelo menos um prazer, que é ser capaz de conversar abertamente sobre você com Henry. Fiz isso porque sabia que ele a amaria mais. Dei a ele *minha* June, o retrato seu que escrevi durante os dias que passamos juntas... Agora posso dizer a Henry: 'Eu amo June', e ele não combate nossos sentimentos, não os abomina. Está sensibilizado. E você, June? Por que não escreveu para mim?... Eu sou um sonho para você, não sou real e carinhosa para você? Que novos amores, novos êxtases, novos impulsos a movem agora? Sei que você não gosta de escrever. Não peço longas cartas, apenas algumas palavras, o que você sente. Algum dia você já desejou estar de volta aqui em minha casa, em meu quarto, e você se arrepende por termos ficado tão arrebatadas? Algum dia já desejou reviver aquelas horas e de maneira diferente, com mais confiança? June, hesito em escrever tudo, como se sentisse novamente que você correria escada abaixo para fugir de mim, como você fez naquele dia, ou quase.

"Estou-lhe enviando meu livro sobre Lawrence e a capa. Eu a amo, June, e você sabe com que intensidade, com que desespero. Você sabe que ninguém é capaz de dizer ou fazer algo para abalar meu amor. Eu a tomei em mim, inteira. Você não precisa ter medo de ser desmascarada, apenas amada."

Para Fred: "Se você quiser ser bom para mim, não fale mais contra June. Hoje percebi que sua defesa apenas entranha June mais profundamente naquele sulco do meu ser. Você sabe como eu soube disso? Ontem o escutei, lembra, com uma espécie de gratidão. Não disse muito a favor de June. E então esta manhã escrevi para June uma carta de amor, movida por um instinto abnegado de proteção, como se eu estivesse punindo a mim mesma por ter escutado elogios a meu respeito que depreciavam o valor de June. E Henry, eu sei, sente a mesma coisa e age da mesma maneira. Mas compreendo tudo que você disse e sente e é, e gosto de você por isso, imensamente".

Eduardo diz ao dr. Allendy, seu psicanalista:
— Não sei se Anaïs me amava ou não, se ela me enganava ou enganava a si própria a respeito de seus sentimentos.
— Ela o amava — responde o dr. Allendy. — Posso ver isso pela preocupação dela com você.
— Mas o senhor não a conhece — retruca Eduardo. — Não conhece a extensão da simpatia dela pelos outros, seu poder de autossacrifício.

Para mim Eduardo diz:

— O que aconteceu, Anaïs? Que intuição você teve naquele momento em que me pediu para deixá-la ir? O que percebeu?

— Exatamente como lhe escrevi... uma conscientização da importância de você me conquistar, de lhe dar a autoconfiança que lhe faltava, um estímulo do antigo amor, que nós interpretamos mal... — Ah, eu estou incerta.

Então ele racionaliza, em autoproteção:

— Então você também tem uma sensação de incesto. — A fragilidade da confiança dele (Se eu conquistar Anaïs, conquistei tudo) é de dar pena. Agi em prol das necessidades dele. Não obedeci a meus instintos, a minha certeza imperativa de que quero apenas Henry. Mas quando penso que fiz o bem e fui completamente justa, parece que fiz o mal, de uma maneira sutil, insidiosa. Sugeri a Eduardo uma dúvida sobre sua paixão, que foi alimentada pela psicanálise, artificialmente estimulada por ela. A intromissão científica nas emoções. Pela primeira vez sou contra a análise. Talvez tenha ajudado a Eduardo dar-se conta de sua paixão, mas isso não acrescenta basicamente nada à sua força. Sinto que é uma coisa efêmera, algo extraído dolorosamente, uma essência fina extraída de ervas.

Vejo semelhanças entre Henry e eu em relacionamentos humanos. Vejo nossa capacidade de suportar a dor quando amamos, nossas naturezas facilmente enganáveis, nosso desejo de acreditar em June, nossa rápida reação ao defendê-la do ódio de outros. Ele fala em espancar June, mas nunca ousaria. É apenas um desejo de realização, dominar aquilo que o domina. Está escrito em *Bubu de Montparnasse* que a mulher se submete ao homem que a espanca porque ele é como um governo forte que também pode protegê-la. Mas a surra de Henry seria inútil porque ele não é protetor de mulheres. Ele se deixou ser protegido. June trabalhou para ele como um homem, e assim pode dizer: "Eu o amei como a uma criança". Sim, e isso diminui sua paixão. Ele deixou que ela sentisse a própria força. E nada disso pode ser modificado, porque está gravado em ambos. Toda sua vida Henry afirmará sua masculinidade com a destruição e o ódio em seu trabalho; toda vez que June aparecer ele curvará a cabeça. Agora só o ódio o impulsiona. "A vida é louca, louca", grita ele. E com essas palavras me beija e me desperta, eu que venho dormindo há cem anos, com alucinações pendendo como cortinas de teias de aranha acima de minha cama. Mas o homem que se debruça sobre minha cama é suave. E não escreve nada sobre esses momentos. Nem mesmo tenta arrancar as teias de aranha. Como serei convencida de que o mundo é louco?

– Eu não sou nenhum anjo. Você apenas viu o meu lado bom, mas espere...

Eu sonhava em ler tudo isso para Henry, tudo o que escrevi sobre ele. E então ri porque pude ouvir Henry dizendo:

– Que estranho; por que motivo existe tanta gratidão em você? – Eu não sabia o motivo até ler o que Fred escreveu sobre Henry: "Pobre Henry, tenho pena de você. Você não tem gratidão porque não tem amor. Para ser grato é preciso primeiro saber amar".

As palavras de Fred somaram-se às minhas em relação ao ódio de Henry me magoar. Eu acredito ou não nelas? Elas explicam o profundo espanto que senti, ao ler o romance dele, pela selvageria de seus ataques a Beatrice, sua primeira esposa? Ao mesmo tempo, pensei que fosse eu que estivesse errada, que as pessoas devem combater e odiar umas às outras, e que o ódio é bom. Mas tomei o amor como certo; o amor pode incluir ódio.

Tenho constantes tropeços da língua e digo "John" em vez de "Henry" para Hugo. Não há qualquer semelhança entre eles, e não consigo compreender a associação em minha mente.

– Ouça – digo a Henry –, não me deixe fora de seu livro por delicadeza. Inclua-me. Então veremos o que acontece. Eu espero muito.

– Mas nesse meio-tempo – diz Henry – é Fred que escreve três páginas maravilhosas sobre você. Ele delira por você, ele a venera. Tenho ciúmes daquelas três páginas. Gostaria de tê-las escrito.

– Você escreverá – respondo confiantemente.

– Por exemplo, suas mãos. Nunca reparei nelas. Fred dá tanta importância a elas. Deixe-me olhar para elas. São realmente tão belas assim? – Sim, de fato.

Eu rio.

– Você aprecia outras coisas, talvez.

– O quê?

– Calor, por exemplo. – Estou sorrindo, mas há tantas lacerações finas abertas pelas palavras de Henry. – Quando Fred me ouve falar de June, diz que eu não o amo.

No entanto ele não me deixa ir. Ele me chama em suas cartas. Seus braços, suas carícias e seu ato sexual são vorazes. Ele diz, comigo, que nenhum pensamento (as palavras de Proust, ou as de Fred, ou as minhas) nos impedirá de viver. E o que é viver? O momento em que ele toca na porta de Natasha (Ela está fora e eu estou com o apartamento dela) e imediatamente me deseja. O momento em que me diz que não pensou em prostitutas. Eu sou tão idioticamente justa e leal com June em todas as palavras que pronuncio sobre ela. Como posso me enganar sobre a extensão do amor de Henry quando compreendo e partilho de seus sentimentos sobre June?

Ele dorme em meus braços, estamos soldados, o pênis ainda dentro de mim. É um momento de paz real, um momento de segurança. Abro os olhos, mas não penso. Uma de minhas mãos está sobre seu cabelo grisalho. A outra mão está estendida sobre sua perna.

– Ah, Anaïs – ele havia dito –, você é tão quente, tão quente que eu não posso esperar. Tenho que penetrar em você rápido, rápido.

A maneira como se é amado é sempre tão importante? É tão imperativo que se seja amado absoluta ou grandiosamente? Fred diria que consigo amar porque amo os outros mais do que a mim mesma? Ou é Hugo que ama quando vai três vezes à estação para me encontrar porque eu perdi três trens? Ou é Fred, com sua compreensão nebulosa, poética, delicada? Ou amo mais quando digo a Henry:

– Os destruidores nem sempre destroem. June não o destruiu, fundamentalmente. O seu âmago é o de um escritor. E o escritor está vivendo.

– Henry, diga a Fred que podemos ir comprar as cortinas amanhã.
– Eu irei também – replicou Henry, subitamente enciumado.
– Mas você sabe que Fred quer me ver, conversar comigo. – O ciúme de Henry me agradou. – Diga a ele para me encontrar no lugar de sempre como da última vez.
– Por volta de quatro horas.
– Não, às três. – Eu pensava que nós não tivéramos tempo suficiente juntos no último dia em que nos encontramos. O rosto de Henry está impenetrável. Eu nunca sei o que ele sente. Há transições, sim, quando ele está corado e excitado, ou sério e compenetrado, ou observador e introspectivo. Os olhos azuis são analíticos, como os de um cientista, ou úmidos de sentimento. Quando estão úmidos fico sensibilizada até a alma porque me lembro de uma história sobre sua infância. Seus pais (seu pai era alfaiate) costumavam levá-lo em suas saídas e visitas aos domingos, arrastando a criança durante o dia todo e até tarde da noite. Ficavam nas casas dos amigos para jogar cartas e fumar. A fumaça ficava densa e feria os olhos de Henry. Eles o colocavam na cama em um quarto junto à sala, com toalhas molhadas sobre os olhos inflamados.

E agora seus olhos ficam cansados com a revisão do jornal, e eu gostaria de livrá-lo disso e não posso.

Ontem à noite não consegui dormir. Imaginei que estava no apartamento de Natasha novamente com Henry. Quis reviver o momento em que ele penetrou em mim enquanto estávamos de pé. Ele me ensinou a envolvê-lo com as pernas. Tais práticas são tão novas para mim que me deixam perplexa. Depois disso, o prazer explode em meus sentidos, porque liberta um novo tipo de desejo.

– Anaïs, eu a sinto, seu calor até os dedos dos pés. – Nele também é como um relâmpago. Ele sempre fica assombrado com minha umidade e meu calor.

Frequentemente, porém, a passividade do papel da mulher me pesa, me sufoca. Em vez de esperar pelo prazer dele, eu gostaria de tomá-lo, de enlouquecer. Será que é isso que me empurra para o lesbianismo? Isso me aterroriza. As mulheres agem assim? Será que June vai até Henry quando o quer? Ela trepa sobre ele? Espera por ele? Ele conduz minhas mãos inexperientes. É como um incêndio numa floresta, estar com ele. Novas partes do meu corpo ficam estimuladas e acesas. Ele é incendiário. Eu o deixo numa febre insaciável.

Acabei de ficar de pé diante da janela aberta do meu quarto e respirei fundo, todo o brilho do sol, os flocos de neve, o açafroal, as primaveras, o arrulhar dos pombos, os trinados dos pássaros, toda a procissão de ventos suaves e odores frios, de cores frágeis e céus com textura de pétalas, o marrom-acinzentado de árvores velhas, os brotos verticais de galhos verdes, a terra marrom molhada, as raízes arrancadas. É tudo tão saboroso que minha boca se abre, e é a língua de Henry que sinto, e aspiro seu hálito enquanto ele dorme, enrolado em meus braços.

Espero para me encontrar com Fred, mas é Henry que vem ao encontro. Fred está trabalhando. Meus olhos se espantam com Henry, o homem que dormiu em meus braços ontem, e tenho pensamentos frios. Vejo seu chapéu manchado e o furo no casaco. Um outro dia isso me teria sensibilizado, mas hoje percebo que é uma pobreza intencional, calculada, proposital, causada pelo desdém dos burgueses que seguram a bolsa com cuidado. Ele fala maravilhosamente sobre Samuel Putman e Eugene Jolas, e seu trabalho, o meu trabalho e o de Fred. Mas então o Pernod o afeta e ele me fala de ter sentado num café com Fred ontem à noite depois do trabalho, e das prostitutas conversando com ele, e de Fred olhando para ele com seriedade, porque havia estado comigo naquela tarde e não deveria estar conversando com aquelas mulheres; e elas eram feias.

– Mas Fred está errado – eu digo, para surpresa de Henry. – As prostitutas me complementam. Eu compreendo o alívio que um homem deve sentir em sair com uma mulher sem exigências a respeito de suas emoções ou sentimentos.

E Henry acrescenta:

– Não é preciso escrever cartas para elas! – Quando eu rio, ele percebe que compreendo completamente. Compreendo até sua preferência por corpos de Renoir. *Voilà*. No entanto guardo a imagem de um Fred enfurecido venerando-me. E Henry diz: – Isso foi o máximo que fiz em termos de infidelidade a você.

Não sei se me importo tanto com a fidelidade de Henry, porque estou começando a perceber que a própria palavra "amor" me cansa hoje. Amor ou não amor. Fred está dizendo que Henry não me ama. Compreendo a necessidade de alívio de complicações, e a desejo para mim mesma, só que as mulheres não conseguem alcançar um estado assim. As mulheres são românticas.

Suponhamos que eu não queira o amor de Henry. Suponhamos que eu diga a ele: "Ouça, nós somos dois adultos. Estou farta de fantasias e emoções. Não mencione a palavra 'amor'. Vamos conversar o máximo que quisermos e trepar apenas quando quisermos. Deixe o amor fora disso". Eles são todos tão sérios. Neste exato momento sinto-me velha, cínica. Estou cansada de exigências, também. Por uma hora hoje sinto-me avessa a sentimentos. Num momento poderia destruir a lenda inteira, do começo ao fim, destruir tudo, exceto o fundamental: minha paixão por June e minha veneração por Hugo.

Talvez meu intelecto esteja pregando uma outra peça. Será que é isso que é ter um senso de realidade? Onde estão os sentimentos de ontem e desta manhã, e quanto à minha intuição de que seria Henry e não Fred a se encontrar comigo? E o que tudo isso tem a ver com o fato de que Henry estava bêbado, e que eu, não percebendo isso, li para ele sobre seu poder de me "quebrar". Ele não compreendeu, é claro, enquanto nadava no Pernod cor de enxofre.

O burlesco daquilo me feriu. Eu lhe perguntei:

– Como fica Fred quando está bêbado?
– Alegre, sim, mas sempre um pouco repugnado com as prostitutas. Elas sentem isso.
– Enquanto que você fica amigável.
– É. Eu converso com elas como um carroceiro.

Bem, não senti nem um pouco de alegria com tudo isso. Isso me deixa fria e apática interiormente. Uma vez eu brinquei e disse que um dia lhe mandaria um telegrama dizendo: "Nunca mais venha me ver porque você não me ama". Voltando para casa, pensei: Amanhã não nos encontraremos. Ou se nos encontrarmos, nunca mais nos deitaremos juntos. Amanhã direi a Henry para não se incomodar com amor. Mas e o resto?

Hugo diz hoje à noite que meu rosto está fulgurante. Não consigo conter um sorriso. Nós deveríamos fazer um banquete. Henry matou minha seriedade. Ela não conseguiu sobreviver aos seus estados de espírito instáveis, de mendigo a deus, de sátiro a poeta, de louco a realista.

Quando ele se lança sobre mim, eu me salvo de soluçar ou de baquear por causa de minha maldita compreensão. Tudo aquilo que compreendo, como Henry e as prostitutas, não consigo combater muito bem. O que compreendo, também aceito simultaneamente.

Henry tem um outro mundo em si mesmo que não me surpreenderia se ele quisesse roubar, matar ou violentar. Até aqui eu compreendi tudo.

Ontem no encontro eu via pela primeira vez um Henry malevolente. Ele viera mais para magoar Fred do que para me ver. Ele se rejubilou ao dizer:

– Fred está trabalhando. Como isso deve oprimi-lo. – Eu não quis escolher as cortinas sem Fred, mas Henry insistiu em escolhê-las. Não sei se imaginei isso ou não, mas me pareceu que ele estava exultante. "Eu sentia o mesmo prazer em fazer o mal...", disse Stavrogin. Para mim, um prazer desconhecido. Eu havia planejado enviar um telegrama a Henry enquanto estava com Fred, dizendo: "Eu te amo". Em vez disso, eu quis ir ver Fred e apagar a mágoa.

O prazer de Henry foi surpreendente para mim. Ele disse:

– Eu costumava gostar de tomar dinheiro emprestado de um certo homem e gastar metade da quantia que ele me dava para lhe mandar um telegrama. – Quando histórias como essa surgem de nevoeiros embriagados, vejo nele um raio diabólico, um prazer secreto de crueldade. June comprando perfume para Jean enquanto Henry passava fome, ou sentindo prazer em esconder uma garrafa de vinho Madeira velho em seu baú enquanto Henry e seus amigos, sem um tostão, desejavam desesperadamente beber alguma coisa. O que me surpreende não é o ato, mas o prazer que o acompanha. Henry foi levado a atormentar Fred. June leva tudo isso mais longe do que ele, ruidosamente, tal como quando ela lutou com Jean na casa dos pais de Henry. Este amor pela crueldade os une insoluvelmente. Os dois sentiriam prazer em me humilhar, em me destruir.

Sinto meu passado como um peso insuportável sobre mim, como uma maldição, a origem de todos os movimentos que faço, de toda palavra que pronuncio. Em determinados momentos o passado me sobrepuja, e Henry passa para a irrealidade. Uma terrível reserva, uma pureza pouco natural me envolve, e eu fecho o mundo completamente. Hoje eu sou *a jeune fille* de Richmond Hill, escrevendo sobre nada absolutamente em cima de uma mesa de marfim branca.

Não tenho medo de Deus, e no entanto o medo me mantém acordada à noite, medo do demônio. E se acredito no demônio, devo acreditar em Deus. E se o mal é odioso para mim, devo ser uma santa.

Henry, salve-me da beatificação, dos horrores da perfeição estática. Jogue-me no inferno.

Ver Eduardo ontem cristalizou minha frieza mental. Ouço a explicação dele a respeito de meus sentimentos. Parece muito plausível. Subitamente me tornei fria em relação a Henry porque presenciei sua crueldade para com

Fred. A crueldade tem sido o grande conflito de minha vida. Presenciei crueldade em minha infância – a crueldade de papai para com mamãe e seu castigo sádico para com meus irmãos e comigo – e a simpatia que senti por minha mãe chegava à histeria quando ela e meu pai discutiam, atos que me paralisavam depois. Cresci com tamanha incapacidade para a crueldade que isso chega a ser uma fraqueza.

Ver um pequeno aspecto dela em Henry trouxe uma conscientização de suas outras crueldades. E mais do que isso, Fred despertou toda a reserva em mim, enchendo-me de lembranças de minha infância, que é o que Eduardo descreve como retrocesso, caindo novamente num estado infantil que poderia impedir-me de progredir mais rumo a uma vida mais madura.

Tive vontade de fazer confidências a alguém, cheguei a desejar me deixar conduzir. Eduardo disse que chegara o momento de fazer análise. Ele sempre quis isso. Podia ajudar-me trocando ideias sobre as coisas, mas apenas o dr. Allendy poderia ser um guia, um *pai* (Eduardo adora tentar-me com a figura de um pai). Por que eu insistia, em vez disso, em fazer de Eduardo meu psicanalista? Isso era apenas adiar a verdadeira tarefa.

– Talvez eu goste de ouvi-lo – expliquei.

– Em lugar do outro relacionamento, que você não quer?

De certa maneira a conversa pareceu eminentemente eficaz para mim. Eu já estava cantando. Hugo estava fora a serviço do banco. Eduardo continuou fazendo análise. Ele estava extraordinariamente atraente. Durante todo o jantar fiquei impressionada com sua testa e olhos, seu perfil, sua boca, sua expressão estranha – o introvertido exultando malignamente sobre seus segredos. Esse grande charme eu aproveitei mais tarde quando ele me desejou, mas aproveitei como se respira o ar, ou engole um floco de neve, ou se fica ao sol. Meu riso o fez descontrair-se. Contei-lhe sobre o fascínio de seu rosto e olhos verdes. Desejei-o e tive-o, um amante do acaso. Mas um mau psicanalista, impliquei com ele, porque fez amor com a paciente.

Quando corri até o andar de cima para pentear o cabelo, soube que no dia seguinte iria correndo ver Henry. Tudo o que ele faz para combater meus fantasmas é empurrar-me contra a parede de seu quarto e beijar-me, dizer-me num sussurro o que quer do meu corpo hoje, que gestos, que atitudes. Eu obedeço, e gozo com ele freneticamente. Nós passamos por cima de obstáculos fantasmagóricos. Agora sei por que o amei. Até mesmo Fred, antes de nos deixar, pareceu menos trágico, e eu confessei a Henry que não queria um amor perfeito dele, que sabia que estava cansado de tudo aquilo, como eu, que eu sentia uma onda de sabedoria e humor e que nada poderia impedir nosso relacionamento até não querermos mais fazer amor. Pela primeira vez, acho que compreendo o que é o prazer. E estou feliz por ter rido tanto a noite passada, e cantado esta manhã, e ido procurar Henry irresistivelmente. (Eduardo ainda estava aqui quando parti, carregando o embrulho que continha as cortinas de Henry.)

Pouco antes disso, meu irmão Joaquim e Eduardo conversavam sobre Henry em minha presença. (Joaquim leu meu diário.) Eles acham que Henry é uma força destrutiva que me escolheu, a mais criativa das forças, para testar seu poder, que eu sucumbi à magia de toneladas de literatura (é verdade que amo literatura), que eu serei salva – esqueço como, mas de alguma maneira apesar de mim mesma.

E enquanto eu estava ali, já feliz porque decidira que teria o meu Henry hoje, sorri.

Na primeira página de um belo diário de capa roxa que Eduardo me deu, com uma inscrição, já escrevi o nome de Henry. Nada de dr. Allendy para mim. Nada de análise paralisante. Apenas viver.

Abril

Quando Henry ouve a bela, vibrante, leal e agradável voz de Hugo ao telefone, fica zangado com a amoralidade das mulheres, de todas as mulheres; de mulheres como eu. Ele próprio pratica todas as deslealdades, todas as traições, mas a infidelidade de uma mulher o magoa. E eu fico terrivelmente triste quando ele fica em tal estado de espírito, porque tenho a sensação de ser fiel ao elo entre Hugo e eu. Nada que vivo fora do círculo de nosso amor altera ou diminui isso. Pelo contrário, eu o amo mais porque o amo sem hipocrisia. Mas o paradoxo me atormenta profundamente. Que eu não sou mais perfeita, ou mais parecida com Hugo, é algo a ser desprezado, sim, mas é apenas o outro lado do meu ser.

Henry compreenderia se eu o abandonasse por consideração a Hugo, mas fazer isso seria hipócrita de minha parte. Uma coisa é certa, porém: Se um dia fosse obrigada a escolher entre Hugo e Henry, escolheria Hugo sem hesitação. A liberdade que dei a mim mesma em nome de Hugo, como um presente vindo dele, apenas aumenta a riqueza e a potência de meu amor por ele. A amoralidade, ou uma moralidade mais complicada, visa à lealdade fundamental e negligencia a literal e imediata. Partilho com Henry de uma raiva, não das imperfeições das mulheres, mas da loucura da vida em si, que talvez este volume proclame mais ruidosamente do que todas as maldições de Henry.

Henry ameaçou ontem deixar-me absolutamente bêbada, o que só se concretizou quando li as cartas cristalizadas de Fred a Céline. Nossa conversa se quebra e se espalha como um caleidoscópio. Quando Henry vai à cozinha, Fred e eu conversamos como se tivéssemos construído uma ponte de fortaleza a fortaleza e não houvesse nada que pudéssemos esconder. As palavras, como uma procissão, correm através de uma ponte que geralmente é levantada e chegou a ficar até enferrujada pelo amor à solidão. Então há Henry, constantemente em comunicação com o mundo, como se sentado para sempre à cabeceira de um banquete gigantesco.

Na pequena cozinha, sem nos movermos, nós três quase nos tocamos. Henry se mexeu para pôr uma mão sobre meu ombro e me beijar, e Fred não olhava para o beijo. Fiquei ali curvada sob os dois tipos de amor. Havia o calor de Henry, sua voz, suas mãos, sua boca. E havia os sentimentos de Fred por mim, tocando uma região mais delicada, de forma que enquanto Henry me beijava eu desejava estender a mão para Fred e abraçar os dois amores.

Henry explodia de generosidade universal:

– Eu lhe dou Anaïs, Fred. Você vê como sou. Quero que todo mundo ame Anaïs. Ela é maravilhosa.

– Ela é maravilhosa demais – retrucou Fred. – Você não a merece.

– Você é um chato – gritou Henry, o gigante ferido.

– Além disso – disse Fred –, você não me deu Anaïs. Eu tenho minha própria Anaïs, uma Anaïs diferente da sua. Eu a tive sem pedir a nenhum de vocês. Fique a noite toda, Anaïs. Nós precisamos de você.

– Sim, sim – gritou Henry.

Eu fico ali como um ídolo, e é Fred que critica o gigante porque o gigante não me venera.

– Maldição, Anaïs – diz Henry –, eu não a venero, mas a amo. Sinto que posso lhe dar tanto quanto Eduardo, por exemplo. Eu não poderia magoá-la. Quando a vejo aí sentada, tão frágil, sei que não a magoarei.

– Eu não quero veneração – responde o ídolo. – Você me dá... bem, o que você me dá é melhor do que veneração.

A mão de Fred treme quando ele me oferece um copo de vinho. O vinho estimula o âmago de meu corpo, e ele palpita. Henry sai por um momento. Fred e eu ficamos em silêncio. É Fred que diz:

– Não, eu não gosto de grandes banquetes. Adoro um jantar como este, para dois ou três. – Agora ficamos em completo silêncio, e sinto-me subjugada. Henry volta e pede a Fred que nos deixe. Ele mal puxou a porta atrás de si quando Henry e eu estamos provando a carne um do outro. Nós caímos juntos em nosso mundo selvagem. Ele me morde. Faz meus ossos estalarem. Faz com que eu me deite com as pernas escancaradas e mergulha dentro de mim. Nosso desejo se torna frenético. Nossos corpos estão convulsos.

– Ah, Anaïs – diz ele. – Eu não sei como você aprendeu isso, mas você sabe foder, você sabe foder. Eu nunca disse isso antes, com tanta intensidade, mas ouça agora, eu a amo loucamente. Você me conquistou, você me possui. Estou louco por você.

E então algo que digo desperta uma dúvida repentina nele.

— Não é só o sexo, é? Você me ama *realmente*?

A primeira mentira. As bocas se tocando, os hálitos se misturando; eu, com o pênis dele molhado e quente dentro de mim, digo que o amo.

Mas ao dizer isso sei que não é verdade. O corpo dele tem um jeito de me excitar, de responder ao meu. Quando penso nele tenho vontade de abrir as pernas. Agora ele está adormecido em meus braços, profundamente adormecido. Ouço um acordeão. É noite de domingo, em Clichy. Penso em *Bubu de Montparnasse,* em quartos de hotel, no modo como Henry empurra minha perna para o alto, como ele gosta de minhas nádegas. Não sou eu mesma nesse momento, a vagabunda. O acordeão enche meu coração, o sangue branco de Henry me encheu. Ele jaz adormecido em meus braços e eu não o amo.

Acho que disse a Fred que não amava Henry quando ficamos ali sentados em silêncio. Disse-lhe que amava as visões dele, suas alucinações. Henry tem o poder de foder, de fluir, de praguejar, de aumentar e vitalizar, de destruir e criar sofrimento. É o demônio nele que admiro, o idealista indestrutível, o masoquista que encontrou um meio de infligir dor a si mesmo, porque ele sofre com suas traições, sua frieza. Fico sensibilizada quando ele fica humilde diante de algo como minha casa.

— Sei que sou uma pessoa rude e que não sei como me comportar numa casa assim, e então finjo desprezá-la, mas eu a adoro. Adoro a beleza e fineza dela. É tão agradável que quando entro nela sinto-me tomado nos braços de Ceres, fico enfeitiçado.

E então Hugo me leva para casa de carro e diz:

— Ontem à noite fiquei acordado e pensei em como existe um amor maior e mais maravilhoso do que o sexo. — Porque ele havia estado doente durante alguns dias e nós não tínhamos feito amor, mas dormimos nos braços um do outro.

Tive a sensação de que iria explodir de dentro de meu ser frágil. Senti os seios pesados e cheios. Mas não fiquei triste. Eu pensei, querido, estou tão rica hoje à noite, mas é para você também. Não é tudo para mim mesma. Estou mentindo para você todos os dias agora, mas veja, eu lhe dou os prazeres que recebo. Quanto mais eu experimento, maior o meu amor por você. Quanto mais nego a mim mesma, mais pobre eu seria para você, meu querido. Não há nenhuma tragédia, se você puder me acompanhar nessa equação. Existem equações que são mais óbvias. Uma delas seria: eu o amo e consequentemente renuncio ao mundo e à vida por você. Você teria uma freira prostrada diante de si, envenenada pelas requisitações que você não conseguiria satisfazer e que o matariam. Mas veja-me esta noite. Estamos voltando para casa juntos. Eu conheci o prazer. Mas não o excluo de minha vida. Venha penetrar em meu corpo dilatado e prová-lo. Eu carrego a vida. E você sabe disso. Você não pode me ver nua sem me desejar. Minha carne lhe parece inocente e inteiramente sua. Você poderia beijar-me onde Henry me mordeu e encontrar prazer. Nosso amor é inalterável. Apenas o conhecimento o magoaria. Talvez eu seja um demônio, capaz de passar dos braços de Henry para os seus, mas a fidelidade literal é para mim vazia de significado. Eu não consigo viver sob seus parâmetros. O que é uma tragédia é que devamos viver tão juntos sem que você seja capaz de perceber esse conhecimento, que tais segredos sejam possíveis, que você só saiba o que desejo lhe dizer, que não haja nenhum traço em meu corpo daquilo que experimento. Mas mentir também é viver, mentir da maneira que minto.

A presença de Fred me inibe, como se meus próprios olhos estivessem observando a extensão de mim mesma em esferas a que eu deveria renunciar. Com Fred, poderia viver algo delicado e intricado. Mas não quero viver comigo mesma. Estou fugindo de mim mesma. No entanto, não estou deformando minha verdadeira natureza, mas manifestando a sensualidade que existe em mim. Henry responde a uma força em mim que não havia recebido resposta antes. Sua vitalidade sexual combina com a minha. Quando comecei a dançar foi um Henry que desejei. Foi um Henry que busquei, erroneamente, em John.

Meus pensamentos, como elástico, se esticam a seu significado mais tenso. Com Henry não se fala até à profundeza das coisas. Ele não é nenhum Proust, aprofundando-se. Ele está em movimento. Ele vive por golfadas. São as golfadas que aprecio em Henry. Posso ficar sentada por um dia inteiro depois de uma golfada e navegar com meu barco lentamente pelos sentimentos que ele dispersou com prodigalidade.

Eduardo diz que eu nunca me entreguei de todo realmente, mas isso parece impossível quando vejo como me submeto à nobreza e à perfeição de Hugo, ao sensualismo de Henry, à beleza do próprio Eduardo. Na outra noite no concerto fiquei pasma diante dele. Ele aprendeu a não sorrir, o que é algo que devo aprender. Só a cor de sua pele já me atrai. Ele tem a palidez dourada dos espanhóis, mas com um brilho do norte, também, uma cor rósea sob o bronzeado. E a cor de seus olhos, aquele verde instável, insuportavelmente frio. São a boca e as narinas que prometem. Mas novamente tenho a sensação de Eduardo e eu caminhando pelo mundo com as cabeças juntas. Apenas nossas cabeças se chocam e se encontram. Eu não aceitaria mais nada. Gosto da mente dele, que é como um santuário, muito rica com sua contínua exploração e análise. Ele parece não ter vontade porque obedece a seu inconsciente, e, como Lawrence, nem sempre consegue dizer por quê.

Henry reparou o que nem um Hugo nem um Eduardo reparariam. Eu estava deitada na cama e ele disse:

– Você sempre parece estar fazendo poses, de uma maneira quase oriental.

Ele exige palavras fortes de mim quando fode, e eu não consigo dá-las. Não consigo dizer a ele o que sinto. Ele me ensina novos gestos, prolongamentos, variações.

Eduardo me perguntou outro dia se eu gostaria de tentar a maneira de June: atirar-me numa absoluta negação de escrúpulos, mentir (para o próprio eu, principalmente), deformar a natureza de forma a não permitir qualquer impedimento, como minha incapacidade para a crueldade. Ontem, no próprio paroxismo de prazer sensual, não consegui morder Henry como ele queria que eu mordesse.

Eduardo está com medo do meu diário. Está com medo de uma acusação, e de que eu não tenha compreendido. Ele confessou esse medo a seu psicanalista.

Tenho a sensação de tudo que omito – as lacunas, especialmente os sonhos, as alucinações. As mentiras também são omitidas, uma necessidade desesperada de embelezar. Assim eu não as escrevo. O diário é consequentemente uma mentira. O que é omitido do diário também é omitido de minha mente. No momento em que escrevo, precipito-me para a beleza. Disperso o resto, de meu diário, de meu corpo. Eu gostaria de voltar, como um detetive, e recolher o que deixei de lado. Por exemplo, a terrível e divina credulidade de Hugo. Penso no que ele poderia ter reparado. Na hora em que voltei do quarto de Henry e me lavei, ele poderia ter visto os poucos pingos de água que caíram no chão; manchas em minhas roupas de baixo; batom nos meus lenços. Ele poderia ter questionado o que lhe disse: "Por que você não tenta gozar duas vezes?" (como Henry faz), minha fadiga excessiva, as olheiras.

Guardo meu diário com muito cuidado, mas quantas vezes escrevi nele enquanto estava sentada aos pés dele junto ao fogo, e ele não tentou ler por cima do meu ombro. Quando Eduardo fez Hugo se deitar, fechar os olhos e responder às palavras – "amor", "gato", "neve", "ciúme" – suas reações foram surpreendentemente lentas e vagas. Apenas o ciúme provocou uma resposta imediata. Ele parece recusar-se a registrar, a se dar conta. Isso é bom. É sua autoproteção. É a base da estranha liberdade que tenho apesar de seu forte ciúme. Ele não quer ver. Isso desperta tamanha pena em mim que às vezes me enlouquece. Eu gostaria que ele me castigasse, me espancasse, me aprisionasse. Isso me aliviaria.

Vou ver o dr. Allendy para conversar sobre Eduardo. Encontro um homem atraente, saudável, com olhos claros, inteligentes, de vidente. Minha mente fica alerta, esperando que ele diga algo dogmático, teórico. Quero que ele diga isso, porque se assim fizer, este será mais um homem em quem não posso apoiar-me, e eu terei que continuar conquistando a mim mesma sozinha.

Conversamos primeiro sobre Eduardo, como ele havia adquirido força. Allendy ficou satisfeito por eu ter reparado numa diferença sutil. Mas agora chegamos a um ponto difícil.

– Você sabia – perguntou Allendy – que é a mulher mais importante da vida dele? Eduardo é obcecado por você. Você é a imagem dele. Ele a vê como mãe, irmã e mulher inatingível. Conquistá-la significa conquistar a si mesmo, suas neuroses.

– Sim, eu sei. Eu quero que ele se cure. Não quero privá-lo de sua nova confiança dizendo-lhe que não o amo sexualmente.

– Como você o ama?

Sempre fui apegada a ele como a um ideal. Sou apegada agora, mas não sensualmente. Existe outro homem, um homem mais animal, que na verdade me prende muito.

Eu lhe falo um pouco sobre Henry. Ele fica surpreso por eu dividir meus amores assim. Ele me pergunta quais foram meus verdadeiros sentimentos sobre minha experiência com Eduardo.

– Fiquei inteiramente passiva – digo. – Não senti nenhum prazer. E tenho medo de que ele perceba isso e se culpe. Isso será pior do que tudo, pior do que se eu disser agora: "Ouça, eu amo Henry e assim não posso amá-lo". Porque se isso continuar vai se tornar uma competição como se eu tivesse permitido uma rivalidade e uma comparação e *então* o tivesse abandonado. Isso me parece mais perigoso. Mas também – pergunto rindo – os homens sabem quando dão prazer a uma mulher ou não?

O dr. Allendy ri também.

– Oitenta por cento deles nunca sabe – diz ele. – Alguns homens são sensíveis, mas a maioria é vaidosa e eles acreditam que dão prazer, e muitos outros não sabem realmente. – (Eu me lembrei da pergunta de Henry no hotel: "Eu a satisfaço?".)

Então eu digo:

– Em vez de continuar com a comédia sexual, não seria melhor dizer a ele que *eu* sou doente, neurótica, que há algo errado comigo?

– E é claro que você talvez seja – diz Allendy. – Há algo estranho no modo como você divide seus amores. É como se lhe faltasse confiança.

Ele toca num ponto sensível agora. Há alguns minutos ele cometera um erro, quando falei sobre a separação entre amor carnal e amor ideal. Ele chegara à conclusão banal de que na idade da puberdade eu talvez tenha testemunhado algum aspecto brutal de amor e ficado repugnada e me voltado para o amor etéreo. Mas agora ele se aproxima de uma verdade: falta de confiança. Meu pai não queria uma filha. Ele disse que eu era feia. Quando eu escrevia ou desenhava alguma coisa, ele não acreditava que fosse meu trabalho. Nunca me lembro de uma carícia ou um cumprimento dele, exceto quando quase morri com nove anos. Havia sempre cenas, surras, seus frios olhos azuis sobre mim. Lembro-me do prazer anormal que senti quando papai me escreveu um bilhete aqui em Paris que começava assim: *"Majolie"*. Não recebi amor dele. Sofri como minha mãe. Lembro-me de nossa chegada a Arcachon, onde ele passava férias, depois de minha doença. O rosto dele demonstrou que ele não nos queria. O que ele sentia em relação a mamãe eu também tomava para mim. No entanto senti uma tristeza histérica quando ele nos abandonou. E durante meus dias de escola em Nova York senti sua falta. Sempre tive medo de sua dureza e frieza. No entanto, eu o repudiei em Paris. Fui eu que fui severa e fria.

– E assim – disse Allendy – você se retirou para dentro de si mesma e se tornou independente. Em vez de se entregar

confiantemente por completo a um amor, você procura muitos amores. Chega mesmo a procurar crueldade de homens mais velhos, como se não pudesse desfrutar do amor sem dor. E não está segura...
– Apenas do amor de meu marido.
– Mas você precisa de mais de um.
– Sempre o dele, e o de um homem mais velho.

Fiquei pasma de ver que a confiança de uma criança, uma vez abalada e destruída, tivesse repercussões numa vida inteira. O amor insuficiente de papai e o abandono permanecem indeléveis. Por que não foram apagados por todos os amores que inspirei desde então?

Eduardo queria que o dr. Allendy e eu conversássemos por causa do que eu escreveria. E estou disposta, mas nas minhas condições. Isto é, vou vê-lo vez por outra, o que me dá tempo de absorver o material e trabalhar com inspiração e também me faz menos dependente. No entanto, ontem quando ele disse: "Você parece muito equilibrada, e não acredito que precise de mim", senti de repente uma enorme tristeza de ficar sozinha novamente. Meu trabalho me estabiliza, utilizo meus sofrimentos, mas gostaria de confiar a um ser humano o que confio ao meu diário. Há sempre algo barrado dos meus relacionamentos. Com Eduardo não posso conversar sobre Henry, só posso conversar sobre minha doença. Com Henry não posso falar sobre análise. Ele não é analista, é um escritor épico, um Dostoiévski inconsciente. Com Fred posso ser surrealista mas não a mulher que escreveu um estudo sobre Lawrence.

Allendy disse:
– Você representou esplendidamente tudo isso em relação a Eduardo, como poucas mulheres fariam, pois em geral a mulher considera o homem como um inimigo, e ela se sente feliz quando consegue humilhá-lo ou destruí-lo.

Joaquim diz que quando leu meu diário ficou ciente de que havia mais no que Henry me dava do que apenas uma experiência sexual; que ele realmente respondeu a certas necessidades que Hugo não conseguiu satisfazer. Ele ainda acha que me perco em Henry, que me entrego a experiências que não são verdadeiras à minha natureza.

Allendy também começa a deixar implícito que eu normalmente não deveria amar um Henry, e que a causa de eu amá-lo deve ser afastada. Aqui eu me volto firmemente contra a ciência e sinto uma grande lealdade a meus instintos.

A psicanálise talvez me force a ser mais confiável. Já percebo certos sentimentos que tenho, como o medo de ser magoada. Quando Henry telefona, abalo-me a cada inflexão de sua voz. Se está ocupado no escritório do jornal, se há alguém lá, ou se fala casualmente, fico logo deprimida.

Hoje Henry acordou e disse para si mesmo:

– Para o diabo com as mulheres angelicais ou literárias! – Então ele me diz que me escreveu duas cartas desde domingo, que estão esperando por mim no apartamento de Natasha, e fico encantada. Desprezo minha própria hipersensibilidade, que requer tanta reafirmação, mas que também me faz tão consciente da sensibilidade de outras pessoas. O grande amor de Hugo deveria ter-me dado confiança, e meu contínuo desejo de ser amada e compreendida certamente é anormal.

Talvez eu reafirme minha confiança tentando conquistar homens mais velhos. Ou estou cortejando a dor? O que sinto quando vejo os frios olhos azuis de Henry sobre mim? (Meu pai tinha olhos azuis gélidos.) Quero que eles se derretam de desejo por mim.

Existe agora uma grande tensão entre Fred e eu; nós não conseguimos suportar os olhos um do outro. Ele escreveu algo sobre mim tão exato, tão penetrante que me senti invadida nos recantos mais secretos de meu ser. O fato de ele escrever sobre Henry também me aterrorizou, como se ele tivesse chegado muito perto de meus próprios temores e dúvidas. Ele escreve ocultamente. Eu mal pude conversar depois de ler aquelas páginas. E ele estava lendo meu diário. Ele disse:

– Você não devia deixar que eu lesse isso, Anaïs. – Perguntei por quê. Ele pareceu atordoado. Curvou a cabeça, sua boca tremeu. Ele é como um fantasma de mim. Por que ficou atordoado? Eu revelei a semelhança, o reconhecimento? Ele é uma parte de mim. Conseguiu entender minha vida inteira. Eu poria todos os meus diários em suas mãos. Eu não o temo. Ele é tão terno comigo.

Henry fala de um modo bonito comigo, num estado de espírito frio, como o de um sábio. Ele diz:
– Eu a amo – enquanto estou em seus braços, e eu digo:
– Não acredito.
Ele nota que estou num estado de espírito diabólico. Insiste:
– *Você* me ama? – E eu respondo vagamente. Quando estamos sensualmente unidos, não consigo acreditar que estamos unidos apenas fisicamente. Quando desperto do delírio e conversamos com calma, fico surpresa de que ele fale sobre nosso amor com tanta seriedade.
– Domingo à noite, depois que você saiu eu dormi um pouco, depois saí para caminhar e me senti tão feliz, Anaïs, mais feliz do que jamais me senti. Dei-me conta de uma terrível verdade: que não quero que June volte. Preciso de você terrivelmente, completamente. Em determinados momentos chego a sentir que se June voltasse e me desapontasse e eu não me importasse mais com ela, eu ficaria quase feliz. No domingo à noite, tive vontade de enviar a ela um cabograma dizendo que não a queria mais.

Mas minha sensatez me impediu de acreditar. Ele também sabe, porque acrescenta:
– Eu sou fraco nas mãos de June, Anaïs. Se, quando ela voltar, eu agir exatamente como ela quer que eu aja, você não pode achar que a desaponto ou estou fracassando com você.

Isso me surpreende, porque me parece que quando me lancei a essa paixão pela primeira vez, com toda a intensidade, e percebi a instabilidade, a tragédia da situação, recuei e diminuí a importância de nosso relacionamento. Esgotei minha capacidade para tragédia com John Erskine. Sofri então até o limite. Não sei se posso sofrer tanto novamente, e acredito que os sentimentos de Henry são semelhantes. Quero desfrutar do momento presente profunda e impensadamente, Henry curvando-se sobre mim, desejoso, a língua entre minhas pernas. A possessividade vigorosa, torrencial de Henry.

– Você é a única mulher a quem consigo ser fiel. Quero protegê-la.

Quando vejo o retrato de June no quarto de Henry, odeio June, por que neste momento amo Henry. Odeio June, e no entanto sei que também estou em poder dela, e que quando ela voltar...

– O que sinto com você que não sinto com June é que, além do amor, somos amigos. June e eu não somos amigos.

Não se pode escapar da própria natureza, embora ontem Henry dissesse:

– Existem falhas em sua bondade. – Falhas. Que alívio. Fissuras. Talvez eu possa escapar através delas. Alguma perversidade me impulsiona para fora do papel que sou obrigada a representar. Sempre imaginando um outro papel. Nunca estática. Quando Henry quer ler meu diário, eu tremo. Sei que ele desconfia de que o traio constantemente. Gostaria de fazê-lo, mas não consigo. Desde que ele veio a mim pratiquei instintivamente a fidelidade das prostitutas: não sinto prazer exceto com ele. Meu maior temor é que Hugo me deseje no mesmo dia, e isso acontece frequentemente. A noite passada ele foi ardente, extático... e eu, obediente e fingida. Fingindo prazer. Ele considerou a noite excepcional. Seu prazer foi enorme.

Quando pareço estar transbordando e clamando por todos os prazeres sexuais disponíveis, sinto isso realmente? Se eu me sentisse atraída por alguma mulher na rua ou por algum homem com quem dançasse, seria realmente capaz de satisfazer meu desejo? Existe um desejo? Da próxima vez que tal sensação tomar conta de mim, não vou resistir a ela. Tenho que saber.

Esta noite eu me rendo a um desejo por Henry. Eu o quero, e quero June. É June que me matará, que tirará Henry de mim, que me odiará. Quero estar nos braços de Henry. Quero que June me encontre ali: será a única vez em que ela sofrerá. Depois disso é Henry que vai sofrer, nas mãos dela. Quero escrever para ela e lhe implorar para voltar, porque a amo, porque quero entregar Henry a ela como o maior presente que lhe posso dar.

Hugo me despe toda noite como se fosse a primeira vez, e eu uma nova mulher para ele. Meus sentimentos estão num caos que não consigo esclarecer, não consigo ordenar. Meus sonhos não me dizem nada exceto que tenho terror de ser levada novamente ao ponto de suicídio.

Uma pessoa não se cura apenas vivendo e amando, senão eu seria curada. Hugo me cura às vezes. Caminhamos pelos campos hoje, sob cerejeiras, nos sentamos na grama, no sol, conversando como dois amantes muito jovens. Henry me cura, me levanta em seus braços vitais, seus braços de gigante. E assim em alguns dias acredito que estou bem.

Hugo foi fazer uma viagem, e me beijou com tanto desespero e tristeza. Estou cercada pelos sinais dele, pequenas coisas que indicam seus hábitos, seus defeitos, sua bondade divina: uma carta que ele se esqueceu de enviar, a roupa de baixo velha (porque ele nunca compra nada para si mesmo), suas anotações sobre um trabalho a ser feito, uma bola de golfe – que me lembra aquilo que ele disse ontem:

– Nem mesmo o golfe é um prazer para mim, porque prefiro estar com você. É tudo parte do meu maldito trabalho – uma escova de dentes, um vidro aberto de brilhantina, um cigarro fumado pela metade, o terno dele, seus sapatos. Eu mal lhe dei um beijo de despedida, e o portão verde não havia se fechado quando digo a Emilia:

– Limpe meu vestido cor-de-rosa e lave minha roupa de baixo de renda. Talvez eu vá visitar uma amiga durante alguns dias.

Ontem não esqueci de ser boa para Eduardo – ele deve ter crescido pelo menos dois pés. E na mesma noite

tive vontade de me dissolver dentro do corpo de Hugo, de ficar aprisionada em seus braços, em sua bondade. Nesse momento a paixão e a febre parecem pouco importantes. Eu não suporto ver Hugo com ciúmes, mas ele está seguro de meu amor. Ele diz:

– Nunca a amei tanto, nunca fui tão feliz com você. Você é toda a minha vida. – E eu sei que o amo tanto quanto posso amá-lo, que ele é o único que me possui eternamente. No entanto, durante três dias visualizei a vida com Henry em Clichy. Digo a Hugo:

– Mande-me um telegrama todos os dias, por favor. – E talvez eu nem esteja em casa para lê-los.

Eu fugi. Meu pijama, pente, pó, perfume estão no quarto de Henry. Encontro um Henry tão profundo que fico estonteada.

Estamos caminhando para a Place Clichy, tranquilos. Ele me faz reparar na rua, nas pessoas, na realidade. Eu caminho como uma sonâmbula, mas ele sente o cheiro da rua, observa, seus olhos estão bem abertos. Ele me mostra a prostituta da perna de pau que fica perto do Gaumont Palace. Não sabe o que é viver num mundo onde o único personagem distinto é o próprio eu, como Eduardo e eu sabemos. Nós nos sentamos em alguns cafés e conversamos sobre vida e morte, no sentido de Lawrence.

Henry diz:

– Se Lawrence tivesse vivido... – Sim, eu sei o fim da frase. Eu o teria amado. Ele me teria amado. Henry consegue visualizar o aspecto volúvel de meu escritório. As fotografias de John. Os livros de John. A fotografia de Lawrence e os livros de Lawrence. As aquarelas de Henry e os manuscritos de Henry. Por um momento Henry e eu nos sentamos e refletimos sardonicamente sobre o espetáculo de nossas vidas.

Eduardo disse que não há nenhum padrão na escrita de Henry ou no seu modo de viver. Exatamente. Se houvesse, ele seria um analista. Se fosse um analista, não seria uma força viva, caótica.

Quando conto a Henry sobre John Erskine, ele fica pasmo com minha atitude sacrílega. John, o homem que Hugo reverenciava. Eu digo calmamente:

– Pode parecer sacrilégio, e, no entanto, veja como é natural: Eu amei em John o que unia Hugo a ele.

Estávamos sentados na cozinha em Clichy às duas da manhã, com Fred, comendo, bebendo e fumando muito. Henry teve que se levantar e lavar os olhos com água fria, os olhos irritados de pequeno garoto alemão. Eu não pude suportar isso e disse:

– Henry, vamos beber ao final de seu trabalho para o jornal. Você nunca mais fará isso. Eu garanto.

Isto pareceu magoar Fred. Ele ficou acabrunhado. Nós dissemos boa noite. Fui para o quarto de Henry.

Estávamos desfrutando do fato de estarmos juntos, nos despimos, conversando, colocando as roupas sobre a cadeira. Henry admirava meu pijama de seda vermelha japonesa, que parecia tão estranho no quarto simples, sobre o tapete áspero.

No dia seguinte, descobrimos que Fred não havia dormindo lá.

– Não o leve tão a sério – disse Henry. Tomamos café da manhã juntos às cinco da tarde. E então costurei as cortinas cinzentas e Henry martelou as bielas das cortinas. Mais tarde Henry fez um jantar apetitoso; bebemos Anjou, e ficamos muito alegres. No começo da manhã voltei para Louveciennes.

Quando voltei a Clichy, Fred estava em casa, muito triste. Jantamos, mas em silêncio, e eu me senti arrasada. Fred se alegrou para me agradar e exclamou:

– Vamos fazer alguma coisa; vamos para Louveciennes.

Nós nos retiramos.

Sinto a magia de minha própria casa fascinando-me. Nós todos nos sentamos junto à lareira. Este é o momento em que a casa propaga um charme, e o fogo derrete os nervos. Consigo ficar sentada por inteiro, como se fosse parte de um mural. A admiração e o amor deles são doces para mim. Perco meu senso de mistério. Abro as caixas de ferro e mostro-lhes meus primeiros diários. Fred apanha o primeiro volume e começa a chorar e rir com ele. Dei a Henry o diário vermelho, tudo sobre ele próprio, uma coisa que nunca fiz com ninguém. Leio por cima de seu ombro.

Henry e eu esperamos pelo trem numa plataforma alta. A chuva lavou as árvores. A terra exala essências como uma mulher que um homem arou e germinou. Nossos corpos se aproximam.

No momento não penso em como June e eu ficamos apertadas uma junto à outra da mesma maneira. Penso nisso agora porque ontem, pela primeira vez, ele me magoou, embora eu estivesse preparada para o seu sarcasmo e ridicularização. Eu sabia sobre a tendência dele em achar defeitos, por causa de tudo que ele escrevera sobre June. Estávamos lendo o meu diário vermelho. Ele chegou a uma anotação onde Fred havia dito que eu era linda.

– Sabe – disse Henry. – Fred acha que você é linda. Eu não. Acho que você tem um grande charme, sim. – Eu estava sentada perto dele. Olhei para ele confusa e então rapidamente pus a cabeça sobre a almofada e chorei. Quando ele pôs a mão sobre o meu rosto e sentiu as lágrimas, ficou assombrado. – Ah, Anaïs, nunca pensei que isso pudesse significar alguma coisa para você. Eu me odeio por ter dito isso tão cruelmente. Mas você se lembra de que eu também lhe disse que não achava June bonita. As mulheres mais poderosas não foram as mais bonitas. Mas pensar que pudesse fazê-la chorar, que eu pudesse fazer isso, quando é uma coisa que nunca quis fazer a *você*.

Ele agora se sentou na minha frente, e fiquei afundada nas almofadas, o cabelo desalinhado e os olhos marejados de lágrimas. Naquele momento, lembrei-me do que os pintores pensaram de mim e contei-lhe. E subitamente eu o *chutei*. Bati nele como um gato, disse ele. E quando isso terminou, algo que o divertiu, nós nos sentimos estranhamente mais unidos, até eu dizer de modo provocador, no trem – porque ele me dizia que me achara bonita no primeiro dia que me vira, mas começara a achar que não porque Fred insistiu tanto nisso; e por causa de June também:

– Você tem mau gosto!

Mas todas as coisas maravilhosas que ele me havia dito sobre o meu diário perderam o brilho agora. Minha confiança vacilou. Não me adiantou pensar que a beleza é uma coisa relativa e que cada homem tem sua própria reação individual a ela. Não é natural ficar tão magoada assim. No entanto tomei essa mágoa para mim mesma e disse:

– Eu vou suportar isso. Vou superar. Não vou me importar. – E durante algumas horas me revesti de coragem, até nos despirmos naquela noite e Henry dizer:

– Eu quero ver você se despir. Nunca fiz isso. – Sentei-me na cama dele e me vi tomada de um sentimento de timidez. Fiz algo para desviar sua atenção de mim enquanto eu me despia, e me enfiei na cama. Tive vontade de chorar. Dois momentos antes, ele disse: – Tenho a sensação de que sou um homem muito feio. Nunca quero me olhar no espelho. – E eu arranjei algo evasivo e agradável para dizer. Disse a ele o que gostava nele. Não lhe disse: "Tenho precisado da beleza de Eduardo por esses dias como nunca".

Às três e meia do dia seguinte, eu estava no consultório de Allendy, precisando dele terrivelmente.

Fui até Henry e encontrei-o trabalhando. Ele me recebeu com um beijo feliz. Trabalhamos juntos. Fiquei sentada em minha mesa junto à dele, examinando fragmentos a serem inseridos em meu livro. Senti-me cheia da força da escrita dele. Quando ele ficou com fome, eu me ofereci para preparar o jantar:

– Deixe-me bancar a esposa de um gênio. – E fui até a cozinha com meu vestido cor-de-rosa imponente.

A voz de Henry me eleva. Penso em suas palavras: "Quando escrever sobre você, terei que escrever sobre você como um anjo. Não posso colocá-la numa cama."

– Mas eu não me comporto como um anjo. Você sabe que não.

– Eu sei, sim, eu sei. Você me esgotou estes últimos dias. Você é um anjo com sexo, mas é um anjo mesmo assim. Sua sensualidade não me convence.

– Vou puni-lo por isso – respondi. – Daqui por diante vou me comportar como um anjo.

Duas horas depois Fred foi trabalhar, e Henry me beija na cozinha. Tenho vontade de fingir que resisto a ele, mas até mesmo um beijo em meu pescoço me derrete. Digo não, mas ele põe as mãos entre minhas pernas. Ele me ataca como um touro.

Quando ficamos deitados tranquilamente, eu o amo parado, suas mãos, seus pulsos, seu pescoço, sua boca, o calor de seu corpo, e o súbito sobressalto de sua mente. Depois disso nós comemos e conversamos sobre June e Dostoiévski enquanto o galo canta. O fato de Henry e eu podermos nos sentar e conversar sobre nosso amor por June, sobre seus momentos grandiosos, é para mim a maior das vitórias.

As longas horas tranquilas com Henry são as mais poderosas. Ele cai numa tranquilidade pensativa ao se sentar concentrado em seu trabalho, rindo às vezes. Tem em si algo de um gnomo, um sátiro, e de um estudioso alemão. Fica com protuberâncias duras na testa, que dão a impressão de estar prestes a explodir. Seu corpo subitamente parece frágil, curvado.

Quando ele está sentado ali, sinto que posso ver sua mente como vejo seu corpo, e ela é cheia de labirintos, fértil, suscetível. Fico carregada de adoração por tudo que sua cabeça contém e pelos impulsos que sopram em rajadas.

Ele está deitado na cama, o corpo arqueado junto às minhas costas, o braço em torno de meu peito. E na circunferência de minha solidão eu sei que encontrei um momento de amor absoluto. A grandeza dele preenche as feridas e as fecha, silencia os desejos. Ele está adormecido. Como eu o amo! Sinto-me como um rio que transbordou.

– Anaïs, quando vim para casa ontem à noite pensei que você estivesse aqui, porque senti seu perfume. Senti sua falta. Dei-me conta de que não lhe disse como era maravilhoso tê-la quando você estava aqui. Nunca digo essas coisas. Olhe, aqui está uma gaveta cheia de suas roupas. Meias. Eu quero que você deixe seu perfume por toda a parte.

Eu acho que ele me ama com ternura, com sentimento. É June que inspira as paixões. E eu estou ali para selecionar os pensamentos dele, suas reflexões, suas lembranças, suas confidências. Fico ao lado do Henry que escreve, e recebo seu outro amor.

Agora sozinha em Louveciennes, ainda sinto a marca de seu corpo adormecido junto ao meu. Gostaria que hoje fosse o último dia. Sempre quero que o ponto alto seja o último momento. June pode voltar e soprar sobre nós como o simum. Henry ficará atormentado por ela, e eu ficarei hipnotizada.

Permanecerão, aqui em meu diário, as coisas que Henry disse. Eu as recebo como presentes: joias, incenso e perfumes. As palavras de Henry caem, e eu as apanho com tamanho cuidado que me esqueço de falar. Sou a escrava abanando-o com plumas de pavão. Ele fala sobre Deus, Dostoiévski e a fineza da escrita de Fred. Faz uma distinção entre essa fineza e sua própria escrita dramática, sensacional, potente. Consegue dizer com humildade:

– Fred tem uma fineza que me falta, erudição, a qualidade de um Anatole France.

E eu digo:

– Mas você não vê, ele não tem paixão, assim como France não tinha. É o que você tem!

Ao pensar nisso, ao caminharmos por uma avenida, tenho vontade de beijar o homem cuja paixão corre como lava por um mundo intelectual frio. Tenho vontade de abrir mão de minha vida, meu lar, minha segurança, meu trabalho, para viver com ele, para trabalhar para ele, para ser uma prostituta para ele, qualquer coisa, até mesmo ser fatalmente ferida por ele.

No final da noite ele me conta sobre um livro que não li, o *Monte de sonhos,* de Arthur Machen. E escuto com minha alma. Ele diz baixinho:

– Estou falando quase paternalmente com você.

Naquele momento sei que sou metade mulher, metade criança. Que uma parte de mim esconde uma criança que ama ser surpreendida, ser ensinada, ser dirigida. Quando escuto, sou uma criança, e Henry se torna paternal. A imagem assombrada de um pai erudito, literário, se reafirma, e a mulher se torna pequena outra vez. Lembro-me de outras frases, como "eu não a magoaria – não a você", de sua delicadeza incomum comigo, de seu jeito protetor. Eu me sinto traída. Sobrepujada de admiração pelo trabalho de Henry, eu me torno uma criança. Posso imaginar um outro homem dizendo para mim: "Eu não posso fazer amor com você. Você não é uma mulher. É uma criança".

Desperto de sonhos de completa sensualidade. E então com raiva quero dominar, trabalhar como um homem, sustentar Henry, fazer o seu livro ser publicado. Quero mais do que nunca foder e ser fodida, afirmar a mulher sensual. Henry diz um dia:

– Ouça, acredito que você pudesse ter dez amantes e dar conta de todos eles. Você é insaciável. – E outro dia: – Sua sensualidade não me convence.

Ele viu a criança!

Ressentida, enfurecida. Fujo de Clichy e penso que carrego meu segredo comigo. Tenho a esperança de que Henry não tenha compreendido as coisas muito bem. Temo a análise nefasta dos olhos dele. Pulo fora de sua cama e fujo enquanto ele dorme. Corro para casa e adormeço, profundamente, durante muitas horas. Tenho que sufocar a criança. Amanhã posso encontrar Henry, encará-lo, ser mulher.

Isso teria permanecido como um incidente vago, insignificante. Agora, por causa da psicanálise, está pleno de significado. A análise me faz sentir como se eu estivesse me masturbando em vez de fodendo. Estar com Henry é viver, fluir, sofrer até. Eu não gosto de estar com Allendy e apertar dedos secos nas intimidades de meu corpo.

Quando converso só um pouco sobre o medo de crueldade com Eduardo, ele diz o que eu digo:

— Mas a pessoa usa as próprias fraquezas. Pode-se fazer alguma coisa delas. — E eu fiz isso. No entanto não vejo nenhum bem em minha admiração infantil por homens mais velhos, em minha adoração por John e Henry. Não vejo nada nisso a não ser a interferência com o progresso da maturidade, a abdicação de minha própria personalidade. Como Henry diz: "É belo vê-la dormir. Você se deita como uma boneca, onde a puseram. Nem no sono você se espalha ocupando espaço demais".

As perguntas de Allendy estalam sobre mim:
— O que você sentiu a respeito de nossa primeira conversa?
— Senti que precisava de você, que não queria ficar sozinha para refletir sobre minha vida.
— Você amou seu pai com devoção, anormalmente, e odiou a razão sexual que o fez abandoná-la. Isso talvez tenha criado em você um certo sentimento obscuro contra o sexo. Esse sentimento se afirma em seu inconsciente naquela cena com John. Você o forçou a uma espécie de castração.
— Então por que fiquei tão infeliz, em tamanho desespero quando aconteceu, e por que eu o amei durante dois anos?
— Talvez você o tenha amado mais por causa do que aconteceu.
— Mas eu o desprezei desde então por sua falta de paixão impulsiva.
— A necessidade ambivalente de dominar o homem, de ser conquistada por ele e de ser superior a ele. Você o amou realmente porque ele não a dominou, porque você foi superior a ele em paixão.
— Não, porque agora que encontrei um homem que me dominou sou imensamente feliz.

Allendy faz perguntas sobre Henry. Até que percebe que eu o domino socialmente. Percebe também que escolhi colocar-me na situação de rival de uma mulher que eu sei que vencerá, consequentemente procurando dor para mim mesma. Que amei homens mais fracos do que eu e que sofri com isso. Ao mesmo tempo, tenho um medo extremo de dor, e isso me faz dividir meus amores de forma que um serve de refúgio para o outro. Ambivalência. Eu quero amar um homem mais forte e não consigo fazê-lo.

Ele diz que eu tenho um senso de inferioridade que se deve à minha fragilidade física como criança. Eu tinha a impressão de que os homens só amavam mulheres saudáveis, gordas. Eduardo conversava comigo sobre garotas cubanas gordas. A primeira moça que atraiu Hugo foi uma gorda. Todos costumavam comentar sobre minha magreza, e minha mãe citava o provérbio espanhol: "Os ossos são para os cachorros". Quando fui a Havana, duvidei de que fosse capaz de agradar porque era magra. Esse tema continua até o momento em que Henry me magoou com sua admiração pelo corpo de Natasha porque lhe pareceu corpulento.

Allendy:

– Você sabe que às vezes o senso de inferioridade sexual se deve a uma conscientização da própria frigidez?

É verdade que fui indiferente ao sexo até os dezoito ou dezenove anos, e mesmo então, tremendamente romântica, mas não despertada de fato para o sexo. Mas depois disso!

– E se eu fosse frígida, estaria tão preocupada com sexo?

Allendy:

– Mais do que qualquer um.

Silêncio. Estou pensando que com todo o imenso prazer que Henry tem me proporcionado ainda não senti um verdadeiro orgasmo. Minha reação parece não conduzir a um verdadeiro clímax, mas é disseminada num espasmo que é menos centrado, mais difuso. Sinto um orgasmo ocasionalmente com Hugo, e quando me masturbei, mas talvez seja porque Hugo goste que eu feche as pernas e Henry me faça abri-las tanto. Mas isso eu não iria dizer a Allendy.

De meus sonhos ele seleciona o desejo consciente de ser punida, humilhada ou abandonada. Eu sonho com um Hugo cruel, um Eduardo medroso, um John impotente.

– Isso decorre de um senso de culpa por ter amado tanto seu pai. Depois disso estou certo de que você amou sua mãe muito mais.

– É verdade. Eu a amei muito.

– E agora procura castigo. E gosta do sofrimento, que lhe lembra do sofrimento que você suportou com seu pai. Em um de seus sonhos, quando o homem penetra em você à força, você o odeia.

Eu me sinto oprimida, como se as perguntas dele fossem dardos. Sinto uma terrível necessidade dele. No entanto, a análise não ajuda. A dor de viver não é nada comparada à dor dessa análise mínima.

Allendy me pede para relaxar e lhe dizer o que se passa em minha mente. Mas o que se passa em minha mente é a análise de minha vida.

Allendy:

– Você está tentando se identificar comigo, fazer meu trabalho. Será que você não desejou ultrapassar os homens em seu trabalho? Humilhá-los com seu sucesso?

– Na verdade, não. Eu ajudo os homens constantemente em seu trabalho, faço sacrifícios por eles. – Eu os encorajo, admiro, aplaudo. Não, Allendy está muito errado.

Ele diz:

– Talvez você seja uma daquelas mulheres que são amigas, e não inimigas do homem.

– Mais do que isso. Meu sonho original era me casar com um gênio e servi-lo, não ser um gênio. Quando escrevi o livro sobre Lawrence, quis que Eduardo colaborasse comigo. Agora mesmo sei que ele poderia ter escrito um livro melhor, só que sou eu que tenho a energia, o impulso.

Allendy:

– Você conhece o complexo de Diana, a mulher que inveja o homem por sua força sexual.

– Já senti isso, sim, sexualmente. Gostaria de poder possuir June e outras mulheres bonitas.

Existem ideias que Allendy abandona, como se estivesse sentindo minha suscetibilidade. Toda vez que ele toca em minha falta de confiança eu sofro. Sofro quando ele toca em minha potência sexual, minha saúde, ou em meu sentimento de solidão, porque não existe nenhum homem em quem eu poderia confiar inteiramente.

Eu me deito e sinto um influxo de dor, de desespero. Allendy me magoou. Eu choro. Choro também de vergonha, de autopiedade. Sinto-me fraca. Não quero que ele me veja chorar e me viro. Então me levanto e o encaro. Os olhos dele são muito ternos. Quero que ele pense que sou uma mulher superior. Quero que ele me admire. Gosto quando ele diz:

– Você sofreu muito.

Quando eu o deixo, estou num sonho, relaxada, quente, como se tivesse atravessado regiões fantásticas. Eduardo diz que eu sou como uma galinha sentada sobre os ovos.

Allendy:
– Por que, exatamente, você estava perturbada da última vez?
– Achei que algumas das coisas que você disse eram verdadeiras.

Eu gostaria simplesmente de conversar com ele sobre os dias que passei com Henry. Depois de Henry, a análise é desagradável para mim. Começo com docilidade mas sinto uma crescente resistência. Admito a Allendy que não o odeio mas que gostei, de uma maneira feminina, que ele tivesse conseguido me fazer chorar.

– Você demonstrou ser mais forte do que eu. Gosto disso.

Contudo, à medida que a hora se passa, começo a sentir que ele está levantando dificuldades que eu poderia facilmente superar, que ele desperta de novo meus temores e dúvidas. Por isso, eu o odeio. À medida que ele lê meus sonhos, repara que eles estão escritos com uma objetividade mais do que masculina. Agora eu o vejo explorando os elementos masculinos em mim. Será que amo Henry porque me identifico com ele e com seu amor e posse de June? Não, isto é falso. Penso na noite em que Henry me ensinou a deitar sobre ele e como detestei isso. Fiquei mais feliz quando me deitei debaixo dele, passivamente. Penso em minha insegurança com mulheres, incerta do papel que quero desempenhar. Num sonho é June que tem um pênis. Ao mesmo tempo, admito a Allendy que imaginei que uma vida mais livre seria possível para mim como lésbica porque eu escolheria uma mulher, a protegeria, trabalharia para ela, a amaria por sua beleza enquanto ela poderia me amar como se ama um homem, por seu talento, seu desempenho, seu caráter. (Eu me lembrava de Stephen em *O poço da solidão,* que não era belo, que chegou a ficar com uma cicatriz na guerra, e que era amado por Mary.) Isto seria um alívio do tormento da falta de confiança em meus poderes de mulher. Eliminaria toda preocupação com minha beleza, saúde ou potência sexual. Isto me faria confiante porque tudo dependeria de meu talento, criatividade, genialidade, nos quais acredito.

Ao mesmo tempo, percebi que Henry me amava por estas últimas coisas também, e eu estava me acostumando a isso. Henry também dá menos importância a meus encantos físicos. Eu poderia ser curada pela simples coragem de continuar a viver. Poderia curar-me. Não preciso realmente de você, Allendy!

Sempre que ele me pede para fechar os olhos, relaxar e falar, continuo com minha análise. Digo a mim mesma: "Ele está me dizendo pouca coisa que não sei". Mas isto não é verdade, porque ele me esclareceu a ideia de culpa. Compreendi subitamente por que tanto Henry quanto eu escrevemos cartas de amor a June quando estávamos nos apaixonando um pelo outro. Ele também esclareceu a ideia de castigo. Levo Hugo à Rue Blondel e o incito à infidelidade para me punir por minhas próprias infidelidades. Glorifico June para me punir por tê-la traído.

Eu me esquivo das perguntas posteriores de Allendy. Ele vasculha. Não consegue encontrar nada de definido. Sugere muitas hipóteses. Também explora para descobrir meus sentimentos sobre ele, e eu lhe falo sobre meu interesse em seus livros. Tenho uma conscientização perversa de que espera que eu fique interessada por ele, e não gosto de fazer o jogo sabendo que é um jogo. No entanto meu interesse é sincero. Também digo que não me importo mais se ele me admira ou não. E esta é uma vitória sobre mim mesma.

Sinto-me humilhada em confessar minhas dúvidas a ele. Então hoje eu o odiei. Quando fiquei diante dele, pronta para partir, pensei: "Neste momento tenho menos confiança em mim do que nunca. Isto é intolerável".

Com que prazer me entreguei a Henry no dia seguinte!

A casa está adormecida. Os cachorros estão quietos. Sinto aquele peso de solidão. Gostaria de estar no apartamento de Henry, nem que fosse para secar os pratos que ele lava, apenas. Vejo seu colete, desabotoado, porque o terno usado dado a ele é pequeno demais. Vejo a lapela desfiada sob a qual adoro enfiar a mão, a gravata que seguro enquanto ele fala comigo. Vejo o cabelo louro em seu pescoço. Vejo a expressão dele quando leva a lata de lixo para fora, sub-reptício, envergonhado. Envergonhado também de sua organização, que o obriga a lavar os pratos, a arrumar a cozinha. Ele diz:

– Isto é algo a que June tinha objeção... dizia que era pouco romântico. – Eu me lembro das anotações de Henry, da desordem real que ela provocava. Não sei o que dizer. Eles dois fazem parte de mim: a mulher que age como Henry e a mulher que sonha em agir como June. Uma ternura vaga me atrai a Henry, lavando os pratos com tanta seriedade. Não posso provocá-lo. Eu o ajudo. Mas minha imaginação está fora da cozinha. Só amo a cozinha porque Henry está lá. Cheguei mesmo a desejar que Hugo ficasse longe mais tempo para que eu pudesse morar em Clichy. É a primeira vez que desejo tal coisa.

– É assim – diz Henry. – Eu exagerei a crueldade e a maldade de June porque estava interessado no mal. Este é o problema; não existem pessoas realmente más no mundo. June não é realmente má. Fred tem razão. Ela tenta ser desesperadamente. Foi uma das primeiras coisas que ela me contou na noite em que a conheci. Queria que eu a considerasse uma *femme fatale*. Sou inspirado pelo mal. Ele me preocupa, como preocupava a Dostoiévski.

Os sacrifícios que June fez por Henry. Foram sacrifícios, ou foram coisas que ela fez para aumentar sua personalidade? Sou eu que questiono isso. Ela não faz nenhum sacrifício obscuro. Extravagantes, sim. Dramáticos. Eu fiz sacrifícios obscuros, fossem grandes ou pequenos. Mas prefiro a prostituição de June, a extorsão de dinheiro, as comédias. Nesse meio-tempo Henry pode morrer de fome. Ela o servirá fantasticamente ou não o servirá. Pediu a Henry que largasse o emprego. Queria trabalhar para ele. (Secretamente vislumbrei a prostituição, e dizer que fiz isso para Henry é apenas encontrar uma justificativa.) Então June encontrou uma justificativa maravilhosa. Fez sacrifícios heroicos por Henry. E tudo isso contribuiu para a personalidade de June.

Digo a Henry:

– Por que você é tão selvagem em relação aos defeitos dela? E por que escreve menos sobre o maravilhoso?

– É o que June diz. Ela repete: "E você esquece isso, e você esquece aquilo. Só se lembra das coisas erradas". A verdade, Anaïs, é que eu aceito a bondade como algo natural. Espero que todo mundo seja bom. É o mal que me fascina.

Lembro-me de um esforço fraco de viver uma de minhas próprias fantasias. Voltei para Henry uma tarde depois de ele ter me provocado, cheio do demônio. Disse a ele que ia sair com uma mulher na noite seguinte. Na estação St. Lazare eu havia visto uma prostituta com quem tive muita vontade de conversar, e me imaginei saindo com ela. Agora, entrando precipitadamente pelo apartamento de Henry, como June teria feito, eu poderia ter contado um curioso evento, que Henry gostaria de ter ouvido mais tarde. Mas imediatamente percebi que ele estivera escrevendo, que ele estava sério, que eu o perturbara. Ele havia esperado que eu me sentasse com ele e o ajudasse a organizar seu livro. Meu estado de espírito evaporou-se. Cheguei a ficar arrependida.

June teria interrompido os escritos, precipitado Henry em mais experiências, atrasado a digestão delas, brilhado com o brilho de um Destino em movimento, e Henry a teria amaldiçoado e dito:

– June é uma personagem interessante.

Então fui para casa em Louveciennes e dormi. E no dia seguinte, quando Henry me pergunta: "O que fez a noite passada?", eu gostaria de ter algo para lhe dizer. Fico com um olhar estranho. Ele pensa que vai ler sobre isso mais tarde no diário.

Eu me pergunto como deve ser ter lido todo o meu diário vermelho. Henry não disse muito enquanto estava lendo, mas sacudiu a cabeça ocasionalmente ou riu. Disse que meu diário foi terrivelmente franco, e que as descrições de sentimentos sensuais foram inacreditavelmente fortes. Eu não medi minhas palavras. Eu o atraíra bem, com adulação mas de modo verdadeiro. O que eu disse sobre June foi tudo verdade. Ele esperava algo como meu caso com Eduardo. Ficou sexualmente excitado pelo meu sonho com June e por outras páginas.

– É claro – disse ele – que você é narcisista. Esta é a *raison d'être* do diário. Escrever um diário é uma doença. Mas está tudo bem. É muito interessante. Eu não sei de outro diário mais interessante. Não conheço nenhuma outra mulher que escreva com tanta franqueza.

Eu protestei, porque achei que narcisista era aquele que apenas amava a si próprio, e me pareceu...

Era narcisismo de qualquer maneira, disse Henry. No entanto acho que ele admirou o diário. Implicou comigo sobre Fred, dizendo que temia que eu me entregasse a ele como fiz com Eduardo, por simpatia, e ficou com ciúmes. Ele me beijou ao dizer isso.

Hugo volta, e parece um filho pequeno para mim. Sinto-me velha, desgastada, mas terna e feliz. Estou descansando na cama de uma enorme fadiga. Tudo o que carrego de Henry é enorme.

Se pego no sono, é porque estou sobrecarregada. Durmo porque uma hora com Henry contém cinco anos de minha vida, e uma frase, uma carícia respondem às expectativas de uma centena de noites. Quando o ouço rir, digo:

— Eu ouvi Rabelais. — E engulo sua gargalhada como pão e vinho.

Em vez de praguejar, ele está crescendo, cobrindo todos os espaços que perdeu com suas caminhadas sensacionais com June. Ele está descansando do tormento, do veneno, do drama, da loucura. E diz num tom no qual nunca o ouvi falar antes, como se para gravar as palavras:

— Eu a amo.

Adormeço em seus braços, e nos esquecemos de terminar a segunda fusão de nós mesmos. Ele adormece com os dedos mergulhados no mel. Para dormir dessa maneira eu devo ter encontrado o fim da dor.

Caminho pelas ruas com um andar firme. Só existem duas mulheres no mundo: June e eu.

Anaïs:
— Hoje eu o odeio francamente. Estou contra você.
Allendy:
— Mas por quê?
— Sinto que você me tirou a pouca confiança que eu tinha. Sinto-me bastante humilhada porque me confessei a você, e eu confesso tão raramente.
— Está com medo de ser menos amada?
— Sim. Definitivamente. Conservo uma espécie de concha à minha volta. Quero ser amada.

Eu lhe falo sobre meu modo de agir como uma criança com Henry, através de minha admiração. Como eu temera que isso tirasse a sensualidade de Henry.

Allendy:
— Pelo contrário, o homem adora sentir esse senso de importância que você lhe dá.
— Imaginei imediatamente que ele me amaria menos.

Allendy ficou assombrado com a extensão da minha falta de confiança.

— Para um analista, sem dúvida, isso é muito claro, mesmo em sua aparência.
— Em minha aparência?

– É. Eu vi imediatamente que você tem modos e postura sedutora. Somente as pessoas inseguras agem sedutoramente.

Nós rimos disso.

Eu contei a ele que tinha imaginado ver meu pai em meu recital de dança em Paris, quando ficou provado que ele estava em St. Jean de Luz na época. Aquilo me dera um choque.

– Você quis que ele estivesse ali. Quis estonteá-lo. Ao mesmo tempo ficou assustada. Mas como teve que seduzir seu pai desde que era criança e não teve sucesso, também desenvolveu um forte senso de culpa. Você quer estontear fisicamente, mas, quando tem sucesso, algo a faz parar. Você me diz que não dançou desde então?

– Não: cheguei a desenvolver um sentimento de repulsa pela dança. E também por problemas de saúde.

– Não tenho dúvida de que se você tiver sucesso como escritora também desistirá disso para se punir.

Outras mulheres que são talentosas mas feias são realizadas, confiantes, esplendorosas, e eu que sou talentosa e atraente, como me diz Allendy, choro porque não me pareço com June nem inspiro paixão.

Tento explicar isso a ele. Eu me coloquei na pior posição possível amando Henry e o partilhando com uma June, que é minha maior rival. Estou me expondo a um golpe mortal final, uma vez que sei que Henry escolherá June (como eu escolheria se fosse homem). Também sei que, se June voltar, ela não me escolherá no lugar de Henry. Então só posso perder dos dois lados. E estou me arriscando a isso. Tudo me impulsiona a isso. (Allendy me diz que isso é masoquismo.) Eu novamente procuro a dor. Se desistisse de Henry agora, por minha livre e espontânea vontade, seria apenas sofrer menos.

Sinto dois impulsos: um é masoquístico e resignado, o outro, busca fuga. Anseio por encontrar um homem que me salve de Henry e dessa situação. Allendy ouve e reflete sobre isso.

Uma noite na cozinha de Henry, ele e eu sozinhos falamos abertamente sobre nós. Ele começa com o assunto de meu diário vermelho, me diz os defeitos com que devo tomar cuidado, e então diz:

– Você sabe o que me desconcerta? Quando você escreve sobre Hugo, escreve coisas maravilhosas, mas ao mesmo tempo não são convincentes. Você não diz nada que causaria sua admiração ou amor. Soa tenso.

Logo fico aborrecida, como se fosse Allendy me questionando.

– Não cabe a mim fazer perguntas, Anaïs – continua Henry –, mas ouça, não estou sendo pessoal agora. Eu gosto de Hugo. Acho-o uma pessoa ótima. Mas só estou tentando compreender sua vida. Imagino que você tenha se casado com ele quando seu caráter ainda não estava formado, ou por causa de sua mãe e irmão.

– Não, não, por isso não. Eu o amava. Por minha mãe e irmão eu deveria ter me casado em Havana, em sociedade, com pompa, e não consegui fazer isso.

– Naquele dia em que Hugo e eu saímos para dar uma volta, tentei compreendê-lo. A verdade é que se eu o tivesse visto apenas em Louveciennes, teria vindo uma vez, teria dito aqui está um homem bom e teria esquecido o assunto.

– Hugo é muito fechado – respondi. – Leva-se tempo para conhecê-lo. – E durante todo o tempo minha velha, secreta e imensa insatisfação transborda como um veneno, e fico falando coisas tolas sobre o banco reprimindo-o, e como ele é diferente nas férias.

Henry prageja.

– Mas é tão óbvio que você é superior a ele. – Sempre aquela frase odiosa, de John também.

– Só em inteligência – respondo.

– Em tudo – diz Henry. – E ouça, Anaïs, responda-me. Você não está apenas fazendo um sacrifício. Você não está feliz realmente, está? Tem vontade de fugir de Hugo às vezes?

Eu não consigo responder. Curvo a cabeça e choro. Henry vem e fica em pé junto a mim.

– Minha vida está um caos – digo. – Você está tentando me fazer admitir algo que eu não admito nem a mim mesma, como você pôde ver pelo diário. Você sentiu o quanto eu *quero* amar Hugo e de que maneira eu amo. Estou despedaçada com visões do que poderia ter sido aqui, com você, por exemplo. Como eu tenho me sentido realizada, Henry.

– E agora, apenas comigo – responde Henry – você floresceria tão rapidamente que logo esgotaria tudo o que posso dar e passar para uma outra pessoa. Não há limites para o que sua vida poderia ser. Eu vi como você consegue se expandir numa paixão, numa vida ampla. Ouça, se alguém mais fizesse as coisas que você tem feito, eu as chamaria de tolas, mas de uma maneira ou de outra você as faz parecer terrivelmente certas. Este diário, por exemplo, é tão rico, tão terrivelmente rico. Você diz que minha vida é rica, mas ela é apenas cheia de eventos, incidentes, experiências, gente. O que é realmente rico são estas páginas sobre tão pouco material.

– Mas pense no que eu faria de mais material – digo. – Pense no que você disse sobre meu romance, que o tema (fidelidade) era um anacronismo. Aquilo me feriu. Foi como uma crítica de minha própria vida. No entanto, não posso cometer um crime, e magoar Hugo seria um crime. Além disso, ele me ama como ninguém jamais amou.

– Você não deu uma verdadeira oportunidade a ninguém mais.

Estou me lembrando disso enquanto Hugo cuida do jardim. E estar com ele agora parece ser o mesmo que estar vivendo no estado de espírito em que eu vivia aos vinte anos. Será que é culpa dele esta juventude de nossas vidas juntos? Meu Deus, posso perguntar sobre Hugo o que Henry pergunta sobre June? Ele a preencheu. Será que eu preenchi Hugo? As pessoas dizem que não há nada nele a não ser eu. Sua grande capacidade para se perder, para o amor. Isso me sensibiliza. Ontem à noite mesmo ele falou sobre sua incapacidade de se misturar com outras pessoas, dizendo que eu era a única chegada a ele, a única com quem ele era feliz. Esta manhã no jardim ele estava em êxtase. Queria que eu estivesse ali, perto dele. Ele me deu amor. E o que mais?

Eu amo o passado dele. Mas todo o resto se esvaneceu.

Depois do que revelei a Henry sobre minha vida, fiquei em desespero. Foi como se eu fosse uma criminosa, tivesse estado na prisão e estivesse finalmente livre e disposta a trabalhar honestamente e com afinco. Mas assim que as pessoas descobrem o seu passado elas não lhe dão trabalho esperando que você aja como um criminoso novamente.

Estou acabada comigo mesma, com meus sacrifícios e minha piedade, com o que me acorrenta. Vou fazer disso um novo começo. Quero paixão, prazer, barulho, bebedeira e todo o mal. Mas meu passado se revela inexoravelmente, como uma tatuagem. Eu devo construir uma nova capa, usar novas fantasias.

Enquanto espero por Hugo no carro, escrevo num maço de cigarros (nas costas do Sultanes há um bom espaço rosado).

Hugo descobriu que: não procurei o jardineiro para tratar do jardim, o pedreiro para tratar da piscina rachada, não fiz minhas contas, faltei a uma prova de um vestido de noite, quebrei toda a rotina.

Uma noite, Natasha telefona. Supostamente eu passara as noites em seu estúdio. E ela me pergunta:

– O que você tem feito estes últimos dez dias? – Não posso responder à sua pergunta senão Hugo me ouvirá.

– Por que Natasha lhe telefonou? – pergunta ele.

Mais tarde, na cama, Hugo está lendo. Enquanto escrevo, quase sob os olhos dele, ele não pode imaginar que o que estou escrevendo é tão traiçoeiro. Estou pensando o pior do que jamais pensei a respeito dele.

Hoje, enquanto trabalhávamos no jardim, me senti como se estivesse em Richmond Hill novamente, cercada de livros e transes, com Hugo passando por ali, na esperança de me ver. *Mon Dieu*, por um momento, hoje, estive apaixonada por ele, pela alma e pelo corpo virgem daqueles dias da juventude. Uma parte de mim cresceu imensuravelmente, enquanto me agarrei ao meu amor jovem, a uma memória. E agora a mulher deitada nua na enorme cama observa seu jovem amor curvado sobre ela e não o quer.

Desde aquela conversa com Henry, quando admiti mais do que jamais admiti a mim mesma, minha vida se alterou e se tornou deformada. A inquietação que era vaga se tornou intoleravelmente clara. Aqui está onde ela me atinge, no meio do casamento mais perfeito, mais bem estruturado. Quando isso se abala, então minha vida inteira se esfacela. Meu amor por Hugo se tornou fraterno. Olho quase com horror para essa mudança, que não é súbita, mas lenta para aparecer na superfície. Eu havia fechado os olhos para todos os sinais. Acima de tudo, temia admitir que não queria a paixão de Hugo. Eu havia contado com a facilidade com que distribuiria meu corpo. Mas não é verdade. Nunca foi. Quando eu corria para Henry, foi para Henry como um todo. Estou assustada porque percebi toda a extensão do meu aprisionamento. Hugo me isolou, estimulou meu amor por solidão. Arrependo-me agora de todos aqueles anos em que ele não me deu nada a não ser seu amor e eu me virei para dentro de mim mesma para o resto. Anos famintos, perigosos.

Eu deveria modificar toda a minha vida, e não posso fazer isso. Minha vida não é tão importante quanto a de Hugo, e Henry não precisa de mim porque tem June. Mas seja lá o que for em mim que se expandiu para fora e para além de Hugo continuará.

Maio

Nunca percebi tão claramente quanto hoje à noite que meu hábito de escrever em diários é um vício, uma doença. Cheguei em casa às sete e meia exausta por uma magnífica noite com Henry e três horas com Eduardo. Não tive força para ir procurar Henry outra vez. Jantei, fumei sonhadoramente. Deslizei para o meu quarto, tive a sensação de ser envolvida, de cair dentro de mim mesma. Peguei meu diário de seu último esconderijo debaixo da mesa de cabeceira e joguei-o sobre a cama. E tive a sensação de que esta é a maneira de um fumante de ópio preparar seu cachimbo. O diário, como um fragmento de mim mesma, partilha de minhas duplicidades. Para onde foi minha enorme fadiga? Às vezes paro de escrever e sinto uma profunda letargia. E então um sentimento demoníaco me impele a continuar.

Faço confidências a Allendy. Converso profusamente sobre minha infância, cito de meus primeiros diários frases óbvias sobre papai – tão inteligíveis agora, minha paixão por ele. Também meu complexo de culpa; senti que não merecia nada.

Discutimos sobre finanças e eu lhe digo que os custos das visitas me impedem de vê-lo mais frequentemente. Ele não só reduz o preço pela metade como permite que eu pague em parte trabalhando para ele. Sinto-me lisonjeada.

Conversamos sobre problemas físicos. Estou pesando menos do que deveria. Alguns quilos a mais me dariam segurança. Será que Allendy acrescentará remédios ao tratamento psíquico? Confesso o medo que tenho de que meus seios sejam pequenos talvez porque eu tenha elementos másculos em mim e metade do meu corpo pareça adolescente por causa disso.

Allendy:
– Eles não se desenvolveram?
– Não. – Como ficamos embaraçados, eu digo: – Você é um médico; eu simplesmente vou mostrá-los a você. – E assim faço. Então ele ri de meus temores.

– Perfeitamente femininos – diz –, pequenos mas bem delineados... uma adorável figura. Alguns quilos a mais, sim – e vejo como minha autocrítica é desproposital.

Ele observou o aspecto incomum de minha personalidade. Como se envolta numa névoa, velada. Nada de novo para mim, exceto que eu não sabia que isso podia ser detectado tão facilmente. Por exemplo, minhas duas vozes, que se tornaram aparentes ultimamente: uma, de acordo com Fred, é como a de uma criança antes de sua primeira comunhão, tímida, surda. A outra é segura, mais profunda. Ela aparece quando eu tenho grande confiança.

Allendy acha que eu criei uma personalidade completamente artificial, como um escudo. Eu me escondo. Construí um modo sedutor, afável, alegre, e nele fico escondida.

Eu havia pedido a ele que me ajudasse fisicamente. Foi uma ação sincera, mostrar a ele os meus seios? Será que quis testar o meu charme sobre ele? Será que não fiquei satisfeita por ele me fazer elogios? Por ele demonstrar mais interesse em mim?

É Allendy ou Henry quem está me curando?

O novo amor de Henry me tem num estado de êxtase tal como eu nunca experimentei. Ele queria manter-se afastado. Não queria ficar em meu poder. Não queria acrescentar-se à "lista" de meus amantes. Não queria ficar sério. E agora! Ele quer ser meu marido, ter a mim todo o tempo; escreve cartas de amor à criança que eu era aos onze anos, que o tocou profundamente. Quer me proteger e me dar coisas.

– Nunca pensei que uma coisinha tão frágil pudesse ter tanto poder. Eu já lhe disse alguma vez que você não era bonita? Como pude dizer isso! Você é linda, você é linda. – Quando ele me beija agora eu não me afasto.

Agora posso mordê-lo quando deitamos na cama.

– Nós nos devoramos, como dois selvagens – disse ele.

Perco o meu medo de me mostrar nua. Ele *me* ama. Rimos do fato de eu ganhar peso. Ele me fez mudar o cabelo porque não gostava do penteado severo à moda espanhola. Eu o joguei para trás e para o alto acima das orelhas. Sinto-me levada pelo vento. Pareço mais jovem. Não tento ser a *femme fatale*. É inútil. Sinto-me amada por mim mesma, pelo meu eu interior, por cada palavra que escrevo, por meus acanhamentos, minhas tristezas, minhas lutas, meus defeitos, minha fragilidade. Amo Henry da mesma maneira. Não consigo nem mesmo odiar sua mania de correr atrás de outras mulheres. Apesar de seu amor por mim, ele está interessado em conhecer Natasha e Mona Paiva, a dançarina. Tem uma curiosidade diabólica sobre as pessoas. Nunca conheci um homem com tantos lados, com tamanho âmbito.

Ter um dia de verão como hoje e uma noite de verão com Henry – não peço nada mais.

Henry me mostra as primeiras páginas de seu próximo livro, *Primavera negra*. Ele assimilou meu romance e escreveu uma fantástica paródia dele, incitado parcialmente por seu ciúme e raiva, porque na outra manhã, quando o deixei, Fred me chamou até seu quarto e quis me beijar. Eu não deixei, mas Henry ouviu o silêncio e imaginou a cena e a minha infidelidade. As páginas me fascinaram – sua perfeição, fineza e perspicácia, e o tom fantástico. Há poesia nelas também, e uma ternura secreta. Ele criou um recanto especial em si próprio para mim.

Esperava que eu tivesse escrito dez páginas pelo menos sobre aquela noite que passamos conversando até a madrugada. Mas algo aconteceu à mulher com um caderno de notas. Cheguei em casa e mergulhei em meu prazer que sinto com ele como num dia quente de verão. O diário é secundário. Tudo é secundário para Henry. Se ele não tivesse June, eu daria tudo para viver com ele. Cada aspecto diferente dele me prende: Henry corrigindo meu romance com surpreendente cuidado, com interesse, com admiração, com completa compreensão; Henry, sem autoconfiança, tão extraordinariamente modesto; Henry, o demônio, incitando-me, fazendo comentários diabólicos; Henry escondendo os sentimentos de Fred e demonstrando uma imensa ternura para mim. Ontem à noite na cama, semiadormecido, ele ainda murmurava:

– Você é tão maravilhosa, não há homem bom o suficiente para você.

Ele me fez mais honesta comigo mesma. E então diz:

– Você me dá tanto, tanto, e eu não lhe dou nada.

Ele também sofre de falta de confiança. Fica inquieto em certas situações sociais se elas forem minimamente chiques. Não está seguro de meu amor. Acredita que sou sensual ao extremo e que por isso poderia com facilidade deixá-lo por um outro homem e por outros mais. Com isso eu rio. Sim, é claro que eu adoraria trepar cinco vezes por dia, mas teria que estar apaixonada. Isso é certamente um empecilho, uma inconveniência. E eu só posso amar um homem de cada vez.

– Eu quero que você pare comigo – diz Henry. – Adoro o fato de você não ser promíscua. Fiquei terrivelmente preocupado quando ficou interessada em Montparnasse. – E então ele começa a me beijar. – Você me pegou, Anaïs. – Ele tem carícias brincalhonas, às vezes quase infantis para mim. Esfregamos os narizes, ou ele mastiga meus cílios, ou passa o dedão sobre o contorno de meu rosto. E então eu vejo uma espécie de Henry-gnomo, um Henryzinho, tão terno.

Fred está certo de que Henry está me magoando muito. Mas Henry não pode mais me magoar. Nem mesmo sua infidelidade poderia me magoar. Além disso, eu exijo menos ternura. Henry está me endurecendo. Quando descubro que ele não gosta do meu perfume porque é delicado demais, a princípio fico um pouco ofendida. Fred ama Mitsouko, mas Henry gosta de perfumes acres, fortes. Ele sempre exige afirmação, potência.

É como ele me pedir para mudar o cabelo porque gosta de cabelos rebeldes. Quando pronunciou a palavra "rebeldia", reagi positivamente a ela, como se fosse algo que eu estivesse querendo. Cabelo rebelde. Suas mãos grossas e firmes passam pelo meu cabelo. Meu cabelo fica em sua boca quando dormimos. E quando cruzo as mãos atrás da cabeça, levantando o cabelo, á moda das gregas, ele exclama:

– É assim que eu gosto.

Sinto-me em casa em Clichy. Hugo não é necessário para mim. Apenas trago para ele meu cansaço de noites de insônia, um cansaço alegre. No começo da manhã, quando escapulo do apartamento de Henry, os trabalhadores de Clichy estão acordados. Eu carrego meu diário vermelho, mas é apenas um hábito, pois não levo nenhum segredo; Henry leu meus diários (este, ainda não). Também carrego algumas páginas do livro de Fred, delicadas como uma aquarela, ou algumas páginas do livro de Henry, que são como um vulcão. O velho padrão de minha vida está despedaçado. Ele pende à minha volta em pedaços. Grandes coisas vão acontecer de tudo isso. Sinto a fermentação. O trem que me leva para casa em Louveciennes sacode frases em minha mente como dados numa caixa.

Meu hábito de escrever no diário se quebra, porque era uma intimidade comigo mesma. Agora ele é interrompido constantemente pela voz de Henry, a mão dele sobre meu joelho.

Louveciennes é como um cofrezinho, esculpido, dourado, com paredes de folhas novas, botões, alamedas bem tratadas, nomes de flores sobre gravetos, velhas árvores, hera, visco. Vou enchê-lo com Henry. Subo o morro lembrando-me dele grave, distraído, observando dançarinas. Toco a campainha pensando em uma de suas correções engraçadas de meu livro. Em meu quarto tiro a roupa de baixo manchada. Lembro-me de frases suas que vou saborear à noite. O gosto do pênis dele ainda está em minha boca. Minha orelha arde de suas mordidas. Eu quero encher o mundo com Henry, com seus bilhetes diabólicos, plágios, distorções, caricaturas, tolices, mentiras, profundidades. O diário também será cheio de Henry.

No entanto, eu lhe disse que ele havia matado o diário. Ele vinha me provocando a respeito dele, e eu acabara de descobrir um prazer vegetativo. Estava deitada na cama depois do jantar, o vestido cor-de-rosa amassado e manchado. O diário era uma doença. Eu estava curada. Durante três dias não escrevera. Nem ao menos escrevera sobre nossa louca noite de conversas, quando ouvimos os pássaros, olhamos pela janela da cozinha e vimos a aurora. Eu havia perdido tantas auroras. Não ligava para nada exceto ficar ali deitada com Henry. Nada mais de escrever em diários. Então a implicância dele acabou. Ah, não, isso seria uma pena, disse ele. O diário não deve morrer. Ele sentiria falta dele.

Ele não morreu. Não consigo encontrar outra maneira de amar o meu Henry senão preenchendo páginas com ele quando não está aqui para ser acariciado e mordido. Quando o deixei esta manhã, cedo, ele estava dormindo. Eu tive uma vontade tão grande de beijá-lo. Senti um desespero quando arrumei minha valise preta em silêncio. Hugo estará em casa daqui a quatro horas.

Henry disse que em meu romance foi curioso notar a diferença entre aquela que fala com Hugo e aquela que fala com John. Com Hugo, eu me comporto ingenuamente, como criança, quase religiosamente. Com John, demonstro maturidade e destreza. É a mesma coisa ainda agora. Para Hugo dou explicações idealísticas de minhas ações, porque é isso que ele deseja. A Henry dou o contrário. Henry diz que depois de ler meu livro ele nunca mais pode ter certeza de mim. Seu mundanismo ajuda-o a captar toda revelação inconsciente, toda insinuação. Eu sinto que o livro magoaria Hugo, enquanto Henry sente que eu, no final, o glorifiquei. E é verdade. Henry até me ajudou a descartar algumas passagens que enfraqueciam o caráter de Hugo. Mas eu nunca mais escreverei sobre Hugo, porque o que escrevo para ele e sobre ele é hipócrita e infantil. Escrevo sobre ele como se escreve sobre Deus, com fé tradicional. Suas qualidades são preciosas para mim, mas não as mais inspiradoras. Tudo isso está terminado agora. E deixando de lado o esforço constante de exaltar meu amor por Hugo, eu também deixo os últimos vestígios de minha imaturidade.

Lembro-me daquela tarde em que Henry veio a Louveciennes depois de ler meu diário de infância, esperando encontrar uma garota de onze anos. Ainda estava sensibilizado pelas páginas daquele diário. Mas minha diabrura afastou a criança, e logo, logo eu o tinha provocado, dizendo coisas loucas e trepando comigo. Eu quis triunfar sobre a criança. Recusei-me a me tornar sentimental, a regredir. Foi como um duelo. A mulher em mim é forte. E Henry disse que estava embriagado de olhar para mim. Eu lhe disse que não o queria para marido (por que, não sei). Ri de sua atitude apaixonada. E no minuto em que ele se foi, quis tê-lo de volta, amá-lo com ferocidade. Eu havia ficado mais sensibilizada por sua seriedade e sentimentalismo alemães do que queria demonstrar. Heinrich! Como eu amo suas perguntas ciumentas, suas suspeitas cínicas, sua curiosidade. As ruas de Paris pertencem a ele, os cafés e as prostitutas. A escrita moderna pertence a ele; ele faz isso melhor do que qualquer um. Toda potência, do açoite do vento a uma revolução, pertence a ele.

Eu amo seus defeitos também. Um deles é descobrir defeitos, um hábito demoníaco de contradição. Mas isso importa, já que nos compreendemos tão bem que ele não consegue nos imaginar discutindo seriamente sobre nada? Quando penso nele conversando sobre June, vejo um homem muito magoado. Este homem em meus braços não me é muito prejudicial, porque precisa de mim. Ele chega a dizer:

– É estranho, Anaïs, mas com você eu me sinto relaxado. A maioria das mulheres faz o homem se sentir tenso. E eu me sinto muito bem por causa disso. – Eu lhe dou uma sensação de absoluta intimidade, como se fosse sua esposa.

Hugo está deitado na cama ao meu lado, e eu ainda estou escrevendo sobre Henry. A ideia de Henry sentado sozinho na cozinha de Clichy é insuportável para mim. E no entanto Hugo amadureceu por esses dias. Nós rimos juntos sobre isso. Agora que estamos livres de temores, estamos vivendo facilmente. Ele tem viajado com um homem do banco, um homem simples, alegre. E eles têm bebido juntos, trocado histórias obscenas e dançado em cabarés. Hugo finalmente se apegou aos homens. Ele amou isso. E eu digo:

– Vá, viaje bastante. Nós dois precisamos disso. Não podemos ter isso juntos. Não podemos dar isso um ao outro.

Penso em Fred observando os sacrilégios de Henry contra o bom gosto: acender um fósforo na sola de seu sapato, colocar sal no *pâté de foie gras,* beber os vinhos errados, comer *sauerkraut.* E adoro tudo isso.

Ontem Henry recebeu um telegrama de June: "Sinto sua falta. Preciso ir para junto de você brevemente". E Henry está zangado.

– Eu não quero que June venha e me torture e torture a você, Anaïs. Eu a amo. Não quero perdê-la. Assim que você partiu outro dia, comecei a sentir sua falta. "Sentir falta" não é a expressão certa; comecei a ansiar por você. Quero me casar com você. Você é preciosa, rara. Eu a vejo inteira agora. Vejo o rosto da criança, a dançarina, a mulher sensual. Você me fez feliz. Imensamente feliz.

Nós chegamos ao orgasmo juntos com desespero e frenesi. Eu fico em tamanho êxtase que soluço. Quero ser soldada a ele.

– Não sou eu – diz ele. – É algo que você criou de seu próprio eu maravilhoso. – Eu o obrigo a admitir que é a ele mesmo que eu amo, um Henry que conheço bem. Mas eu conheço o poder de June sobre nós dois. Digo a ele:

– June tem poder sobre mim, mas é a você que eu amo. Existe uma diferença. Você percebe?

– Esta é a maneira como eu a amo – responde ele. – E você tem poder também, de outro tipo.

– O que eu temo é que June nos separe não apenas física mas completamente.

– Não ceda a June – diz Henry. – Conserve sua mente maravilhosa. Seja forte.

– Eu poderia dizer o mesmo a você – respondo. – No entanto, sei que nem mesmo todo o poder de sua mente possa ajudar.

– Será diferente desta vez.

A ameaça. Nós conversamos. Estamos calados. Fred entrou no quarto. Estamos planejando uma maneira de eu poder passar alguns dias com Henry antes de sair de férias. Fred nos deixa. Henry me beija novamente. Deus, que beijo. Eu não consigo dormir quando penso neles. Ficamos deitados juntos. Henry diz que eu estou enrolada em volta dele como um gato. Eu beijo seu pescoço. Quando o pescoço dele aparece com a camisa aberta eu não consigo falar, o desejo me impele totalmente. Sussurro com a voz rouca em seu ouvido:

– Eu o amo – três vezes, num tom que o deixa assustado.
– Eu o amo tanto que quero até lhe dar mulheres!

Hoje não consigo trabalhar porque os sentimentos de ontem estão prontos a se lançar sobre mim vindos da suavidade do jardim. Eles estão no ar, nos cheiros, no sol, sobre mim mesma, como as roupas que eu uso. É demais amar assim. Eu preciso dele perto de mim em todos os momentos – mais do que perto, dentro de mim.

Odeio June, e no entanto há a beleza dela. June e eu derretidas juntas, como deveria ser. Henry tem que ter as duas. Eu quero ambos também. E June? June quer tudo; porque sua beleza exige isso.

June, tire tudo de mim, mas não Henry. Deixe-me Henry. Ele não é necessário para você. Você não o ama como eu o amo hoje. Você pode amar muitos homens. Eu amarei apenas alguns. Para mim, Henry é raro.

Estou dando a Henry a coragem de dominar e estontear June. Ele está se enchendo da força que meu amor lhe dá. Todos os dias eu digo que não posso amá-lo mais, e todos os dias descubro mais amor em mim para ele.

Heinrich, um outro belo dia com você está terminado, sempre cedo demais. E eu não estou vazia de amor ainda. Eu o amei quando você estava sentado ontem com a luz sobre o cabelo louro-acinzentado, o sangue morno aparecendo através de sua pele nórdica. Sua boca aberta, tão sensual. Sua camisa aberta. Em suas mãos grossas você segurava a carta de seu pai. Penso em sua infância nas ruas, em sua adolescência séria – mas sempre sensual – em muitos livros. Você sabe como os alfaiates se sentam como árabes concentrados em seu trabalho. Você aprendeu a cortar um par de calças quando tinha cinco anos. Escreveu seu primeiro livro durante um período de férias de duas semanas. Tocou *jazz* no piano para os adultos dançarem. Algumas vezes foi enviado para buscar o pai, que bebia num bar. Conseguia passar debaixo de portas de vaivém, você era tão pequeno. Puxava o casaco dele. Tomava cerveja.

Você abomina beijar a mão de uma mulher. Ri disso. Fica tão bem em todos os seus ternos velhos, em todas as suas roupas usadas. Conheço seu corpo agora. Sei de que diabruras é capaz. Você é algo para mim que nunca li em seus escritos nem ouvi falar por meio de June ou seus amigos. Todos pensam no barulho e na força que você representa. Mas eu ouvi e senti a suavidade. Existem palavras em outras línguas que devo usar quando falo sobre você. Em minha própria, penso em: *ardiente, salvaje, hombre.*

Quero estar onde quer que você esteja. Deitada ao seu lado mesmo se você estiver dormindo. Henry, beije meus cílios, ponha seus dedos sobre minhas pálpebras. Morda minha orelha. Empurre meu cabelo para trás. Aprendi a desabotoar sua roupa com tanta rapidez. Tudo, em minha boca, chupando. Seus dedos. O calor. O frenesi. Nossos gritos de satisfação. Um para cada impacto de seu corpo contra o meu. Cada golpe, uma pontada de prazer. Perfurando numa espiral. O âmago tocado. O útero suga, para a frente e para trás, aberto, fechado. Os lábios adejando, línguas de cobra adejando. Ah, a ruptura – uma célula de sangue explodindo de prazer. Dissolução.

Nós três estamos no sofá, olhando para um mapa da Europa. Henry me pergunta:

– Você ainda está ganhando peso?

– Sim, continuamente.

– Ah, Anaïs, não engorde – diz Fred. – Gosto de você como é.

Henry sorri.

– Mas Henry gosta dos corpos no estilo de Renoir – respondo.

– É verdade – diz Henry.

– Mas eu adoro magreza. Adoro seios virginais.

– Eu deveria amá-lo realmente, Fred. Foi um erro.

Henry não sorri. Conheço suas expressões de ciúme agora, mas Fred e eu continuamos a gracejar.

– Fred, depois que eu passar alguns dias com Henry, vou passar dois dias com você, num hotel, para poder levar Henry lá. Ele adora ser levado a hotéis onde eu estive. Dois dias.

– Vamos tomar café na cama. Perfume Mitsouko. Um hotel chique. Está bem?

Mais tarde Henry diz:

– É ótimo brincar, mas, Anaïs, não me atormente. Fico com ciúmes, terrivelmente enciumado. – Tenho vontade de rir porque já esqueci sobre os corpos de Renoir, os seios virginais.

Quando Henry telefona, sinto sua voz em minhas veias, quero que ele fale comigo. Como Henry, respiro Henry. Henry está no sol. Minha capa é o braço dele em volta de minha cintura.

Café de la Place, Clichy. Meia-noite. Pedi a Henry para escrever alguma coisa no diário. Ele escreveu: "Imagino que agora sou uma personalidade muito famosa e estou recebendo um dos meus livros para autografar. Então escrevo com a mão rígida, um pouco pomposamente. *Bonjour, papa!* Não, não posso escrever em seu diário agora, Anaïs. Algum dia você o emprestará a mim, com algumas páginas em branco perto do fim – e eu escreverei um índice – um índice diabólico. Heinrich. Place Clichy. Não há nada sagrado em relação a este livro, exceto você".

Para encorajá-lo, eu havia dito:

– Não há nada sagrado em relação a este livro, e você pode até escrever do lado ou de cabeça para baixo.

Ele usava um quepe e parecia ter trinta anos.

Ontem à noite, quando Hugo teve que sair a serviço do banco e eu percebi que podia ir ver Henry, numa noite de verão quente, tive vontade de gritar. No táxi, sozinha, cantei e me balancei de alegria, murmurando:

– Henry, Henry. – E fiquei com as pernas bem fechadas, contra a invasão do sangue dele. Quando cheguei, Henry viu meu estado de espírito, que emanava de meu corpo e meu rosto. Sangue branco morno. Henry fodendo. Não há outra palavra.

Seus beijos estão molhados como chuva. Eu engoli seu esperma. Ele limpou o esperma de meus lábios com um beijo. Aspirei o cheiro de meu próprio mel sobre a boca dele.

Vou procurar Allendy num estado de grande júbilo. Falo-lhe primeiro sobre o artigo que estou escrevendo para ele, que achei desencorajadoramente difícil. Ele me fala de uma maneira mais simples de fazê-lo. Então eu lhe falo de um sonho que tive no qual lhe pedi para vir no concerto de piano de Joaquim porque eu precisava dele ali. No sonho, ele estava de pé nó corredor, avultando sobre as outras pessoas. O fato de eu ler os seus livros me elevou muito na estima dele. Perguntei a ele se realmente viria ao concerto. Sei que ele é muito ocupado, porém aceitou.

Falei-lhe sobre meus sonhos "molhados" e o sonho de um baile de rei. Ele disse que o molhado simbolizava fecundação, e o amor do rei era a conquista de meu pai através de outros homens. Naquele momento, pensou ele, eu estava num pico e mal precisava dele. Disse-lhe que não podia acreditar que a psicanálise funcionasse tão rapidamente. Elogiei os efeitos dela com extravagância. A maneira dele para comigo me deixou alegre também. Observei novamente seus olhos celtas. Então ele fez uma magnífica análise de meu casamento, de pedaços juntos aos poucos.

– Mas – diz Allendy – agora vem o teste de absoluta maturidade: a paixão. Você moldou Hugo como uma mãe, e ele é seu filho. Não consegue despertar sua paixão. Ele a conhece tão intimamente que talvez a paixão dele também se volte para outra pessoa. Vocês passaram por fases juntos, mas agora seguirão separados. Você própria experimentou a paixão com outra pessoa. Ternura, compreensão e paixão geralmente não andam juntas. Mas, também, ternura e compreensão são tão raras.

– Mas elas são imaturas – disse eu. – A paixão é tão poderosa.

Allendy sorriu, tristemente, pensei. Então eu disse:

– Esta análise, me parece, talvez se aplicasse aos sentimentos de Eduardo também.

– Não. Eduardo realmente a ama, e você o ama, eu creio.

Allendy estava errado. Quando eu o deixei, ainda alegre e corajosa, conversei com Eduardo.

– Ouça, querido – disse eu. – Eu acho que nós realmente nos amamos, de um modo fraterno. Não podemos viver um sem o outro, porque há muita compreensão entre nós. Se nos tivéssemos casado, teria sido um casamento como o de

Hugo comigo. Você teria trabalhado, se desenvolvido, sido feliz. Nós somos tão delicados e cuidadosos um com o outro. Também queremos paixão. Mas eu nunca consigo olhar para você como olho para outros homens. Você não pode ter uma paixão por mim como teria por uma mulher cuja alma não conhece. Creia-me, eu estou certa. Não se magoe. Eu me sinto ligada a você. Você precisa de mim. Nós precisamos um do outro. Encontraremos paixão em outro lugar.

Eduardo percebe que estou parcialmente certa. Sentamo-nos muito juntos no café. Caminhamos juntos muito próximos. Estamos um pouco tristes, um pouco alegres. Está quente. Ele cheira meu perfume. Eu olho para seu belo rosto. Nós nos desejamos. Mas é uma miragem. Apenas porque somos tão jovens, e é verão, e estamos caminhando bem juntinho.

Hugo vem para me levar para casa, e assim Eduardo e eu nos beijamos, e isso é tudo.

No concerto de Joaquim, Eduardo se senta ao meu lado, tão belo. Meu amante Henry está sentado onde eu não consigo vê-lo. Quando todos nós nos levantamos para o intervalo, Allendy fica de pé no corredor. Nossos olhos se fitam. Há tristeza neles, uma seriedade que me sensibiliza. Ao caminhar com meus movimentos felinos, sei que estou seduzindo Allendy, Eduardo, Henry e outros. Há um violinista italiano atraente e ardente. Há meu pai, que muda de lugar para se colocar em frente a mim. Há um pintor espanhol.

Uma camada de confiança física, uma camada de sedução tímida, uma camada de desespero infantil, porque mamãe fez uma cena tão grande ao ver papai chegar ao concerto. E o pobre Joaquim estava preocupado e nervoso, mas tocou soberbamente.

Henry ficou intimidado pela multidão. Apertei-lhe a mão com muita força. Ele parecia estranho e distante. Encarei meu pai com uma postura de estátua. Senti a criança em mim ainda assustada. Allendy avultava sobre a multidão. Eu tive vontade de caminhar até ele, como no sonho, e ficar de pé ao seu lado. Será que ele me daria força? Não. Ele próprio algumas vezes fraqueja. Todo mundo tem sua timidez, suas dúvidas. Eu carrego camadas de sentimentos, sensações. O pesado lamê sobre meu corpo nu. A carícia da capa de veludo. O peso das mangas cheias. O brilho hipnótico das luzes. Estou consciente de meu andar rastejador, de mãos apertando as minhas.

Eduardo está drogado. Com minhas palavras, meu perfume (Narcisse Noir). Quando ele encontrou Henry, empertigou-se, orgulhoso, bonito. No carro, sua perna procura a minha. Joaquim me cobre com sua capa. Quando entro no Café du Rond Point, todo mundo olha para mim. Vejo que os enganei. Escondi o eu menor.

Hugo está paternal, protetor. Paga o champanhe. Eu anseio por Henry, que conseguiria despedaçar todas as camadas que me sufocam, abrir a ostra hipnotizada com seu medo do mundo.

Digo a Henry:
– Você conheceu muita paixão, mas nunca conheceu a proximidade, a intimidade com uma mulher, a compreensão.
– É verdade – retrucou ele. – A mulher para mim era uma inimiga, uma destruidora, alguém que me tirava as coisas, não alguém com quem eu pudesse viver intimamente, alguém com quem pudesse ser feliz.

Começo a ver a preciosidade do que Henry e eu sentimos um pelo outro, do que ele me dá que não deu a June. Começo a compreender o sorriso pensativo de Allendy quando deprecio o amor terno, a amizade.

O que ele não sabe é que eu devo completar as partes não realizadas de minha vida, que devo ter o que perdi até aqui, completar a mim mesma e à minha própria história.

Mas não consigo desfrutar do sexo pelo sexo, independente de meus sentimentos. Sou inerentemente fiel ao homem que me possui. Agora é uma fidelidade completa a Henry. Tentei desfrutar da companhia de Hugo hoje, para agradá-lo, mas não consegui. Tive que fingir.

Se não houvesse nenhuma June no mundo hoje, eu poderia conhecer o fim de minha inquietação. Acordei uma manhã chorando. Henry havia dito para mim:

– Realmente não sinto nenhum prazer em seu corpo. Não é o seu corpo que eu amo. – E a tristeza daquele momento volta. No entanto, da última vez que estivemos juntos ele dissera coisas incríveis sobre a beleza de minhas pernas e como eu sabia foder tão bem. Pobre mulher!

Tanto Hugo quanto Henry gostam de observar meu rosto quando fazem amor comigo. Mas agora, para Hugo, meu rosto é uma máscara.

Allendy disse a Hugo no concerto que eu era uma pessoa muito interessante, que eu reagia sensível e rapidamente. Que eu estava quase curada. Mas naquela noite tive outra vez a sensação de querer estontear Allendy, enquanto escondia uma parte secreta de meu verdadeiro ser. Sempre deve haver algo secreto. De Henry eu escondo o fato de que raramente sinto satisfação sexual porque ele gosta de minhas pernas bem abertas, e preciso fechá-las. Não quero diminuir seu prazer. Além disso, sinto uma espécie de prazer disseminado que, embora seja menos penetrante, dura mais tempo do que um orgasmo.

Henry escreveu-me uma carta depois do concerto. Coloquei-a debaixo do travesseiro ontem à noite: "Anaïs, fiquei fascinado com sua beleza! Perdi a cabeça, senti-me infeliz. Tenho sido cego, cego, disse para mim mesmo. Você parecia uma princesa ali. Era a Infanta! Olhava para mim completamente desapontada. Qual foi o problema? Eu parecia burro? Provavelmente. Tive vontade de me ajoelhar e beijar a barra de seu vestido. Você me mostrou tantas Anaïses – e agora esta! – como se para provar sua versatilidade multiforme. Sabe o que Fraenkel me disse? 'Nunca esperei ver uma mulher tão bonita quanto aquela. Como pode uma mulher de tal feminilidade, tal beleza, escrever um livro [sobre D. H. Lawrence]?' Ah, aquilo me agradou infinitamente! O pequeno tufo de cabelo puxado por cima da cabeça, os olhos brilhantes, a linha do ombro benfeita, e aquelas mangas que eu adoro, reais, florentinas, cheias de feitiço! Não vi nada abaixo do colo. Estava excitado demais para me afastar e observá-la. Como quis carregá-la para longe para sempre. Fugir com a Infanta. Febrilmente procurei o Pai. Acho que o localizei. O cabelo dele foi a pista. Cabelo estranho, rosto estranho, família estranha. Pressentimento de gênio. Ah, sim, Anaïs, estou percebendo tudo com muita calma – porque você pertence a outro mundo. Não vejo nada em mim que atraia seu interesse. Seu *amor*? Isso me parece fantástico agora. É alguma brincadeira divina, alguma peça cruel que você está pregando em mim... *Eu a quero*".

Eu disse para Allendy:
– Não me analise hoje. Vamos conversar sobre você. Estou entusiasmada com seus livros. Vamos conversar sobre a morte.

Allendy concorda. Então falamos sobre o concerto de Joaquim. Ele disse que meu pai parecia um rapaz. Henry o fez pensar num famoso pintor alemão – suave demais, talvez até um pouco estranho? Um homossexual inconsciente? Agora estou surpresa.

Meu artigo foi bom, diz Allendy, mas por que não quero ser analisada? Assim que começo a depender dele quero ganhar sua confiança, analisá-lo, encontrar uma fraqueza nele, conquistá-lo um pouco porque fui conquistada.

Ele tem razão.

– Porém – protesto – me parece que isto é um sinal de simpatia. – Ele diz que sim, porque essa é a maneira com que trato todos aqueles a quem amo. Embora eu queira ser conquistada, faço tudo que posso para conquistar, e quando conquisto, minha ternura é estimulada e minha paixão morre. E Henry? É cedo demais para dizer.

Allendy diz que embora eu pareça estar procurando dominação, crueldade e brutalidade em Henry (encontrei-as em seus escritos), meu verdadeiro instinto me disse que havia uma suavidade no homem. E que embora eu pareça estar surpresa por Henry ser tão gentil, tão escrupuloso comigo, estou agora feliz de verdade. Conquistei novamente.

Fui cruel para com Hugo. Ontem não quis que ele viesse para casa. Senti uma terrível hostilidade. E ela transpareceu em mim. Henry e seu amigo Fraenkel estavam lá à noitinha. Detive Hugo quando ele lia alto, algo longo demais, monótono, e mudei de assunto tão bruscamente que Fraenkel reparou. Mas Fraenkel gostou de Hugo, o teve em alta conta. Uma vez Hugo moveu a cadeira, depois de ter posto uns livros e manuscritos no chão. Mais tarde sentou-se na cadeira, e o manuscrito de Henry ficou bem debaixo de uma perna da cadeira. Isso me deixou inquieta. Finalmente me levantei e apanhei-o com ternura.

Houve um momento engraçado quando Fraenkel conversava sobre a maneira de Henry dormir profundamente e quanto tempo ele dormia. Olhei com malícia para Henry e disse:

– É assim? Verdade?

O meu Henry escutava como um grande urso o pequeno e sinuoso Fraenkel explicar ideias abstratas complexas. Fraenkel tem paixão por ideias. Fraenkel, como Henry diz, é uma ideia. Há um ano aquelas ideias me teriam enchido de prazer. Mas Henry me fez algo. Henry o homem. Só consigo comparar o que sinto aos sentimentos de *lady* Chatterley sobre Mellors. Não consigo nem pensar no trabalho de Henry ou no próprio Henry sem sentir o útero agitar-se. Hoje só tivemos tempo para beijos, e eles me derreteram.

Hugo me diz que seu instinto lhe assegura que não há nada entre Henry e eu. Ontem à noite, quando pus a carta de Henry debaixo do travesseiro, perguntei-me se o papel faria algum ruído e se Hugo o ouviria, se ele leria a carta enquanto eu dormia. Estou me arriscando muito, com alegria. Quero fazer grandes sacrifícios por meu amor. Meu marido, Louveciennes, minha bela vida – por Henry.

Allendy diz:

– Entregue-se por completo a uma pessoa. Dependa. Encoste-se. Tenha confiança. Não tenha medo da dor.

Eu acho que me entreguei, com Henry. E no entanto ainda me sinto só e dividida.

Ele me deixou na estação St. Lazare ontem à noite. Comecei a escrever no trem, a equilibrar o pulo de bota de sete léguas de minha vida com a atividade da caneta. As palavras corriam para a frente e para trás como formigas carregando migalhas: migalhas tão pesadas. Maiores do que as formigas.

— Você tem tinta roxa suficiente? — perguntou Henry. Eu não devia estar usando tinta, mas perfume. Devia estar escrevendo com Narcisse Noir, com Mitsouko, com jasmim, com madressilva. Conseguiria escrever belas palavras que exalariam o cheiro forte do mel da mulher e do sangue branco do homem.

Louveciennes! Pare. Hugo está esperando por mim. Retrocesso. O passado. O trem para Long Beach. Hugo com uniforme de golfe. Suas pernas esticadas perto das minhas me excitam. Eu trouxe iodo porque ele costuma ter dores de dente repentinas. Uso um vestido de organdi, engomado e fresco, e um chapéu de aba larga com cerejas penduradas à direita, numa cava da grande aba mole. A multidão de domingo está corada, bronzeada, feia. Volto carregada com meu primeiro beijo verdadeiro.

No trem novamente — desta vez para encontrar Henry. Quando ando desse modo, com a caneta e o diário, me sinto extraordinariamente segura. Vejo o buraco em minha luva e um remendo na meia. Tudo porque Henry tem que comer. E estou feliz por poder dar a Henry segurança, alimento. Em determinadas situações, quando olho em seus olhos azuis inescrutáveis, tenho a sensação de uma felicidade tão torrencial que me sinto esvaziada.

Eduardo e eu íamos passar a tarde toda juntos. Começamos com um almoço farto na Rotisserie de la Reine Pédaque, um lugar que deixa uma pessoa com fome. Conversa maliciosa, psicanalítica. Morangos frescos. Eduardo afetuoso, desejável. Então eu digo:

— Vamos ao cinema. Sei de um filme que deveríamos ver.

Ele está obstinado. Mas não há mais pena nem fraqueza em mim. Sou tão obstinada quanto ele. Eduardo com o Hotel

Anjou em mente. Eu com o sangue de Henry em minhas veias. Durante todo o almoço pensei em quanto gostaria de trazer Henry ao lugar. Dar-lhe a comida daqueles enormes pratos de banquete de contos de fadas. Eduardo fica muito zangado, de maneira fria. Ele diz:

– Vou levá-la à estação St. Lazare. Você pode pegar o trem das 2h25.

Mas tenho um encontro com Henry às seis horas. Caminhamos um pouco juntos e então nos separamos, ambos zangados, quase sem dizer nada. Eu o vejo caminhar sem rumo e desolado. Atravesso a rua e me dirijo ao Printemps. Vou até o balcão de colares, pulseiras e brincos, que sempre me fascinam. Fico ali parada como uma selvagem fascinada. Brilhantes. Ametistas. Turquesas. Safiras. Esmeraldas. Eu gostaria de estar nua e me cobrir de joias de pedras frias. Joias e perfume. Vejo duas pulseiras de aço largas. Algemas. Sou escrava das pulseiras. Logo estão presas a meus pulsos. Pago. Compro batom, pó, esmalte de unhas. Não penso em Eduardo. Vou ao cabeleireiro, onde posso me sentar inerte. Escrevo com um punho envolto em aço.

Mais tarde, Henry faz perguntas. Recuso-me a responder. Recorro a truques femininos. Guardo o segredo de minha fidelidade. Apertamos os braços um do outro ao caminhar pelas ruas de Paris. Uma hora perigosa. Já experimentei hoje o estranho prazer de magoar Eduardo. Agora quero ficar com Henry e magoar Hugo. Não posso suportar ir para casa sozinha, enquanto Henry vai para Clichy. Estou atormentada pelo desejo que não pudemos satisfazer. E ele que agora tem medo de minha loucura.

Hoje Allendy fez suas perguntas implacavelmente. Não posso escapar. Quando tento mudar de assunto, ele me responde, mas volta ao assunto a que estou me furtando. Está confuso pelo que lhe falo sobre Eduardo, sobre querer ser cruel com Hugo no mesmo dia, e sobre as pulseiras. Henry é obviamente o favorecido agora. Mas desde que Allendy chega à conclusão de que amo Eduardo, ele com certeza se perderá, embora veja claramente a luta entre o meu desejo de conquistar e meu desejo de ser conquistada. Procurei dominação em Henry, e ele de fato me domina sexualmente, mas fui iludida por seus escritos e sua enorme experiência.

Allendy não compreendeu os braceletes. Comprei dois deles, diz ele, em contradição a meu sentimento de satisfação em magoar Eduardo e Hugo. Assim que alcanço a crueldade, quero prostrar-me. Uma pulseira para Hugo e uma para Eduardo.

Nisto, eu não acredito. Escolhi as duas pulseiras com um sentimento de absoluta submissão a Henry e liberação da ternura que me une a Hugo e a Eduardo. Quando as mostrei a Henry, estendi os dois pulsos como se faz ao se ser algemado.

Allendy está examinando o momento no concerto quando o imaginei triste e preocupado. O que imaginei exatamente? Se tinha preocupações financeiras, preocupação com o trabalho, problemas emocionais?

– Emocionais – respondi rapidamente.

– O que você achou de minha esposa?

– Notei que ela não era bonita, e isso me deu prazer. Também perguntei à sua empregada se foi sua esposa que decorou a casa, porque gostei da decoração. Acho que eu estava fazendo comparações entre nós. Lamento por dizer que sua esposa não é bonita.

– Isso não é muito maldoso, se é tudo que você pensou.

– Mas também achei que eu estava bonita na noite do concerto.

– Você certamente estava *en beauté*. É tudo?

– É.

– Você está repetindo a experiência de sua infância. Identificando minha esposa, que tem quarenta anos, com sua mãe e perguntando-se se você consegue conquistar seu pai (ou eu) dela. Minha esposa representa sua mãe e é por isso que você não gosta dela. Você deve ter sido, quando criança, muito ciumenta de sua mãe.

Ele fala muito sobre a necessidade da mulher de ser subjugada, do prazer que ainda não conheço, acredita ele, de me entregar por inteiro. Primeiro no aspecto físico, porque Henry me excitou tão profundamente.

Começo a achar falhas em suas fórmulas, a ficar irritada com sua rápida enumeração de meus sonhos e ideias. Quando ele se cala, analiso minhas próprias ações e sentimentos. É claro que ele poderia dizer que estou tentando ver defeitos nele, igualá-lo a mim, porque ele obteve minha confidência sobre sua esposa. No momento sinto que ele é distintamente mais forte do que eu, e quero equilibrar isso fazendo uma análise independente sobre as pulseiras. Fico consequentemente metade submissa, metade rebelde.

Allendy acentua a ambivalência de meus desejos. Percebe que também está se aproximando da chave sexual de minhas neuroses, e eu percebo que ele é também um hábil detetive.

Para testar Hugo mencionei uma ou duas vezes a ideia de uma "noite fora" – uma vez por semana, talvez, quando cada um de nós poderia sair separadamente. Está óbvio que ele não encontra nenhum prazer em sair com Henry por causa de um ciúme obscuro.

Finalmente concordamos que eu poderia ir ao cinema com Henry e Fred enquanto ele saía com Eduardo. Na última hora, Eduardo não pôde ir. Eu me ofereci para adiar meu encontro. Hugo não admitiu. Disse que eu iria de qualquer maneira, e que aquilo seria bom para nós dois. Disse isso num tom de voz normal. Não sei ao certo se estava secretamente magoado por meu pedido de independência. Afirmou que não. Se está magoado ou não, isso é necessário. Sinto que gradativamente ele fará um bom uso de sua própria liberdade.

– Você acha que liberdade simplesmente significa que estamos nos afastando? – perguntou ele, ansioso. Isso eu neguei. Com certeza me afastei dele sexualmente, e, se existe algum ciúme em mim agora, não se deve à paixão física por ele, mas à mera possessividade. E já que não lhe dou meu corpo no sentido completo, ele tem direito à sua liberdade e tudo o mais. Seria apenas justo se ele encontrasse em algum outro lugar as mesmas alegrias que encontrei com Henry. Se o que Allendy diz é verdade, nós dois devemos encontrar a paixão fora de nosso amor. Naturalmente, isso me exige um esforço. Eu poderia guardar Hugo para mim mesma. A ideia de liberdade não ocorreu a ele. Fui eu que sugeri isso. Natasha me chamaria de boba.

O que posso fazer com minha felicidade? Como posso conservá-la, escondê-la, enterrá-la num lugar em que nunca possa perdê-la? Tenho vontade de me ajoelhar quando ela cai sobre mim como chuva, reuni-la com renda e seda e apertá-la sobre mim novamente.

Henry e eu nos deitamos completamente vestidos debaixo do cobertor áspero da cama dele. Ele fala de sua profunda alegria:

– Eu não posso deixá-la ir esta noite, Anaïs, quero você a noite inteira. Sinto que você me pertence. – Mas mais tarde, quando nos sentamos bem juntos num café, ele revela sua falta de confiança, suas dúvidas. O diário vermelho o deixou triste. Ele leu sobre seu poder sensual sobre mim. – Isso é tudo, isso é tudo? – quer saber. Ele é apenas isso para mim? Então tudo logo passará, uma atração passageira. Desejo sexual. Ele quer o meu amor. Precisa da segurança do meu amor. Eu lhe digo que o amo desde que passei aqueles poucos dias com ele em Clichy.

– No começo, sim, talvez fosse puramente sensual. Agora não.

Tenho a impressão de que não posso amá-lo mais do que amo. Eu o amo tanto quanto o desejo, e meu desejo é imenso. Cada hora que passo em seus braços poderia ser a última. Entrego-me a ela com frenesi. A qualquer momento, antes que eu o veja novamente, June poderia voltar.

Como June ama Henry? Quanto, até que ponto? Eu me pergunto em tormento.

Quando as pessoas se surpreendem de achá-lo terno e tímido, eu me divirto. Eu, também, me curvei à brutalidade de seus escritos, mas o meu Henry é vulnerável, sensível.

Como procura humildemente fazer Hugo gostar dele, como fica satisfeito quando Hugo é gentil com ele.

Ontem à noite, Hugo foi a um cinema, apreciou a novidade da experiência, dançou num cabaré com uma garota da Martinica, sentiu saudade de mim quando ouviu a música, como se estivéssemos muito longe um do outro, e voltou para casa ansioso por me possuir.

Depois da maneira suave, fácil com que Henry desliza para dentro do meu corpo, Hugo é terrível de suportar. Em tais momentos tenho a sensação de que posso enlouquecer e revelar tudo.

Henry tem um retrato de Mona Paiva, a dançarina, pregado acima de sua pia, junto de duas fotografias de June, uma minha e algumas de suas aquarelas. Eu lhe dou uma lata para suas cartas e manuscritos, e dentro da tampa ele cola o programa do concerto de Joaquim. Sobre a porta ele prega notas sobre a Espanha.

Cortei a tampa de minha caixa de pó – *N'aimez que Moi, Caron, Rue de la Paix*. Ele a carrega no bolso do colete. Também carrega um de meus lenços cor de vinho.

Ontem à noite ele disse:

– Eu sou tão rico porque a tenho. Sinto que sempre haverá muita coisa entre nós, que sempre haverá mudanças e novidades.

Ele quase disse:

– Nós seremos ligados e interessados um no outro além da ligação do momento. – E com esse pensamento, meu coração se apertou, e senti a necessidade de tocar em seu terno, seu braço, para saber que ele estava ali e, temporariamente, era todo meu.

Eu caminho, submersa em lembranças de Henry – como seu rosto se parece em determinados momentos, sua boca travessa, o som exato de sua voz, às vezes áspera, o aperto firme de sua mão, como ele ficou no casaco verde usado de Hugo, seu riso no cinema. Ele não faz um movimento que não reverbere em meu corpo. Tem a mesma altura que eu. Nossas bocas ficam no mesmo nível. Ele esfrega as mãos quando está excitado, repete palavras, sacode a cabeça como um urso. Tem um olhar sério e casto quando trabalha. Numa multidão, sinto sua presença antes de vê-lo.

Hoje percebi, com grande deleite, a extensão da influência de Henry sacudindo minha velha seriedade, com seus gracejos literários, seus manifestos loucos, suas contradições, seu estado de espírito instável, seu humor grotesco. Vejo a mim mesma como uma pessoa ridícula, por causa de meus constantes esforços em compreender os outros. Ouvimos dizer que Richard Osborn tinha enlouquecido.
— Viva! — exclamou Henry. — Vamos visitá-lo. Vamos tomar um drinque primeiro. Isso é raro, soberbo; não acontece todo dia. Espero que ele esteja realmente louco. — A princípio fiquei um pouco desconcertada, mas logo percebi o sabor do humor, e pedi mais. Henry me ensinou a brincar. Eu já havia brincado, à minha maneira, com humor leve, mas o dele é um humor vigoroso, que eu desfruto a ponto da histeria — como a manhã quando a aurora nos apanhou ainda conversando. Henry e eu calmos na cama, exaustos, mas ele ainda falava delirantemente sobre o coador que foi jogado por engano na privada, sobre roupa íntima de renda preta e coral etc., do que ele posteriormente criou a inigualável paródia de meu romance.
Em outra noite conversamos sobre o truque da literatura em eliminar o supérfluo, de forma que nós recebemos uma dose concentrada de vida.
Eu disse quase com indignação:
— É uma ilusão e a causa de muita decepção. A pessoa lê livros e espera que a vida seja assim, cheia de interesse e intensidade. E é claro que não é assim. Existem tantos momentos monótonos no ínterim, e eles, também, são naturais. Você, em seus livros, pregou a mesma peça. Eu esperava que todas as nossas conversas fossem vibrantes, excitantes. Esperava que você estivesse sempre embriagado, e sempre delirante. Então, quando vivemos juntos por alguns dias, caímos num ritmo profundo, quieto, natural.

– Você está desapontada?

– É muito diferente do que eu esperava, sim, menos sensacional, mas estou satisfeita.

Perdi o ritmo tranquilo e sereno de minha adolescência. E no entanto, quando Henry e eu nos sentamos juntos no Café de la Place Clichy, desfrutamos das profundas correntes serenas de nosso amor.

É June que dá febre. Mas é apenas uma febre superficial. A verdadeira febre indelével está na escrita de Henry. Ao ler seu último livro fico quase petrificada de admiração. Tento pensar sobre isso, dizer-lhe como o livro me afeta, e não consigo. É tão enorme, tão potente.

Tudo é tão doce entre Hugo e eu. Grande ternura e muita ilusão de minha parte sobre meus verdadeiros sentimentos. Fiquei sensibilizada pelo comportamento dele na outra noite e tentei retribuí-lo dando-lhe muito prazer. O modo como penso em Henry me aterroriza: é tão obsessivo. Devo tentar distrair meus pensamentos.

Quando Henry e eu conversamos sobre June, penso nela agora como um "personagem" que admiro. Como mulher, ele ameaça minha grande posse, e não posso mais amá-la. Se June morresse – frequentemente penso nisso –, se pelo menos ela morresse. Ou se deixasse de amar Henry, mas isso ela não fará. O amor de Henry é o refúgio para o qual ela volta, sempre.

Sempre que vou ao apartamento de Henry e ele está escrevendo uma carta para June, ou reescrevendo uma passagem sobre ela em seu livro, ou marcando o que se ajusta a ela em Proust ou Gide (ele a encontra em toda parte), sinto um medo intolerável: Ele é dela novamente. Ele percebeu que não ama ninguém a não ser ela. E de cada vez, com surpresa, eu o vejo largar o livro ou a carta e se virar inteiramente para mim, com amor, desejo. O último teste, o telegrama de June, me deu uma profunda segurança. Mas de cada vez que conversamos sobre ela sinto a mesma terrível ansiedade. Isso não pode durar. Não vou lutar contra os acontecimentos. No minuto em que June voltar, eu desisto de Henry. No entanto, não é assim tão simples. Não posso desistir de viver tão chegada a Henry como faço nestas páginas só para evitar a dor.

Allendy foi um super-homem hoje. Nunca serei capaz de descrever nossa conversa. Houve tanta intuição, tanta emoção. Até à última frase ele foi tão humano, tão verdadeiro.

Eu havia chegado num estado de espírito de fazer confidências, de negligência, pensando: não quero que Allendy me admire a menos que possa fazê-lo quando me conhecer exatamente como sou. Meu primeiro esforço para ter total sinceridade.

Conto-lhe em primeiro lugar que fiquei envergonhada com o que tinha dito da última vez sobre sua esposa. Ele riu e disse que já esquecera tudo e pergunta:

– Há alguma outra coisa que a preocupa?

– Nada em particular, mas gostaria de lhe perguntar se minha forte obsessão sensual é uma reação contra a introspecção excessiva? Tenho lido Samuel Putnam, que diz que "a maneira mais rápida de sair da introspecção é uma veneração do corpo, que leva à intensidade sexual".

Não consigo lembrar-me da resposta exata dele, mas percebo a ligação que ele faz da palavra "obsessão" com uma busca desesperada da satisfação. Por que o esforço? Por que insatisfação?

Aqui, sinto uma necessidade imperativa de lhe contar meu maior segredo: no ato sexual eu não sinto sempre o orgasmo.

Ele havia adivinhado isso desde o primeiro dia. Minha conversa sobre sexo tinha sido crua, arrojada, desafiadora. Não condizia com minha personalidade. Foi artificial. Traía uma incerteza.

– Mas você sabe o que é orgasmo?

– Ah, muito bem, do tempo em que o experimentava, e particularmente pela masturbação.

– Quando você se masturbou?

– Uma vez, no verão, em St. Jean de Luz. Estava insatisfeita e tive um forte desejo sexual. – Fico envergonhada de admitir que quando fiquei sozinha por dois dias me masturbei quatro ou cinco vezes por dia, e também frequentemente na Suíça, durante nossas férias, e em Nice.

– Por que só uma vez? Toda mulher faz isso, e com muita frequência.

– Acho que é errado, moral e fisicamente. Fiquei muitíssimo deprimida e envergonhada depois disso.

– Isso é tolice. A masturbação não é prejudicial ao corpo. É apenas o sentimento de culpa que temos sobre ela que oprime.

Eu costumava temer que ela diminuísse meu poder mental, minha saúde, e que eu me desintegraria moralmente.

Aqui, acrescento outros detalhes, que ele escuta em silêncio, tentando coordená-los. Conto-lhe coisas que nunca admiti inteiramente a mim mesma e que não escrevi em meu diário, coisas que quis esquecer.

Allendy está unindo os fragmentos e conversa sobre minha frigidez parcial. Descobre que também considero isso uma inferioridade e acredito que se deve a meu físico fraco. Ele ri. Atribui isso a uma causa psíquica, um forte senso de culpa. De cem mulheres sessenta se sentem como eu e nunca admitem isso e, o mais importante de tudo, diz Allendy, se eu pelo menos soubesse que pouca diferença isso faz para os homens e como eles desconhecem isso. Ele sempre transforma o que denomino de inferioridade numa coisa natural, ou uma coisa cuja maldição pode ser removida com facilidade. Imediatamente sinto um grande alívio e perco meu terror e mania de segredo.

Conto-lhe sobre June, de meu desejo de ser uma *femme fatale,* de minha crueldade em relação a Hugo e a Eduardo, de minha surpresa por eles me amarem tanto ou mais depois disso. Também discutimos minha conversa franca e arrojada sobre sexo, como eu inverto minha modéstia nata e verdadeira e exibo uma obscenidade forçada. (Henry diz que não gosta que eu conte histórias obscenas, porque isso não condiz comigo.)

– Mas estou cheia de dissonâncias – digo, sentindo aquela estranha angústia que Allendy cria –, metade alívio, por causa de sua exatidão, metade tristeza por nenhuma razão específica, o sentimento de ter sido descoberta.

— Sim, e enquanto você não agir com perfeita naturalidade, de acordo com sua própria natureza, nunca será feliz. A *femme fatale* incita paixões nos homens, exaspera-os, atormenta-os, e eles querem possuí-la, até mesmo matá-la, mas não a amam profundamente. Você já descobriu que é amada profundamente. Agora você também descobriu que a crueldade para com Eduardo e Hugo os incitou, e eles a querem ainda mais. Isso a faz querer jogar um jogo que não é realmente natural para você.

— Sempre desprezei tais jogos. Nunca fui capaz de esconder de um homem que o amava.

— Mas você me diz que os amores profundos não a satisfazem. Você anseia por dar e receber sensações mais fortes. Eu compreendo, mas isso é apenas uma fase. Você pode fazer o jogo de vez em quando, para aumentar a paixão, mas amores profundos são os amores que se ajustam ao seu verdadeiro eu, e só eles a satisfarão. Quanto mais você age como você mesma, mais próxima chega de uma realização de suas reais necessidades. Você ainda está com um medo terrível de ser magoada; seu sadismo imaginário demonstra isso. Está com tanto medo de ser magoada que quer tomar a dianteira e magoar primeiro. Eu não perco as esperanças de reconciliá-la com sua própria imagem.

Tais foram as palavras dele, cruelmente reafirmadas e apenas parcialmente lembradas. Fiquei tão impressionada pela sensação de liberação de inumeráveis tensões, de sua capacidade de me liberar. A voz dele era tão suave e compassiva. Antes de ele terminar, eu soluçava. Minha gratidão foi imensa. Tive vontade de lhe dizer que o admirava e finalmente o fiz. Ele ficou calado enquanto eu soluçava, e então me fez a pergunta gentil:

— Eu não disse nada que a magoasse?

Eu gostaria de cobrir as últimas páginas com as alegrias de ontem. Enxurradas de beijos de Henry. As investidas de sua carne dentro da minha, enquanto eu arqueava o corpo para melhor soldá-lo ao dele. Se fosse necessário fazer uma escolha hoje entre June e eu, me diz ele, ele renderia June. Pôde imaginar-nos casados e desfrutando da vida, juntos.

– Não – replico, em parte provocadora, em parte séria.
– June é a única. Eu o estou fazendo maior e mais forte para June. – Uma meia verdade; não há escolha.

– Você é modesta demais, Anaïs. Não percebe ainda o que me deu. June é uma mulher que pode ser apagada por outras mulheres. O que June dá eu consigo esquecer com outras mulheres. Mas você se destaca. Eu poderia ter mil mulheres depois de você e elas não conseguiriam apagá-la.

Eu o escuto. Ele está fascinado, então exagera, mas isso é tão adorável. Sim, eu sei, por um momento, da raridade de June e da minha. A balança pende para mim no momento. Olho para minha própria imagem nos olhos de Henry, e o que vejo? A jovem dos diários, contando histórias aos irmãos, soluçando muito sem razão, escrevendo poesia – a mulher com quem se pode falar.

JUNHO

Ontem à noite Henry e eu fomos ao cinema. Quando a história ficou trágica, tensa, ele pegou minha mão, e nós entrelaçamos os dedos com força. A cada pressão eu partilhava da reação dele à história. Nós nos beijamos no táxi, no caminho para encontrar Hugo. E não consegui me afastar. Perdi a cabeça. Fui com ele para Clichy. Ele penetrou em mim tão completamente que quando voltei para Louveciennes e adormeci nos braços de Hugo, ainda achei que era Henry. Toda a noite foi Henry ao meu lado. Enrosquei o corpo em volta dele em meus sonhos. De manhã, encontrei-me fortemente abraçada com Hugo, e levei muito tempo para perceber que não era Henry. Hugo crê que eu estava muito amorosa ontem à noite, mas foi Henry que amei, Henry que beijei.

Uma vez que Allendy conquistou minha confiança por completo, vim pronta para falar francamente sobre frigidez.

Confesso isto: que quando encontrei prazer na relação sexual com Henry tive medo de ter um bebê e achei que não deveria ter orgasmo com muita frequência. Mas há alguns meses um médico russo me disse que isso não podia acontecer facilmente; na verdade, se eu quisesse um filho teria que me submeter a uma operação. O medo de ter um bebê, então, foi eliminado. Allendy disse que o próprio fato de eu não tentar me tranquilizar a esse respeito durante sete anos de vida de casada provava que eu realmente não dava qualquer importância ao assunto, que o usava meramente como desculpa por não me entregar durante o coito. Quando esse medo desapareceu, fui capaz de examinar mais intimamente a verdadeira natureza de meus sentimentos. Expressei uma inquietação em relação ao que eu denominava a passividade forçada das mulheres. No entanto, talvez duas vezes em cada três, eu me mantive passiva, esperando que o homem tivesse toda a atividade, como se eu não quisesse ser responsável pelo que estava desfrutando.

– Isso é para diminuir seu senso de culpa – disse Allendy. – Você se recusa a ser ativa e se sente menos culpada se é o outro que é ativo.

Depois da conversa anterior com Allendy, eu havia sentido uma ligeira mudança. Fui mais ativa com Henry. Ele reparou e disse:

– Eu adoro o modo como você me fode agora. E senti um prazer intenso.

O que mais me surpreende a respeito de June são as histórias de Henry quanto à sua agressividade, o modo de ela o ter, de procurá-lo quando lhe convém. Quando às vezes experimento agressividade, isso me dá um sentimento de tristeza, vergonha. Sinto agora uma paralisação psíquica ocasional em mim de certa forma semelhante à de Eduardo, exceto que ela é mais séria para um homem.

Allendy me forçou a admitir que desde a última análise eu tinha completa confiança nele e tinha passado a gostar muito dele. Tudo está bem, então, uma vez que é necessário para o sucesso da análise. No final da sessão ele pode usar a palavra "frigidez" sem me ofender. Eu chegava até a rir.

Uma das coisas que ele observou foi que eu estava me vestindo com mais simplicidade. Senti menos necessidade de roupas extravagantes. Poderia quase usar roupas feitas para qualquer um agora. As roupas sob medida, para mim, têm sido uma expressão externa de minha secreta falta de confiança. Incerta de minha beleza, explicou Allendy, eu criava roupas chamativas que me distinguiriam de outras mulheres.

– Mas – disse eu, rindo –, se eu me tornar feliz e banal, a arte de vestir, que deve sua existência puramente a um sentimento de inferioridade, ficará mortalmente afetada. – A base patológica da criação! O que será do criador se eu me tornar normal? Ou apenas adquirirei força, de forma a extravasar meus instintos de modo mais pleno? É provável que desenvolverei doenças diferentes e mais interessantes. Allendy disse que o que era importante era tornar-se quite com a vida.

Minha felicidade está em suspenso, e o que acontecer agora está determinado pelo próximo movimento de June. Enquanto isso eu espero. Estou dominada por um medo supersticioso de começar um outro diário. Este está tão cheio de Henry. Se eu tiver que escrever na primeira página do novo "June está aqui", saberei que perdi o meu Henry. Ficarei com apenas um pequeno livro de prazeres de encadernação roxa, é tudo, tão rapidamente escrito, tão rapidamente vivido.

O amor reduz a complexidade da vida. Fico impressionada de ver que quando Henry caminha em minha direção para a mesa do café onde eu o espero, ou abre o portão para nossa casa, sua imagem é suficiente para que eu exulte. Nenhuma carta de ninguém, mesmo em elogio ao meu livro, consegue agitar-me tanto quanto um bilhete dele.

Quando ele está embriagado, fica sentimental de uma maneira tão humana e tão simples. Começa a visualizar nossa vida juntos, como sua esposa:

– Você nunca será tão bela quanto quando eu a vir enrolar as mangas e trabalhar para mim. Nós poderíamos ser tão felizes. Você ficaria para trás em seus escritos!

Ah, o marido alemão. Com isso, eu rio. Então, fico para trás em meus escritos e me torno a esposa de um gênio. Eu havia desejado isso, entre outras coisas, mas nenhum trabalho doméstico. Nunca me casaria com ele. Ah, não. Sei que ele está satisfeito com a liberdade que lhe dou, mas que é extremamente ciumento e não me deixaria agir com tanta liberdade.

No entanto, quando o vejo tão infantilmente feliz com meu amor, hesito em fazer o jogo de preocupá-lo, enganá-lo, atormentá-lo. Nem mesmo sinto vontade de incitar seu ciúme tão dolorosamente.

É o papel de Fred, inconscientemente, envenenar minha felicidade. Ele enfatiza as incongruências do amor de Henry. Eu não mereço um amor pela metade, diz ele. Mereço coisas extraordinárias. Porra, o meio amor de Henry vale mais para mim do que todos os amores de mil homens.

Imaginei por um momento um mundo sem Henry. E jurei que no dia em que perder Henry eu matarei minha vulnerabilidade, minha capacidade para o verdadeiro amor, meus sentimentos com a devassidão mais frenética. Depois de Henry não quero mais amor. Só foder, por um lado, e solidão e trabalho por outro. Nada mais de mágoa.

Depois de não ver Henry por cinco dias, devido a mil obrigações, não pude suportar. Pedi a ele para se encontrar comigo durante uma hora entre dois compromissos. Conversamos por um momento e então fomos ao quarto de hotel mais próximo. Que necessidade profunda dele. Só quando estou em seus braços as coisas parecem direitas. Depois de uma hora com ele, pude continuar com o meu dia, fazendo coisas que não quero fazer, vendo pessoas que não me interessam.

Um quarto de hotel, para mim, tem a implicação de voluptuosidade, furtiva, fugaz. Talvez o fato de não ver Henry tenha aumentado minha fome. Eu me masturbo frequentemente, com luxúria, sem remorso ou repugnância. Pela primeira vez sei o que é comer. Ganhei dois quilos. Fico desesperadamente faminta, e a comida que como me dá um prazer duradouro. Nunca comi dessa maneira profunda e carnal. Só tenho três desejos agora, comer, dormir e foder. Os cabarés me excitam. Quero ouvir música rouca, ver rostos, roçar-me em corpos, beber um Benedictine ardente. Belas mulheres e homens atraentes provocam desejos ardentes em mim. Quero dançar. Quero drogas. Quero conhecer pessoas perversas, ser íntimas delas. Nunca olho para rostos inocentes. Quero morder a vida e ser despedaçada por ela. Henry não me dá tudo isso. Eu despertei o seu amor. Maldito seja seu amor. Ele sabe foder como ninguém, mas eu quero mais do que isso. Eu vou para o inferno, para o inferno, para o inferno. Selvagem, selvagem, selvagem.

Hoje levei meu estado de espírito até Henry, ou o que pude levar dele, pois me pareceu que transbordava como lava, e fiquei triste quando o vi tão quieto, sério, terno, não louco o bastante. Não, não tão louco como sua escrita. É June que queima Henry com palavras. Em seus braços esqueci minha febre por uma hora. Se pelo menos pudéssemos ficar sozinhos por alguns dias. Ele quer que eu vá à Espanha com ele. Lá, será que ele vai jogar a ternura de lado e ficar louco?

Será que é sempre assim? Não se encontra um par para um estado de ser, para uma fase, para um estado de espírito, nunca. Estamos todos sentados em gangorras. Aquilo de que Henry está cansado, eu sinto fome, com uma ânsia nova, fresca, vigorosa. O que ele quer de mim não estou com estado de espírito para dar. Que oposição em nossos próprios ritmos. Henry, meu amor, não quero mais ouvir falar de anjos, almas, amor, chega de profundidade.

Uma hora com Henry. Ele diz:
– Anaïs, você me sobrepuja. Desperta as sensações mais estranhas. Quando eu a deixei da última vez, eu a adorei. – Nós nos sentamos na beira de sua cama. Eu ponho a cabeça em seu ombro. Ele beija meu cabelo.

Logo estamos deitados lado a lado. Ele penetrou em mim, mas seu pênis de repente para de se mover e amolece.

Eu digo, sorrindo:

— Você não queria foder hoje.

Ele responde:

— Não é isso. É porque eu tenho pensado muito estes dias sobre envelhecer e como um dia...

— Você está louco, Henry. Velho, aos quarenta! Logo você, que nunca pensa em tais momentos. Ora, vai estar fodendo quando estiver com cem anos.

— Isto é tão humilhante — replica Henry, magoado, confuso.

Só consigo pensar no momento em sua humilhação, seus temores.

— É natural – digo. – Acontece às mulheres, também, só que nas mulheres isso não aparece! Elas conseguem esconder. Nunca lhe aconteceu antes?

— Só quando não quis minha primeira amante, Pauline. Mas quero você desesperadamente. Tenho um medo terrível de perdê-la. Ontem eu me preocupava como uma mulher. Quanto tempo ela me amará? Ela se cansará de mim?

Eu o beijo.

— Agora você me beija como se eu fosse uma criança, viu?

Observo que ele está envergonhado de si mesmo. Digo e faço tudo para ficar natural. Ele imagina que ficará impotente a partir de agora. Ao confortá-lo, escondo o começo de meus próprios temores e meu próprio desespero.

— Talvez – digo – você sinta que deve sempre foder comigo quando eu o procuro para que eu não fique desapontada. – Isso lhe vem à cabeça como a explicação mais verdadeira. Ele a aceita. Eu mesma sou contra nossos encontros pouco naturais. Não podemos nos encontrar quando queremos um ao outro. Isso é ruim. Eu o quero mais quando ele não está aqui. Imploro-lhe para não levar isso a sério. Convenço-o. Ele promete sair naquela noite, ir à mesma peça a que devo ir com algumas pessoas do banco.

Mas no táxi meus próprios temores desproporcionados voltam. Henry me ama, mas não sexualmente, não sexualmente.

Naquela mesma noite ele veio à peça e ficou sentado em cima, no balcão.

Senti sua presença. Olhei para cima, para ele, com tanta ternura. Mas o peso de meu estado de espírito me sufocou. Para mim estava tudo terminado.

As coisas morrem quando minha confiança morre. E no entanto...

Henry foi para casa e me escreveu uma carta de amor. No dia seguinte, telefonei e disse:

– Venha a Louveciennes se não estiver com disposição para trabalhar. – Ele veio imediatamente. Foi delicado, e me possuiu. Nós precisávamos disso, mas não me fez bem, não me ressuscitou. Pareceu-me que ele, como eu, estava fodendo só para se afirmar. Que peso de chumbo sobre mim, sobre meu corpo. Só tivemos uma hora juntos. Caminhei com ele até a estação. Enquanto caminhava de volta reli sua carta. Ela me pareceu pouco sincera. Literatura. Os fatos me dizem uma coisa, meus instintos outra. Mas será que meus instintos são apenas meus velhos temores neuróticos?

Estranho, esqueci-me do encontro com Allendy hoje e não lhe telefonei. Preciso dele terrivelmente, e no entanto quero lutar sozinha, brigar com a vida. Henry escreve uma carta, vem me procurar, parece amar-me, conversa comigo. Vazio. Eu sou como um instrumento que ele parou de registrar. Não quero vê-lo amanhã. Perguntei-lhe novamente outro dia:

– Mando dinheiro para June para que ela possa vir, em vez de dá-lo a você para que vá à Espanha? – Ele recusou.

Começo a pensar muito sobre June. Minha imagem de um Henry perigoso, sensual, dinâmico desapareceu. Faço tudo que posso para recaptá-la. Vejo-o humilde, tímido, sem autoconfiança. Quando disse de brincadeira outro dia: "Você nunca mais me terá", ele respondeu: "Você está me castigando".

O que percebo é que sua insegurança é igual à minha, meu pobre Henry. Ele deseja me provar como faz amor bem, provar sua potência, da mesma forma que quero saber se excito a potência.

No entanto, demonstrei coragem. Quando aquela cena, tão insuportavelmente igual à cena com John, aconteceu, não demonstrei preocupação, nem surpresa. Permaneci nos braços dele, rindo e conversando tranquilamente. Eu disse:

– O amor estraga o sexo. – Mas isso foi mais bravata do que qualquer outra coisa. O modo como sofri foi uma autorrevelação mais verdadeira.

Apesar de tudo isso, arrisquei meu casamento e minha felicidade para dormir com a carta de Henry debaixo do travesseiro, com a mão em cima dela.

Estou indo procurar Henry sem alegria. Tenho medo desse Henry terno que vou encontrar, parecido demais comigo. Lembro-me de que desde o primeiro dia esperei que ele tomasse a dianteira, em ação, em todas as coisas.

Pensei com desagrado na obstinação fulgurosa de June, em sua iniciativa, tirania. Pensei: "Não são as mulheres fortes que fazem os homens fracos, mas os homens fracos que fazem mulheres superfortes". Fiquei diante de Henry com a submissão de uma mulher latina, pronta para ser subjugada. Ele deixou que eu *o* subjugasse. Constantemente teme desapontar-me. Exagerou minhas expectativas. Preocupa-se sobre a duração e a intensidade de meu amor. Deixa o pensamento interferir em nossa felicidade.

Henry, você ama suas prostitutazinhas porque é superior a elas. Você realmente se recusa a encarar uma mulher do seu nível. Ficou surpreso de ver o quanto eu conseguia amar sem julgar, adorá-lo como nenhuma prostituta adorou. Bem, então, não está mais feliz por ser adorado por mim, e isso não o faz infinitamente superior? Será que todos os homens se encolhem diante do amor mais difícil?

Para Henry tudo está como antes. Ele não percebeu minha hesitação quando sugeriu que fôssemos ao Hotel Cronstadt. Nossa hora pareceu tão rica como sempre, e ele estava adorável. No entanto, tive a sensação de fazer um esforço para amá-lo. Talvez ele tenha apenas me assustado. Eu esperava que estivesse impotente novamente. Não tive a mesma confiança selvagem. Ternura, sim. A maldita ternura. Readquiri minha felicidade, mas foi uma felicidade fria. Senti-me desligada. Nós nos embriagamos, e então ficamos muito felizes. Mas eu pensava em June.

Voltando para casa depois de muito vinho branco: fogos de Quatro de Julho estourando do alto das luzes da rua. Estou engolindo a estrada de asfalto com um rugido de fera, engolindo as casas de olhos fechados e cílios de gerânio, engolindo postes telegráficos e *messages téléphoniques,* gatos vadios, árvores, morros, pontes...

Enviei minha peça surrealística a Henry, acrescentando: "Coisas que me esqueci de lhe contar: Que eu o amo, e que quando desperto de manhã uso a inteligência para descobrir mais maneiras de apreciá-lo. Que quando June voltar ela o amará mais porque eu o amei. Novas folhas brotam no topo de sua cabeça já tão rica".

Sinto a necessidade de lhe dizer que o amo porque não acredito nisso. Por que Henry se tornou para mim o pequeno Henry, quase uma criança? Compreendo o fato de June o deixar e dizer:

– Amo Henry como meu próprio filho. – Henry, que, antes, era uma ameaça gigantesca, um aterrorizador. Não pode ser!

Cabaré Rumba. Hugo e eu estamos dançando juntos. Ele é tão mais alto do que eu que meu rosto se aninha debaixo de seu queixo, contra seu peito. Um espanhol muito atraente (um dançarino profissional) está olhando para mim como um hipnotizador. Sorri para mim acima da cabeça de sua parceira. Respondo a seu sorriso, fito-o nos olhos. Bebo a mensagem dele. Respondo com a mesma mistura de prazer sensual e diversão. O sorriso dele está levemente esboçado em seu rosto. Sinto um prazer tão intenso em me comunicar com ele enquanto estou aninhada nos braços de Hugo. Estou planejando, ao sorrir para ele, voltar ao lugar e dançar com ele. Sinto uma tremenda curiosidade. Olhei para dentro desse homem, imaginei-o nu. Ele olhou para dentro de mim também, com olhos apertados de animal. A emoção da duplicidade libera um veneno insidioso. Durante todo o caminho de volta para casa o veneno se espalha. Compreendo agora como jogar por um momento com aqueles sentimentos que considerei sagrados demais. Na semana que vem em vez de sair com meu tranquilo "marido", Henry, vou procurar o espanhol. E mulheres – eu quero mulheres. Mas as lésbicas másculas do cabaré Le Fétiche não me agradaram em absoluto.

Agora também compreendo o cravo na boca de Carmen. Eu cheirava essência de laranja. Os botões brancos tocaram meus lábios. Eram como a pele de uma mulher. Meus lábios apertaram-nos, abriram e fecharam suavemente em volta deles. Beijos de pétalas macias. Eu mordi os botões brancos. Pedaço de carne perfumada, sedosidade da pele. A boca cheia de Carmen mordendo seu cravo; e eu, Carmen.

É péssimo que Henry tenha sido bom comigo, péssimo que ele seja um bom homem. Ele está percebendo uma sutil mudança em mim. Sim, ele diz, eu talvez pareça imatura à primeira vista, mas, quando estou despida e na cama, como sou mulher.

Outro dia Joaquim veio ao andar de baixo inesperadamente, até o salão, para me fazer uma pergunta normal, e Henry e eu tínhamos nos beijado. Isso estava claro no rosto de Henry, e ele ficou constrangido. Eu não me senti incomodada nem envergonhada. Fiquei ressentida com a intrusão e disse a Henry:

– Bem, foi bom para ele não ter vindo aqui quando não devia.

Se Henry perceber que estou ficando sem-vergonha, forte, segura de meus atos, recusando-me a ser influenciada por outros, se ele perceber o verdadeiro curso de minha vida agora, será que ficará diferente comigo? Não. Ele tem suas necessidades, e precisa da mulher em mim que era dócil, tímida, boa, incapaz de magoar, de agir impensadamente. Em vez disso, todo dia me aproximo mais de June. Começo a desejá-la, a conhecê-la melhor, a amá-la mais. Agora percebo que todas as mudanças interessantes na vida deles juntos foram feitas por June. Sem ela, ele é o observador tranquilo, não um participante. Henry e eu combinamos muito bem em termos de companhia, mas não para viver. Esperei que aqueles primeiros dias (ou noites) em Clichy fossem sensacionais. Fiquei surpresa quando caímos em conversas profundas e serenas e fizemos tão pouco. Eu esperava cenas dostoievskianas e encontrei um alemão gentil que não suportava deixar os pratos por lavar. Encontrei um marido, não um amante difícil e temperamental. Henry ficou, a princípio, até inquieto quanto a como me entreter. June teria sabido. No entanto, fiquei feliz e profundamente satisfeita porque o amava. Foi apenas nestes últimos dias que senti minha velha inquietação.

Sugeri a Henry que saíssemos, mas fiquei desapontada quando ele se recusou a me levar a lugares exóticos. Satisfez-se com um filme e com ficar sentado num café. Depois recusou-se a me apresentar a seus amigos devassos (para me proteger e me guardar). Quando ele não tomava a iniciativa, eu comecei a sugerir que fôssemos a outros lugares.

Uma noite tínhamos ido da estação de St. Lazare a um cinema e depois a um café. No táxi a caminho de me encontrar com Hugo, Henry começou a me beijar e me agarrei a ele. Nossos beijos ficaram frenéticos, e eu disse:

– Diga ao motorista para nos levar até o Bois. – Fiquei embriagada pelo momento. Mas Henry ficou assustado. Lembrou-me da hora, de Hugo. Com June, como teria sido diferente! Eu o deixei com tristeza. Não há realmente nada de louco em Henry, exceto seus escritos ardentes.

Faço um esforço para viver externamente, indo ao cabeleireiro, fazendo compras, dizendo a mim mesma:

– Não devo me entregar, devo lutar. – Preciso de Allendy, e não posso vê-lo até quarta-feira.

Quero ver Henry também, mas agora não conto com sua força. Aquele primeiro dia no Viking, ele disse:

– Eu sou um homem fraco – e não acreditei nele. Não amo homens fracos. Sinto ternura, sim. Mas, meu Deus, em alguns dias ele destruiu minha paixão. O que aconteceu? O momento em que duvidou de sua potência foi apenas uma centelha. Será que foi porque sua potência sexual era sua única força? Será que era só assim que ele me tinha? Será que foi uma mudança em mim?

Quando vai caindo a noite, começo a achar que não é muito importante que eu esteja decepcionada. Quero ajudá-lo. Estou feliz com o fato de seu livro estar escrito e por eu lhe ter dado uma sensação de segurança e bem-estar. Eu o amo de uma maneira diferente, mas o amo.

Henry é precioso para mim, como é. Eu me derreto quando vejo seu terno desfiado. Ele adormeceu enquanto me vestia para um jantar formal. Então veio ao meu quarto e me observou dar os últimos retoques. Admirou meu vestido verde oriental. Disse que eu me movia como uma princesa. A janela do meu quarto estava aberta para o jardim luxuriante. Isso o fez pensar no cenário de *Pelléas e Mélisande*. Ele se deitou no sofá. Eu me sentei ao lado dele por um momento e o afaguei. Disse:

— Você precisa comprar um terno — perguntando-me como eu conseguiria o dinheiro para isso. Não pude suportar ver as mangas desfiadas em volta dos punhos.

Sentamo-nos bem juntinhos no trem. Ele diz:

— Sabe, Anaïs, sou tão lento que não consigo perceber que vou perdê-la quando chegarmos a Paris. Estarei caminhando sozinho nas ruas, talvez vinte minutos depois, e de repente sentirei violentamente que não a tenho mais e que sinto sua falta.

E ele havia me dito numa carta: "Anseio por aqueles dois dias [Hugo vai para Londres], por passá-los tranquilamente com você, absorvendo-a, sendo seu marido. Adoro ser seu marido. Sempre serei seu marido quer você queira ou não."

No jantar, minha felicidade me fez sentir natural. Em minha mente eu estava deitada na grama com Henry em cima de mim; sorri para as pobres pessoas comuns em volta da mesa. Todas elas sentiram algo — até as mulheres, que quiseram saber onde eu comprava minhas roupas. As mulheres sempre acham que quando tiverem meus sapatos, meu vestido, meu cabeleireiro, minha maquiagem, tudo ficará da mesma maneira. Não cogitam o feitiço que é necessário. Não sabem que não sou bonita, que só pareço ser em determinados momentos.

– A Espanha – comentou meu acompanhante do jantar – é o país mais maravilhoso do mundo, onde as mulheres são realmente mulheres! – Eu pensava, gostaria que Henry provasse este peixe. E o vinho.

Mas Hugo sentiu algo também. Antes do banquete íamos nos encontrar na estação St. Lazare. Henry era esperado em Louveciennes para que ajudar com meu romance. Quando Henry e eu chegamos à estação juntos, Hugo não estava feliz. Começou a conversar rápido e seriamente sobre Osborn, "a criança prodígio". Pobre Hugo, e eu ainda podia sentir o cheiro da grama da floresta.

Caminhei com ele tão suavemente. E onde estava Henry? Será que já estava sentindo a minha falta? O sensível Henry, que tem medo de ser desagradável, de ser desprezado, um medo de que Hugo "saiba de tudo" ou de que eu fique envergonhada dele diante das pessoas. Não compreendo por que eu o amo. Eu o faço esquecer humilhações e pesadelos. Seus joelhos finos debaixo do terno puído despertam meus instintos protetores. Há um grande Henry, cujos escritos são tempestuosos, obscenos, brutais e que é apaixonado por mulheres, e há o pequeno Henry, que precisa de mim. Para o pequeno Henry eu economizo, poupo cada centavo que posso. Não posso acreditar agora que ele algum dia tenha me aterrorizado, me intimidado. Henry, o homem experiente, o aventureiro. Ele tem medo de nossos cachorros, de cobras no jardim, de pessoas quando não são *le peuple* [do povo]. Há momentos em que vejo Lawrence nele, só que ele é saudável e apaixonado.

Tive vontade de dizer a meu acompanhante da mesa no jantar ontem à noite:

– Sabe, Henry é tão apaixonado.

Faltei ao meu último encontro com Allendy. Estava começando a depender dele, a ser grata a ele. Por que parei por uma semana?, ele pergunta. Para ficar apoiada em meus próprios pés novamente, para lutar sozinha, para voltar a assumir minha vida, para não depender de ninguém. Por quê? O medo de ser magoada. Medo de que ele se tornasse uma necessidade e de que, quando minha cura estivesse completa, nosso relacionamento terminasse e eu o perdesse. Ele me lembra de que uma parte da cura é fazer-me autossuficiente. Mas, não confiando nele, demonstrei que ainda estou doente. Lentamente me ensinará a passar sem ele.

– Se você me deixasse agora, eu sofreria como médico por não ter sucesso em curá-la, e sofreria pessoalmente porque você é interessante. Veja, de certa maneira, preciso de você tanto quanto você precisa de mim. Você poderia magoar-me se me deixasse. Tente compreender que em todos os relacionamentos existe dependência. Não tenha medo de dependência. É a mesma coisa com a questão da dominação. Não tente controlar a balança. O homem deve ser o agressor no ato sexual. Depois disso ele pode se tornar uma criança e depender da mulher e precisar dela como mãe. Você não é dominante extrinsecamente, mas em autodefesa – contra a dor, contra o medo de abandono, que perpetuamente a faz lembrar o abandono pelo pai –, você tenta conquistar, dominar. Vejo que você não usa seu poder para o mal nem para a crueldade, mas apenas para se satisfazer quanto à eficácia dele. Você conquistou o seu marido, Eduardo e agora Henry. Não quer homens fracos, mas enquanto não ficam fracos em suas mãos, você não está satisfeita. Tenha cuidado com isso: deixe de lado a atitude defensiva, deixe de lado, acima de tudo, seus temores. Libere-se.

Henry me escreve uma carta irrefletida sobre a pequena Paulette de dezenove anos que Fred trouxe para Clichy para viver com ele. Henry está alegre porque ela está cuidando da casa e instiga Fred a se casar com ela porque é adorável. Essa carta me feriu. Visualizei Henry brincando com Paulette enquanto Fred ia trabalhar. Ah, eu conheço o meu Henry.

Encolhi-me para dentro de mim como um caracol, não tive vontade de escrever no diário, recusei-me a pensar, mas tenho que chorar. Se for ciúme, nunca mais devo infligir isso a Hugo, nem a ninguém. Paulette, em Clichy; Paulette, livre para fazer tudo para Henry, comer com ele, passar as noites com ele, enquanto Fred está no trabalho.

Uma noite de verão, Henry e eu estamos comendo num pequeno restaurante aberto. Somos parte da rua. O vinho que desce pela minha garganta desce por muitas outras gargantas. O calor do dia é como a mão de um homem sobre o peito. Envolve tanto a rua quanto o restaurante. O vinho solda a nós todos, Henry e eu, o restaurante e a rua e o mundo. Gritos e risadas dos alunos preparando-se para o Baile Qualz Arts. Eles estão vestidos com fantasias bárbaras, de pele-vermelha, com penas, saltando dos ônibus e carros. Henry diz:

— Quero fazer tudo com você esta noite. Quero deitá-la sobre esta mesa aqui mesmo e foder com você na frente de todo mundo. Estou louco por você, Anaïs. Estou doido por você. Depois do jantar vamos ao Hotel Anjou. Vou lhe ensinar coisas novas.

E então, espontaneamente, ele sente uma súbita necessidade de confessar:

— Naquele dia que a deixei em Louveciennes, embriagado... você acreditaria, enquanto eu jantava, uma moça veio e se sentou ao meu lado. Era apenas uma prostituta comum. Ali mesmo no restaurante pus a mão debaixo da saia dela. Fui a um hotel com ela, pensando em você o tempo todo, odiando a mim mesmo, lembrando-me de nossa tarde. Eu tinha ficado tão satisfeito. Minha cabeça era um turbilhão de pensamentos tal que, quando chegou o momento, não consegui foder com a garota. Ela me desprezou. Achou que eu era impotente. Eu lhe dei vinte francos, e lembro-me de ficar feliz por não custar ainda mais porque era seu dinheiro. Você pode compreender isso, Anaïs?

Tento manter os olhos firmes, mecanicamente digo que compreendo, mas estou confusa, magoadíssima. E agora ele sente necessidade de continuar:

– Só mais uma coisa. Preciso dizer a você uma coisa mais, e então é tudo. Uma noite em que Osborn acabara de receber o pagamento, ele me levou a um cabaré. Começamos a dançar e então levamos duas moças para Clichy. Quando estávamos sentados na cozinha elas nos pediram para acertar o preço. Pediram um preço alto. Eu quis que elas se fossem, mas Osborn pagou-lhes o que queriam e elas ficaram. Uma era dançarina acrobática e nos mostrou algumas de suas habilidades nua, apenas de sandálias. Então Fred chegou em casa às três horas, furioso de ver que eu tinha usado a cama dele, tirou os lençóis e mostrou-os para mim, dizendo: "Sim, sim e depois você diz que ama Anaïs". E eu amo, Anaïs. Acho até que talvez você sentisse um prazer perverso em me ver.

Agora curvo a cabeça e as lágrimas vêm. Mas continuo a dizer que compreendo. Henry está bêbado. Ele vê que estou magoada. E então jogo a mágoa para o alto. Olho para ele. A terra está balançando. Gritos e risadas dos estudantes na rua.

No Hotel Anjou nós ficamos deitados como lésbicas, chupando. Novamente, horas e horas de voluptuosidade. O letreiro do hotel, em luzes vermelhas, brilha dentro do quarto. O calor domina ali dentro.

– Anaïs – diz Henry –, você tem a bunda mais bonita. – Mãos, manipulação, ejaculações. Aprendo com Henry a brincar com o corpo de um homem, a excitá-lo, a exprimir meu próprio desejo. Nós descansamos. Um grande ônibus com estudantes passa. Eu pulo e corro até a janela. Henry está adormecido. Eu gostaria de estar no baile, de provar tudo.

Henry desperta. Acha divertido me ver nua à janela. Nós recomeçamos. Hugo talvez esteja no baile, penso. Quando lhe dei liberdade, sei que ele planejava ir. Hugo está no baile com uma mulher nos braços, e eu estou num quarto de hotel com Henry, com um letreiro luminoso brilhando através da janela, uma noite de verão cheia de gritos e risadas dos estudantes. Corri nua até a janela duas vezes.

Tudo isso é um sonho agora. Na hora em que aconteceu, tive uma sensação em meu corpo como diante de um aguaceiro. Meu corpo lembra do calor e da febre das carícias de

Henry. Uma história. Devo escrevê-la uma centena de vezes. Mas agora ela me traz dor. Em autoproteção eu terei que me afastar de Henry. Não posso suportar isso. Aguento enquanto Henry flui descuidadamente de mulher para mulher.

Hoje por um momento eu esmaeci: não importa. Ele que tenha suas mulherezinhas ordinárias se isso o faz feliz. O alívio de abrir a mão e liberar foi imenso. Mas logo depois eu me ressenti novamente. Um desejo por vingança, uma estranha vingança. Entrego-me a Hugo com tais sentimentos contra Henry e experimento um grande prazer físico. Minha primeira infidelidade para com Henry.

Que forças sutis agem sobre o ser sensual. Uma pequena mágoa, um momento de ódio, e eu consigo desfrutar de Hugo completa e freneticamente, tanto quanto desfrutei do próprio Henry. Não consigo suportar o ciúme. Tenho que matá-lo à altura. Para cada uma das prostitutas de Henry eu me vingarei, mas de uma maneira mais terrível. Ele sempre diz que de nós dois, eu, num certo sentido, cometo de longe os atos mais profanos. Por trás de minha própria embriaguez existe sempre uma certa conscientização, suficiente para me fazer recusar responder às perguntas de Henry e dúvidas a meu respeito. Eu não tento provocar ciúmes nele, mas também não admito minha fidelidade estúpida. É dessa maneira que as mulheres são empurradas para a guerra contra os homens. Não há nenhuma possibilidade de absoluta confiança. Confiar é colocar-se nas mãos de outra pessoa e sofrer. Ah, amanhã, como eu o punirei!

Já estou feliz porque quando Hugo voltou de Londres eu deixei beijar-me por muito tempo e me carregar nos braços, até os fundos do jardim, entre os arbustos de lilases.

Enquanto ele estava fora, eu me encontrei com Henry, levando meu pijama, pente e escova de dentes, mas pronta para fugir. Deixei-o falar:

– Essa Paulette e o Fred – diz ele –, eles são belos juntos. Não sei como isso terminará. Ela é mais jovem do que disse. Ficamos com medo a princípio que os pais dela criassem problemas para Fred. Ele me pede para cuidar dela à noitinha. Eu a tenho levado ao cinema, mas a verdade é que ela me aborrece. É tão jovem. Não temos nada a dizer um ao outro. Ela tem ciúmes de você. Leu o que Fred escreveu sobre você: "Estamos todos esperando a deusa hoje".

Eu rio e lhe digo o que tenho pensado. Posso ver em seu rosto como ele está desinteressado de Paulette, embora admita que é a primeira vez que fica indiferente.

– Ora, Paulette não é nada – diz ele. – Escrevi aquela carta entusiasticamente porque gostei do entusiasmo deles, participei dele.

Isso se tornou um assunto de provocação. Foi uma provação para mim ir a Clichy me encontrar com Paulette. Tive medo dela e tinha desejado lhe trazer um presente, porque ela era uma presença estranha, uma nova pessoa em Clichy, vivendo lá da maneira como eu gostaria de estar vivendo.

Ela não passava de uma criança, magra e sem graça, mas temporariamente atraente porque acabara de se tornar mulher graças a Fred, e porque estava apaixonada. Henry e eu apreciamos o namoro infantil deles por algum tempo, depois nos cansamos daquilo, e nos dias seguintes que passei em Clichy fugimos deles.

Uma noite, quando cheguei, Henry estava com dor de estômago. Tive que tratar dele como faço com Hugo – toalhas quentes, massagem. Ele ficou deitado na cama, com um belo estômago branco de fora. Dormiu um pouco e acordou curado. Lemos juntos. Tivemos uma admirável fusão. Dormi em seus braços. De manhã ele me acordou com carícias, murmurando algo sobre minha expressão.

A outra face de Henry, com a qual ele talvez algum dia repudie tudo isso, no momento é para mim impossível de visualizar.

Pouco antes disso, fiz uma visita a Allendy, na qual demonstrei claramente um retrocesso. Devolvi-lhe um *préventif* de borracha que ele me aconselhou a usar. Interpretação: Quis mostrar a ele que estava arrependida de minha "vida devassa".

Isso porque Joaquim foi internado doente com apendicite, dando-me um sentimento de culpa.

Então confessei certas práticas no jogo sexual que não me atraem realmente, como chupar pênis, que faço para agradar a Henry. Em relação a isso, lembrei que alguns dias antes de minha ligação com Henry não conseguia engolir comida. Tive náusea. Como a comida e a sexualidade têm uma ligação, Allendy acredita que eu demonstrei uma resistência inconsciente à sexualidade. Também, a resistência volta com mais força quando algum incidente torna a despertar meu sentimento de culpa.

Percebi que minha vida foi detida novamente. Chorei. Mas talvez por causa dessa conversa com Allendy fui capaz de continuar, de ir a Henry, de vencer meu ciúme de Paulette. Suponho que seja uma indicação de meu orgulho e independência dizer que acho difícil dar crédito total a psicanalistas por minhas várias vitórias, e estou apta a acreditar que isso se deve à grande humanidade de Henry ou a meus próprios esforços.

Eduardo me fez ver como me esqueço rapidamente da verdadeira origem de minha nova confiança e como essa própria confiança (dada a mim por Allendy) é o que faz uma pessoa acreditar em seus próprios poderes. Em resumo, ainda não sei o suficiente sobre psicanálise para perceber que devo tudo a Allendy.

Não me deixei pensar sentimentalmente nele. Na verdade, estou satisfeita por não amá-lo. Precisar dele, sim, e admirá-lo, mas sem sensualidade. Tenho a sensação de que espero que ele fique preocupado comigo. Gosto quando admite que o intimidei no primeiro dia em que nos encontramos ou quando fala de meu charme sensual. Aqui, a conscientização de que transferência é uma emoção artificialmente estimulada me inspira com mais desconfiança do que nunca. Se duvido de manifestações de amor genuínas, duvido mais ainda do desligamento despertado mentalmente.

Allendy fala sobre encontrar meu verdadeiro ritmo. Desenvolveu esse assunto a partir de um sonho intensamente visual que eu tive. Pelo que ele pôde ver, de me estudar, eu era fundamentalmente uma mulher cubana exótica, com charme, simplicidade e pureza. Todo o resto era literário, intelectual. Não havia nada de errado em representar papéis exceto que não se deve levá-los a sério. Mas eu me torno sincera e vou em frente. E então fico inquieta e infeliz. Allendy também acredita que meu interesse em perversões é uma máscara.

Muito depois que ele disse isso, lembrei-me de que o lugar em que eu havia sido mais feliz foi a Suíça, onde vivi despojada de todos os papéis externos. Eu me considero interessante num chapéu de aba larga enfeitado com plumas, vestido leve, pouca maquiagem, como estou na Suíça? Não. Mas me considero interessante num chapéu russo! Falta de fé em meus valores fundamentais.

A essa altura comecei a vacilar um pouco. Se a psicanálise vai aniquilar toda nobreza em motivos pessoais e em arte pela descoberta de raízes neuróticas, o que ela coloca em lugar delas? O que eu seria sem meus enfeites, roupas, personalidade? Seria uma artista mais vigorosa?

Allendy diz que devo viver com mais sinceridade e naturalidade. Não devo ultrapassar os limites de minha natureza, criar dissonâncias, desvios, papéis (como June fez), porque isso significa infelicidade.

Estou na sala de espera de Allendy. Ouço uma voz de mulher em seu consultório. Sinto ciúmes. Estou aborrecida porque os ouço rindo. Ele está atrasado, também, pela primeira vez. E estou lhe trazendo um sonho afetuoso – a primeira vez que me permiti pensar nele física e amorosamente. Talvez não devesse lhe contar o sonho. Isso é dar a ele demais, enquanto que ele...

Meus sentimentos maus se dissipam quando ele aparece. Conto-lhe o sonho. O que, percebe ele, é uma melhora. Há alguns meses eu teria me retirado. Ele está satisfeito com o calor que agora surge em nosso relacionamento. Mas me mostra como o sonho demonstra que minha felicidade decorre mais de sua negligência em relação a outras pessoas, a fim de me dar toda a sua atenção, do que da própria atenção.

– Voltamos ao ponto sensível de novo. Sua insegurança, a necessidade de ser amada exclusivamente. Há em todos os seus sonhos uma grande possessividade também. Agarrar-se ao amor é ruim, e só decorre de falta de confiança. Consequentemente, quando alguém a compreende e a ama, você fica muito grata.

Allendy sempre restabelece a sinceridade. Acha que eu suprimo meus ciúmes e minha raiva, volto-os sobre mim mesma. Ele diz que eu devo expressá-los, livrar-me deles. Pratico uma falsa bondade. Não sou realmente boa. Forço o meu eu a ser generoso, tolerante.

– Durante algum tempo – diz Allendy –, aja o mais furiosamente que quiser.

Terríveis resultados dessa sugestão. Descobri vindo à tona mil causas de ressentimento contra Henry, a aceitação muito fácil dele de meus sacrifícios, sua defesa insensata de tudo que é atacado, seu elogio a mulheres ordinárias, comuns, seu medo de mulheres inteligentes, suas vituperações contra June, a magnífica.

Despertei com a sensação de que Allendy ia me beijar durante nossa sessão. O dia parecia adequado a isso, também, um dia luxuriante, tropical. Sentia-me lânguida e muito triste por estar me afastando dele.

Quando cheguei e lhe disse que não viria novamente, ele pôs a análise de lado e conversamos. Olhei para seu nariz de russo e me perguntei se um homem como aquele seria sensual. Estava consciente de assumir minhas poses habituais. Mas me senti em pânico. No final de nossa conversa ele pegou minhas mãos. Eu me esquivei um pouco. Coloquei o chapéu e a capa, mas, quando estava prestes a sair, ele se debruçou sobre mim e disse:

– *Embrassez moi.**

Duas impressões se destacam claramente: a de que eu gostaria de que ele me tivesse dado um bom abraço e

---

* Beije-me. (N.E)

me beijado sem pedir e a de que o beijo foi casto e rápido demais. Depois disso, tive vontade de voltar para um outro. Pareceu-me que eu havia sido tímida, e ele também, e que poderíamos ter nos beijado melhor. Ele estava muito atraente naquele dia, brilhante, sonhador, interessante e tão seguro. De fato um gigante.

Fiquei muito feliz depois do beijo de Allendy. Ao mesmo tempo, sei que o beijo mais casual de Henry consegue abalar as bases de meu corpo. Notei isso sutilmente hoje, quando o vi depois de cinco dias de separação. Que convergência de corpos. É como uma fornalha quando nos encontramos. No entanto, dia após dia percebo mais completamente que apenas o meu corpo fica abalado. Meus melhores momentos com Henry são na cama.

JULHO

Mas quando Hugo partiu para Londres na segunda-feira, eu corri para Henry. Duas noites de êxtase. Ainda trago as marcas de suas mordidas, e ontem à noite ele estava tão frenético que me machucou. Nossos atos de amor foram interrompidos por profundas conversas.

Ele é ciumento. Levou-me a Montparnasse, e um húngaro atraente se sentou ao meu lado e fez investidas para mim, arrojadamente. Henry conversou depois disso sobre querer manter-me sob chave, que eu fui feita para a intimidade. Quando me viu em Montparnasse, sentiu que eu era suave e delicada demais para a multidão; quis proteger-me, esconder-me.

Ele tem debatido consigo mesmo se desiste ou não de June. Comigo se sente inteiro, e sabe que eu o amo melhor. Permanecemos acordados à noite conversando sobre isso, mas sei que ele não pode nem deve pensar em desistir de June, de sua paixão. Eu, em seu lugar, não desistiria dela. June e eu não nos anulamos; nós nos completamos. Henry precisa de nós duas. June é o estimulante e eu, o refúgio. Com June ele conhece o desespero e comigo, a harmonia. Tudo isso eu digo enquanto o tenho muito firmemente em meus braços.

E também tenho Hugo. Não desistiria dele por Henry. O que não posso dizer a Henry é que ele é primariamente um homem físico e que por isso June é essencial para ele. Um homem assim inspira amor sensual. Eu também o amo sensualmente. E no final, esse elo não pode durar. Ele está destinado a me perder. O que eu lhe dou seria demais para um homem menos sensual. Mas não para Henry.

Permanecemos acordados à noite, conversando, e embora meus braços o agarrem com força, minha sensatez já o abandona. Ele me implora para não correr riscos durante o verão; ainda me beija, após as convulsões de nossa relação sexual, que foi, como ele disse, como se o termômetro tivesse quebrado.

Conquistei homem menos conquistável. Mas também conheço os limites de meu poder e sei que June e eu juntas somos necessárias para responder às exigências de homens. Aceito isso com uma exaltação triste.

Henry tem me amado; ah, eu sou o seu amor. Tenho tudo que poderia ter dele, as camadas mais secretas de seu ser, tais palavras, tais sentimentos, tais olhares, tais carícias, cada uma delas chamejando para mim unicamente. Tenho-o sentido embalado por minha suavidade, exultante com meu amor, apaixonado, possessivo, ciumento. Tenho crescido para ele, não fisicamente, mas como uma visão. Do que ele se lembra mais vividamente de nossos momentos juntos? A tarde em que permaneceu sobre o sofá em meu quarto enquanto eu terminava de me vestir para um jantar, com meu vestido oriental verde-escuro, perfumando-me, e ele, tomado de uma sensação de viver um conto de fadas, com um véu entre ele e eu, a princesa! É disso de que ele se lembra enquanto estou deitada com o corpo quente em seus braços. Ilusões e sonhos. O sangue que ele derrama dentro de mim com gemidos de prazer, as mordidas em minha carne, meu odor em seus dedos, tudo desaparece diante da potência do conto de fadas.

– Você é uma criança – diz ele, meio confuso, enquanto ao mesmo tempo diz: – Você sabe foder. Onde aprendeu, onde?

E no entanto, quando ele me compara a Paulette, a verdadeira criança, observa a sedução de meus gestos, a maturidade de minha expressão, a mente que ele ama.

– Estou de acordo com você, Anaïs. Preciso de você. Não quero que June volte.

Quando se conhece a brutalidade que existiu entre Henry e June, é estranho ver como ele é atencioso ao menor sinal de tédio ou fadiga meus. Ele desenvolveu novas percepções e uma nova suavidade. Para provocá-lo, quando falava sobre minha falta de dureza, eu disse que esperara receber isso dele, esperara me digladiar com ele, enfrentar o ridículo, a brutalidade, aprender a lutar e a rebater e a falar mais alto, mas que ele falhara por completo naquele sentido. Eu havia desarmado o bicho-papão que ia fazer de mim uma mulher dura. Nem mesmo sou criticada. Comigo ele rapidamente se rende a seus julgamentos impulsivos, como achar Paulette adorável. Por meio de paciência e suavidade, ganho equilíbrio num homem que é todo reações, oscilações, contrariedades. Algumas vezes, quando se maravilha com a habilidade de meus dedos, se estou trinchando peixe ou ajeitando sua gravata, penso em Lawrence, tão irritável, amargo e nervoso, e penso que estou tocando de certa maneira o mesmo instrumento. Ainda sinto seus beijos na palma de minhas mãos, e detesto me banhar porque estou impregnada de cheiros maravilhosos.

Hugo chega em casa daqui a algumas horas, e assim a vida continua desse jeito em padrões contraditórios. Por quanto tempo, me pergunto, vou desejar o sensualista? Antes de adormecer, ele me disse:

– Ouça, não estou bêbado, e não sou sentimental, e lhe digo que você é a mulher mais maravilhosa do mundo.

Quando digo que o amo sensualmente, não tenho a intenção de dizer isso inteiramente; eu o amo de muitas outras maneiras – quando ele ri assistindo aos filmes, ou conversa calmamente na cozinha; amo sua humildade, sua sensibilidade, sua essência de amargura e fúria.

Ele ia escrever uma carta esmagadora para June, cheia de acusações. E naquele momento eu lhe trouxe um documento que justifica todas as ações dela. Foi como se ele tivesse levantado a mão para esbofeteá-la e eu tivesse que impedi-lo.

Sei agora que June é viciada em drogas. Encontrei descrições num livro que provam o que eu havia percebido vagamente.

Henry ficou arrasado. Ele pode ser facilmente enganado. June falava a todo momento de drogas, como o criminoso que volta à cena do crime. Ela precisava mencionar o assunto ao mesmo tempo que negava violentamente jamais ter tomado drogas (duas ou três vezes, talvez). Henry começou a juntar as peças. Quando vi seu desespero, fiquei assustada.

– Você não deve ter tanta certeza do que digo. Às vezes chego a conclusões precipitadas. – Mas eu achava que tinha razão.

Aqui, teceu o único julgamento ético que jamais o ouvi tecer sobre autodestruição, o de que tomar drogas denotava uma deficiência da natureza. Foi isso o que tornou o relacionamento impossível.

Senti tamanha pena dele quando começou a questionar o quanto June o amava, comparando o amor dela ao meu. Eu a defendi, dizendo que ela o ama à sua maneira, que é fantástica. Mas é verdade que eu não o deixaria como ela faz. É verdade, como ele diz, que o maior amor dela é por si mesma. Mas é o amor por si mesma que a fez uma grande personalidade. Henry algumas vezes fica espantado por minha admiração por June.

Ontem à noite, ele disse:

– No começo você quis muito que June voltasse. Estou certo em pensar que você não quer isso agora?

– Sim. – E também admiti outras coisas, depois de nunca responder às perguntas dele sobre amantes. Uma vez, em seus braços, ele me pressionou tão intensamente, dizendo:

– Diga que você não me enganou; isso me magoaria terrivelmente, diga-me – então disse-lhe que não. Revelei meu mistério, sabendo que não deveria e, no entanto, incapaz de qualquer outra coisa.

Exasperar um homem talvez seja um prazer; mas ficar nos braços de Henry e me render a ele tão inteiramente me pareceu um prazer maior – sentir seu corpo relaxando e vê-lo adormecer com sua felicidade. No dia seguinte, sempre posso recuperar meu escudo feminino, voltar à guerra desnecessária e odiosa. À luz do dia, posso devolver a ele um pouco de angústia, ciúme, medo, porque ele os quer, Henry, o marido eterno. Ele amava seu sofrimento com June, embora também ame o alívio daquele sofrimento comigo.

Tivemos uma conversa divertida sobre nossos começos. Henry tinha desejado me beijar no dia em que ficamos sozinhos pela primeira vez, no dia de nossa caminhada pelas matas, conversando sobre June.

– Mas confesse que foi um jogo para você no começo – disse eu.

– Não no começo. Em Dijon, sim, tive ideias cruéis e frias, de usá-la. Mas no dia em que voltei para Paris e vi seus olhos... ah, Anaïs, o seu olhar no restaurante quando eu voltei. Aquilo me conquistou. Mas sua vida, sua seriedade, seu passado me aterrorizaram. Eu teria sido muito lento se você não tivesse...

Eu rio agora, ao pensar nisso – o que li para ele do meu diário vermelho, o sonho sobre os escritos dele. Fui eu que quebrei o gelo, porque quis que ele me conhecesse desesperadamente. E que surpresa fui para ele, diz. Segui um impulso, ousada e arrojadamente. Será que foi porque consegui ver mais rápido e percebi que Henry e eu... Ou será que foi ingenuidade?

Confessamos as dúvidas mais engraçadas sobre nós. Eu imaginara Henry dizendo a June:

– Não, eu não amo Anaïs. Agi como você, por causa do que ela poderia fazer para mim. – E ele me imaginou conversando desdenhosamente sobre ele em alguns meses. Ficamos sentados na cozinha trocando essas diabólicas extrapolações de mentes excessivamente férteis, que uma carícia dissipa num momento. Estou de pijama. A mão de Henry escorrega em volta de meu ombro, e rimos, perguntando-nos o que se tornará verdade.

O contraste entre a sensualidade de Hugo e a de Henry me atormenta. Será que Hugo poderia tornar-se mais sensual?

Isso dura tão pouco com ele. Ele se considera um fenômeno porque me possuiu seis noites seguidas, mas com movimentos rápidos. Mesmo depois de um paroxismo, a ternura de Henry é mais penetrante, mais demorada. Seus beijinhos suaves, como chuva, permanecem em meu corpo quase tanto tempo quanto suas carícias violentas.

– Alguma vez você fica seca? – ele me provoca. Confesso que Hugo tem que usar vasilina. Então percebo o completo significado dessa confissão e fico arrasada.

Ontem à noite, durante o sono, toquei no pênis de Hugo como aprendi a fazer com o de Henry. Acariciei-o e apertei-o em minha mão. Em minha sonolência achei que era Henry. Quando Hugo ficou excitado e começou a me puxar, despertei por completo e fiquei profundamente decepcionada.

Meu desejo se esvaneceu.

Amo Hugo sem paixão, mas a ternura é um forte elo também. Nunca o deixarei enquanto ele me quiser. Creio que a paixão por Henry se apagará.

É para os homens que não são primariamente físicos que sou a mulher essencial, homens como Hugo, Eduardo, e até mesmo Allendy. Henry pode passar sem mim. No entanto, é extraordinário ver como o modifiquei, como ele se tornou inteiro, como agora quase nunca ataca moinhos de vento e grades ilogicamente. Sou eu que não consigo viver sem Henry. Eu mudei, também. Sinto-me inquieta, dinâmica, aventureira. Para ser absolutamente sincera, no fundo espero encontrar outra pessoa, continuar a viver como estou vivendo, de modo sensual. Tenho pensamentos eróticos. Não quero solidão, introspecção, trabalho. Quero prazer.

Atualmente me ocupo de frivolidades. Sirvo à deusa da beleza, esperando que ela me conceda presentes. Trabalho para ter uma pele estonteante, um cabelo vibrante, boa saúde. É verdade que não tenho nenhuma roupa nova por causa de Henry, mas isso não importa. Tingi e alterei coisas. Na segunda-feira, vou me arriscar a uma operação que apagará para sempre a inclinação engraçada do meu nariz.

Após uma noite juntos, Henry e eu não conseguimos nos separar. Eu prometera ir para casa no domingo e passar a noite com Eduardo. Mas Henry disse que iria para Louveciennes comigo, acontecesse o que acontecesse. Eu nunca esquecerei aquele dia e aquela noite. As empregadas estavam fora; tínhamos a casa só para nós. Henry explorou-a e desfrutou dela ao máximo. Quando se jogou sobre nossa grande cama macia, a voluptuosidade dela afetou-o. Eu me juntei a ele, e ele penetrou em mim rapidamente, sedento.

Nós conversamos, lemos juntos, dançamos, escutamos discos de guitarra. Ele leu partes do diário roxo. Se ele sentiu o encantamento do lugar, eu comecei a sentir uma espécie de feitiço também, no qual Henry era um ser extraordinário, um santo, um estupendo mestre das palavras, com uma mente estonteante. Estou surpresa por sua sensibilidade. Ele chorou ao me observar escutando os discos; e se recusou a continuar lendo o diário, preocupado com suas revelações íntimas – Henry, que não considera nada sagrado.

Eduardo veio às quatro horas e nós o deixamos tocando a campainha. Henry estava apreciando isso, mas eu não.

– Você é humana demais – disse ele, acrescentando: – Agora sei como você se sentirá a meu respeito quando me puser na mesma situação. – Henry e eu deitados na cama, e Eduardo tocando a campainha, indo embora, e tentando novamente meia hora depois.

À uma e meia de segunda-feira, Henry me deixou, pensando que eu ia partir aquela noite para umas férias. Às duas horas, eu estava na clínica. Fiquei admirada de ir até lá, sozinha, para correr um grande risco com meu rosto. Permaneci na mesa de operação ciente de cada gesto do cirurgião. Estava ao mesmo tempo calma e assustada. Não dissera nada a ninguém. Minha sensação de solidão era imensa, e com isso senti uma certeza que me vem em todos os grandes momentos. Ela tomou conta de mim. Se a operação falhasse e meu rosto ficasse marcado, cheguei a planejar desaparecer completamente, nunca mais ver entes queridos. Então chegou o momento em que vi o nariz no espelho, manchado de sangue e reto – grego! Depois disso, curativos, inchação, uma noite dolorosa, sonhos. Será que minhas narinas algum dia tremeriam outra vez?

De manhã, a enfermeira me traz papel para escrever com o nome da clínica gravado. Isso me dá uma ideia. Escrevo para Eduardo, com a mão trêmula, que fui para o campo, injetei cocaína e fui trazida para o hospital porque não acordava. Brinco com a ideia, rindo ao escrever. Fazer a vida mais interessante. Imitar a literatura, que é uma piada.

O que se imagina é algo que se quer. Como teria sido, naquele dia e noite em Louveciennes sozinha com June, se tivesse havido cocaína?

Estou em casa, atormentada pela maravilha das horas com Henry e por um horror à clínica. Meu nariz está pesado mas belo.

Adio minha ida a Allendy até estar apresentável. Ele me diz que viu Eduardo e que ele está muito infeliz. Também quero que Allendy acredite na história da cocaína.

Há sol sobre a cama mas nenhum sentimento de sacrilégio porque Henry dormiu aqui. Parece natural para mim. A casa está em ordem. Minha bagagem está arrumada e na entrada. Tenho dinheiro austríaco em minha bolsa e uma passagem para Innsbruck.

Henry ficou em desespero no dia seguinte à nossa conversa, que deveria ajeitar tudo. Decidimos que não deveríamos fugir juntos. Eu disse a ele tristemente:

– Você me perderá em breve porque não me ama o suficiente. – Mas ainda não estamos lá.

À proporção que minha paixão se expande, cresce minha ternura por Hugo. Quanto maior a distância que crio entre nossos dois corpos, mais exótica é para mim a perfeição dele, sua bondade, maior a minha gratidão, mais ciente fico de que ele, entre todos nós, sabe amar melhor. Enquanto viaja e fico sentada sozinha, não me sinto ligada a ele, não me imagino ao seu lado, não desejo sua presença, no entanto ele me deu o mais precioso de todos os presentes, e quando penso nele vejo um homem amplamente generoso e afetuoso que me guardou da infelicidade, do suicídio e da loucura.

Loucura. Seria fácil para mim sentir aquilo que senti a bordo do navio para Nova York quando tive vontade de me afogar. Quando escrevo para Eduardo minha carta imaginária, digo: "Estou feliz por ter escapado do inferno durante 24 horas de sonhos". Penso assim realmente. Minha atração por drogas baseia-se num imenso desejo de aniquilar a conscientização. Quando deixei Henry outro dia, senti tão profundamente que o estava deixando que poderia mesmo ter-me virado para o chofer de táxi e mandado que ele me levasse direto para dentro do Sena.

O que inventei para Eduardo acontecerá um dia. Quanto tempo conseguirei suportar a conscientização de viver, depende do meu trabalho. O trabalho tem sido meu único estabilizador. O diário é um produto de minha doença, talvez uma exacerbação e um exagero dela. Falo de alívio quando escrevo; talvez, mas o trabalho também é uma gravação de dor, uma tatuagem de mim mesma.

Henry pensa que o diário se torna importante apenas quando escrevo verdades, como os detalhes de minhas ilusões.

Parece-me que sigo apenas a linha mais acessível. Três ou quatro linhas podem se agitar, como fios telegráficos, ao mesmo tempo, e se eu fosse explorar todos eles revelaria uma tal mistura de inocência e duplicidade, generosidade e cálculo, medo e coragem que não posso dizer toda a verdade simplesmente porque teria que escrever quatro diários ao mesmo tempo. Frequentemente teria que voltar atrás, por causa do vício de me embelezar.

Hotel Achenseehof, Tirol. Ontem à noite na cama estendi a mão desoladamente e desejei tocar aquele Henry sempre sensual e vivo. Fiquei triste quando ele confessou que havia escrito uma carta apaixonada de Dijon para mim e depois a destruiu porque minha carta continha uma alusão à sua hipersexualidade, o que eu não dissera como censura, mas que ele considerou como tal.

Ah, dormir até eu ficar inteira novamente, acordar livre e leve. A ideia das muitas cartas que devo escrever me entristece. Mesmo para Henry só enviei um bilhete pequeno. Montanhas, nuvens pesadas, nevoeiros, mantas, cobertores e eu, deitada inerte como um rato silvestre. O nariz normal. Escondo o diário no fogão, com as cinzas.

Para Henry, despertei e escrevi uma carta. Despertei para me lembrar de meu sonho: June voltara. Ela veio me ver antes de ver Henry, novamente com aparência zangada e indiferente, como em outros sonhos. Eu estava adormecida. Ela me acordou com um beijo, mas começou imediatamente a me dizer como estava desapontada comigo e a criticar minha aparência. Quando disse que meu nariz estava grosso demais, expliquei-lhe sobre a operação. Então logo me arrependi, porque percebi que ela contaria a Henry. Disse-lhe que sabia muito bem que ela era mais bela do que eu. Ela me pediu para masturbá-la. Fiz aquilo com tanta habilidade e tive a sensação como se estivesse fazendo em mim mesma. Ela ficou grata pelo prazer e partiu me agradecendo:

– Agora vou ver Henry – disse.

Carta para Henry: "Ontem à noite eu me perguntei como poderia lhe mostrar, por meio daquilo que mais me custaria fazer, que eu o amo; e só pude pensar em lhe enviar dinheiro para gastar com uma mulher. Pensei na negra. Gosto dela porque pelo menos consigo sentir minha própria maciez derretendo-se dentro dela. Por favor não procure uma mulher barata demais, ordinária demais. E também não me fale sobre isso, já que estou certa de que você já fez isso. Deixe-me acreditar que eu dei isso a você".

Ao mesmo tempo, com que alegria recebo Hugo aqui. E experimentei grande prazer, até frenesi, em seu ato de amor. De certa maneira, num lugar como este, não consigo sentir falta de Henry, porque Henry não condiz com montanhas, lagos, saúde, solidão, sono. Hugo triunfa aqui, com suas belas pernas com *shorts* de tirolês. Descanso aqui com ele, e minha vida em Paris com Henry é como os sonhos noturnos.

Hugo e eu assumimos nossa ternura e provocação. Uma semana longe de mim o amadurece. Acho que não podemos amadurecer juntos. Juntos somos suaves, fracos, jovens. Dependendo demais um do outro. Juntos vivemos num mundo irreal. E vivemos no mundo externo, como Hugo diz, apenas porque temos este aqui, nosso, para nos retirarmos.

Ele ficou triste com meu nariz perfeito.

– Mas eu amava aquela inclinaçãozinha engraçada. Não gosto de vê-la mudar. – Finalmente eu o convenci do progresso estético. Pergunto-me o que Henry dirá.

De certa maneira temo receber uma carta dele. Ela trará febre. Eu me refugiei na segurança da dedicação de Hugo. Repouso em seu grande peito cabeludo. Ocasionalmente fico um pouco entediada e impaciente, mas não demonstro. Somos felizes juntos com pequenas coisas. As pessoas nos tomam, como sempre, por um casal em lua de mel.

O que me pergunto agora é se fico no mundo de Hugo porque não tenho coragem de me aventurar completamente, ou será que ainda não amei ninguém o suficiente a ponto de querer desistir de minha vida com Hugo? Se ele morresse, eu não iria para Henry; isto é claro para mim.

Sinto um grande prazer em receber uma longa carta de Henry. Percebo que ele e June tornaram Dostoiévski vivo e terrível para mim. Em alguns momentos, eu me derreto de gratidão com a ideia do que Henry me deu, em apenas ser o que é; em outros, fico desesperada com os instintos liberados que o fazem um amigo tão mau. Lembro-me de que ele demonstrou mais orgulho ferido do que amor quando o húngaro tentou pôr as mãos sob meu vestido naquela noite no Select.

– O que ele pensou que eu era, um bobo? – Quando bêbado, ele é capaz de tudo. Agora está com a cabeça raspada como a de um iniciado, em autodegradação. Seu amor por June é autolaceração. No final, tudo que sei é que ele me fecundou em mais de uma maneira e que terei poucos amantes tão interessantes quanto Henry.

Quando novamente começamos nosso duelo de cartas – cartas loucas, felizes, livres –, sinto uma dor física com sua ausência. Parece-me hoje que Henry vai ser parte de minha vida durante muitos anos, mesmo que seja apenas meu amante durante alguns meses. Uma foto dele, com a pesada boca aberta, me toca. Rapidamente começo a pensar em um abajur que será melhor para os seus olhos, passo a me preocupar com suas férias. Fico profundamente feliz por ele ter terminado de reescrever seu segundo livro nos últimos dois meses, por ele ser tão cheio de energia e tão produtivo. E do que sinto falta? De sua voz, suas mãos, seu corpo, sua ternura, sua rudeza, sua bondade e diabruras. Como ele diz: "June nunca foi capaz de descobrir se sou um santo ou um demônio". Eu também não sei.

Ao mesmo tempo encontro muito amor para dar a Hugo. Maravilho-me com isso, quando estamos agindo como amantes, amaldiçoando as camas de solteiro e dormindo com grande desconforto numa cama pequena demais, dando as mãos por cima da mesa de jantar, beijando-nos no barco. É fácil amar e existem muitas maneiras de fazê-lo.

Quando pergunto a Henry o que o impediu de ler o resto do meu diário roxo, ele responde: "Não sei por que parei de ler num determinado ponto. Pode estar certa de que lamento. Só posso dizer que foi uma tristeza impessoal, de coisas dando errado não por maldade ou malícia, mas devido a uma espécie de fatalidade inerente. Fazer até mesmo as coisas mais agradáveis e sagradas parece tão ilusório, instável, transitório. Se você substituísse um certo personagem por X, seria a mesma coisa. De fato, talvez eu estivesse substituindo a mim mesmo."

Ninguém pode deixar de chorar pela destruição do "casamento ideal". Mas eu não choro mais. Esgotei meus escrúpulos. Hugo tem a melhor natureza do mundo, e eu o amo, mas também amo outros homens. Ele está a um metro de mim enquanto escrevo isso, e me sinto inocente.

Vivo no reino dele. Paz. Simplicidade. Esta noite estamos conversando sobre o mal, e eu percebi que ele vive em total segurança quanto a mim.

Jamais pode imaginar que... enquanto eu consigo imaginar tão facilmente. Será que ele é mais inocente do que eu? Ou será que a pessoa confia quando o eu é tão integral?

Quanto mais leio Dostoiévski mais me pergunto sobre June e Henry e se eles são imitações. Reconheço as mesmas frases, a mesma língua elevada, quase as mesmas ações. Será que eles são fantasmas literários? Será que têm alma própria?

Lembro-me de um momento em que me permiti sentir ressentimento por Henry. Isso foi alguns dias depois de ele me contar sobre ter estado com as prostitutas. Ele ia se encontrar comigo na casa de Fraenkel para examinarmos a possibilidade de ajudá-lo a publicar seu livro. Eu me senti muito tensa e cínica. Ressenti-me de ser vista como a esposa de um banqueiro que podia proteger um escritor. Ressenti-me de minha tremenda ansiedade, minhas noites de insônia, refletindo sobre meios e modos de ajudar Henry. Ele subitamente me pareceu um parasita, um egoísta extremamente voraz. Antes de ele chegar, conversei com Fraenkel, disse-lhe que isso era impossível e por quê. Fraenkel sentiu tanta pena de Henry; eu, nenhuma. Então o próprio Henry apareceu. Estava tão bem vestido para mim, mostrando-me seu novo terno, novo chapéu e camisa. Estava cuidadosamente barbeado. Não sei por que isso me enfureceu. Não o recebi muito bem. Continuei a conversar sobre o trabalho de Fraenkel. Henry sentiu que havia algo errado e perguntou:

– Eu cheguei cedo demais? – Finalmente ele sugeriu que fôssemos jantar. Eu disse que não poderia. Hugo não havia ido para Londres como eu esperara. Tinha que tomar o trem das sete e meia para casa. Olhei para o rosto de Henry. Senti prazer em ver que ele estava terrivelmente desapontado. Eu os deixei.

Mas fiquei muito infeliz logo depois disso. Toda a minha ternura voltou. Fiquei com medo de tê-lo magoado. Escrevi-lhe um bilhete. No dia seguinte, Hugo se foi, e eu fui procurá-lo imediatamente. Naquela noite estávamos tão satisfeitos juntos que, adormecendo, Henry disse:

– Isso é o paraíso!

Agosto

Quando leio as cartas de amor ardentes de Henry, não me sensibilizo. Não fico impaciente para voltar para ele. Seus defeitos permanecem em primeiro plano. Talvez eu tenha simplesmente me voltado para Hugo. Não sei. Estou ciente de uma tremenda distância entre nós. E é difícil para mim escrever com ternura. Sinto-me insincera. Esquivo-me do problema. Escrevo menos do que deveria. Tenho que me esforçar para escrever. O que aconteceu?

Hugo está surpreso por eu estar tão inquieta. Fumo, me levanto, ando de um lado para outro. Não consigo suportar a minha própria companhia. Ainda não aprendi a substituir introspecção por pensamento. Poderia meditar sobre Spengler, por exemplo, mas em dez minutos estou novamente devorando a mim mesma. Como Gide diz, a introspecção falsifica tudo. Talvez ela me afaste de Henry. Preciso de sua voz e de suas carícias. Ele escreve uma bela carta sobre nossos últimos dias em Clichy, Henry desejando-me, perdido sem mim.

No entanto, é impossível para mim desejá-lo na presença de Hugo. O riso e a devoção de Hugo me paralisam. Finalmente escrevo para ele, aludindo a tudo isso. Mas assim que mando a carta, os sentimentos artificialmente contidos me sobrepujam. Escrevo-lhe um bilhete louco.

Na manhã seguinte, recebo uma enorme carta dele. Só o fato de tocá-la já me afeta. "Quando você voltar eu vou lhe dar um banquete literário de sexo – o que significa foder e conversar, e conversar e foder. Anaïs, eu vou abrir as suas entranhas. Deus me perdoe se esta carta algum dia for aberta por engano. Não posso evitar. Eu a quero. Eu a amo. Você é comida e bebida para mim, todo o mecanismo vital. Deitar sobre você é uma coisa, mas me aproximar de você é outra. Sinto-me unido a você, como se fôssemos um só, você é minha quer isso seja reconhecido ou não. Todos os dias que espero agora são tortura. Estou contando-os lenta e dolorosamente. Mas faça com que essa tortura seja a mais breve possível. Preciso de você. Deus, quero vê-la em Louveciennes, vê-la naquela luz dourada da janela, em seu vestido verde do Nilo e seu rosto pálido, uma palidez gelada como a da noite de concerto. Eu a amo como você é. Adoro seus quadris, a palidez dourada, o declive de suas nádegas, o calor dentro de você, a sua umidade. Anaïs, eu a amo tanto, tanto! Estou ficando sem fala. Estou sentado aqui escrevendo-lhe com uma tremenda ereção, posso sentir sua boca macia fechando-se sobre mim, sua perna apertando-me, vê-la novamente aqui na cozinha levantando o vestido e sentando-se em cima de mim e a cadeira movendo-se pelo chão da cozinha, fazendo tamp, tamp."

Respondo no mesmo tom, guardo meu bilhete louco, envio um telegrama. Ah, não há nenhuma resistência contra a invasão de Henry em mim.

Hugo está lendo. Curvo-me sobre ele e derramo amor, um amor que é profundamente penitente. Hugo ofega.

– Juro que nunca poderia encontrar tal prazer em outra pessoa além de você. Você é tudo para mim.

Tenho uma noite de insônia, com uma dor angustiante, pensando nas palavras sensatas de June: "Deixe as coisas acontecerem". No dia seguinte, faço as malas lentamente, sonhando com Henry. Ele é comida e bebida para mim. Como eu poderia, mesmo por alguns dias, me afastar dele? Se Hugo não risse assim, como uma criança, se suas mãos quentes e peludas não se estendessem constantemente para mim, se ele não se debruçasse para dar chocolate a um *scotch terrier* preto, se ele não virasse aquele rosto de feições finas para mim dizendo: "Gatinha, você me ama?".

Enquanto isso, é Henry que pula em meu corpo. Sinto o esguicho dele, suas investidas sobre mim. A noite de segunda-feira se passou intoleravelmente.

O tamanho de suas cartas, vinte e trinta páginas, é simbólico de suas proporções graúdas. Sua torrente me açoita. Desejo ser apenas uma mulher. Não escrever livros, encarar o mundo diretamente, mas viver por transfusão de sangue literária. Ficar atrás de Henry, alimentando-o. Descansar da autoafirmação e da criação.

Alpinistas. Fumo. Chá. Cerveja. O rádio. Minha cabeça flutua para longe do corpo, suspensa no ar na fumaça dos cachimbos tiroleses. Vejo olhos de sapo, cabelo de palha, bocas como livros de bolso abertos, narizes de porco, cabeças como bolas de bilhar, mãos de macaco com palmas cor de presunto. Começo a rir, como se estivesse bêbada, e digo as palavras de Henry: "boceta", "trepar", e Hugo se zanga. Fico calada e fria. Minha cabeça flutua de volta. Eu choro. Hugo, que tem tentado acompanhar minha irreverência, agora observa a rápida transição e fica confuso.

Experimento cada vez mais esta monstruosa deformação da realidade. Passei um dia em Paris antes de partir para a Áustria. Aluguei um quarto para descansar porque não dormira na noite anterior, um pequeno sótão com água-furtada. Enquanto fiquei ali, tive a sensação de todas as ligações se partindo. Parti de cada ser amado, cuidadosa e completamente. Lembrei-me do último olhar de Hugo do trem, do rosto pálido e do beijo fraternal de Joaquim, do último beijo leitoso de Henry, de suas últimas palavras:

– Está tudo bem? – que ele diz quando está embaraçado e quer dizer alguma coisa mais profunda.

Afastei-me deles todos exatamente como me afastei de minha avó em Barcelona quando era criança. Poderia ter morrido num pequeno quarto de hotel, livre de meus amores e de meus pertences, sem estar registrada no livro de hóspedes. No entanto, sabia que se ficasse naquele quarto por alguns dias, vivendo do dinheiro que Hugo me dera para a viagem, uma vida inteiramente nova poderia começar. Foi o terror dessa nova vida mais do que o terror de morrer que me levantou. Joguei-me para fora da cama e fugi do quarto que crescia à minha volta como uma teia, tomando conta de minha imaginação, apossando-se de minha memória de forma que eu esqueceria em cinco minutos quem eu era e a quem amava.

Foi o quarto número 35, do qual eu poderia ter despertado na manhã seguinte como uma prostituta, ou uma louca, ou o que é pior: talvez completamente inalterada.

Estou feliz com o hoje, então entretenho-me imaginando tristeza. O que sentiria se Henry morresse, e eu ouvisse, em algum canto de Paris, o acordeão que costumava ouvir em Clichy? Mas eu quis sofrer. Agarro-me a Henry pela mesma razão por que June se agarra a ele.

E Allendy?

Preciso de sua ajuda novamente, com certeza.

Paris. Não precisei da ajuda de ninguém. Só ver Henry novamente na estação, beijá-lo, comer com ele, ouvi-lo conversar, em meio a mais beijos.

Quis deixá-lo com ciúmes, mas sou fiel demais, então mergulhei no passado e criei uma história. Escrevi uma carta falsa de John Erskine, rasguei-a e colei-a novamente. Quando Henry chegou a Louveciennes, o fogo devorava todo o resto das cartas de John. Mais tarde mostrei a Henry o fragmento que escapou à destruição, supostamente, através de sua inserção no diário. Henry ficou tão enciumado que na segunda página de seu novo livro teve que jogar uma bomba na escrita de John. Brincadeiras infantis. E enquanto isso sou tão fiel quanto uma escrava em sentimento, em pensamento, em carne. Minha falta de um passado agora parece boa. Preservou o meu ardor. Fui para Henry como uma virgem, fresca, sem uso, crente, desejosa.

Henry e eu somos um, deitados, fundidos por quatro dias. Não com corpos, mas com chamas. Deus, deixe-me agradecer a alguém. Nenhuma droga poderia ser mais potente. Que homem. Ele sugou minha vida para dentro de seu corpo como eu suguei a dele. Esta é a apoteose de minha vida. Henry, Louveciennes, solidão, calor de verão, cheiros trêmulos, brisas cantando, e, dentro de nós, tornados e belas calmarias.

Primeiro, vesti-me com o vestido Maja – flores, joias, maquiagem, dureza, brilho. Estava zangada, cheia de ódio. Chegara da Áustria na noite anterior, e tínhamos dormido num quarto de hotel. Achei que ele havia me traído. Ele jura que não. Não importa. Eu o odiei porque o amava como nunca amei ninguém.

Estou na porta quando ele chega, com as mãos nos quadris. Estou furiosa. Henry se aproxima, estonteado, e não me reconhece até se aproximar muito, e eu sorrio e falo com ele. Ele não consegue acreditar. Acha que eu fiquei maluca. Então, antes que desperte por completo, eu o levo ao meu quarto. Lá, sobre a grade da lareira, está uma grande fotografia de John e suas cartas. Elas estão queimando. Eu sorrio. Henry se senta no sofá.

– Você me assusta, Anaïs – diz ele. – Está tão diferente, e tão estranha. Tão dramática. – Eu me sento no chão entre seus joelhos. – Eu o odeio, Henry. Esta história sobre [a namorada de Osborn] Jeanne... Você mentiu para mim.

Ele me responde tão suavemente que acredito nele. E se não acreditar, não importa. Todas as traições do mundo não importam. John está destruído. O presente é magnífico. Henry me pede para eu me despir. Tudo é retirado a não ser a mantilha de renda preta. Ele me pede para conservá-la e se deita na cama, observando-me. Fico de pé diante do espelho, retirando cravos, brincos. Ele olha para o meu corpo através da renda.

No dia seguinte, corro pela casa cozinhando. De repente, adoro cozinhar para Henry. Cozinho com esmero, com infinito cuidado. Adoro vê-lo comer, comer com ele.

Nós nos sentamos no jardim, de pijama, bêbados com o ar, as carícias das árvores balançando, os cantos dos pássaros, cachorros lambendo nossas mãos. O desejo de Henry é sempre presente. Sou semeada, aberta.

À noite, livros, conversa, paixão. À medida que ele derrama sua paixão dentro de mim, sinto que me torno bonita. Mostro-lhe uma centena de faces. Ele me observa. Tudo passa como uma procissão, até o clímax desta manhã, antes de ele me deixar, quando vê um rosto queimado, pesado, sensual, mouro.

Houve uma tempestade ontem à noite. Granizo do tamanho de bolas de gude. A fúria marinha das árvores. Henry se senta numa poltrona e pergunta:

– Vamos ler Spengler agora? – Ele fica ronronando como um gato. Tem o bocejo de um tigre, todos os gritos selvagens de contentamento. Sua voz vibra no estômago. Pus minha cabeça ali e escutei, como contra um órgão. Estou deitada na cama. Uso um vestido de renda, nada mais, porque isso dá prazer a ele. – Agora – diz – você parece um quadro de Ingres. – Não suporto o espaço entre nós. Sento-me no chão. Ele acaricia meu cabelo. Beija-me nos olhos. É todo ternura, atenção.

A sensualidade foi esgotada de tarde. Mas ele olha para baixo e me mostra seu desejo crescendo novamente. Ele próprio está surpreso:

– Eu a amo; nem estava pensando em foder. Mas só de você me tocar... – Sento-me nos joelhos dele. E então nós mergulhamos naquela embriaguez de chupar. Durante muito, muito tempo, apenas línguas, os olhos fechados. Então o pênis e as paredes de carne, agarrando, abrindo, batendo. Rolamos sobre o chão até eu não aguentar mais, e fico imóvel, dizendo não. Mas quando me ajuda a tirar o vestido e me abraça por trás, eu pulo para ele, toda afogueada outra vez. Que sono depois disso, perdido, sem sonhos.

– Quando se trata de sensualidade – diz Henry –, você é quase mais sensual do que June. Porque ela sabe ser um esplêndido animal quando está em meus braços, mas depois disso, nada. Ela é fria, dura, até. Seu sexo permeia sua mente, passa para a cabeça depois. Tudo que você pensa é quente. Você é constantemente quente. A única coisa é que você tem o corpo de uma garota. Mas que poder tem de manter a ilusão. Você sabe como os homens se sentem depois que possuem uma mulher. Eles querem chutá-la para fora da cama. Com você a atmosfera permanece tão alta quanto antes. Eu nunca me satisfaço com você. Quero desposá-la e voltar para Nova York com você.

Conversamos sobre June. Rio dos esforços dele para terminar com ela, em sua mente. Somos dois contra ela, dois em harmonia, em amor, em profunda fusão, porém ela é mais forte. Sei disso melhor do que ele. Ele admitiu tanta coisa contra ela e a meu favor. Mas sorrio com uma sabedoria fundamentada na dúvida. Não quero mais do que tenho recebido nesses últimos dias, horas tão fecundas que uma existência de lembrança não poderia esgotá-las, exauri-las.

– Este não é um jardim comum – comenta Henry sobre Louveciennes. – É misterioso, significativo. Um livro chinês menciona um jardim celestial, um reino, suspenso entre o céu e a terra: é este aqui.

Acima de tudo isso pende a feliz probabilidade de que seu livro *Trópico de Capricórnio* seja publicado. Quando estou sozinha, eu o ouço falar. Como a cobra de Lawrence, seu pensamento vem das entranhas da terra. Alguém o comparou a um artista que era conhecido como o "pintor de boceta".

Ele está tão mais claro para mim. Em relação a certas mulheres, demonstra aspereza e rudeza; em relação a outras, um romantismo ingênuo. A princípio June parecia um anjo para ele, saído de seu passado de dançarina, e ele lhe ofereceu a fé de um tolo (June afirma que em nove anos só teve dois amantes, e até agora ele acreditou nisso). Eu o vejo agora como um homem que pode ser escravizado pelo maravilhoso, um homem que pode acreditar em tudo numa mulher. Eu o vejo procurado por mulheres (isso tem sido verdadeiro em todas as mulheres que ele amou seriamente). São as mulheres que tomam a iniciativa no contato sexual. Foi June que pôs a cabeça em seu ombro e o convidou para um beijo na primeira noite em que se encontraram. Sua rudeza é apenas externa. Mas, como todas as pessoas suaves, ele pode cometer os atos mais mesquinhos em determinados momentos, levado por sua própria fraqueza, que o faz um covarde. Ele deixa uma mulher da maneira mais cruel porque não consegue enfrentar o fim da ligação.

Sua sensualidade também dirige ações da natureza mais salafrária. É só compreendendo a violência de seus instintos que se pode acreditar que qualquer homem pudesse ser tão cruel. Sua vida corre para diante num ritmo tão torrencial que, como ele disse sobre June, só anjos ou demônios conseguem acompanhar.

Ficamos separados durante três dias. É estranho. Tínhamos adquirido pequenos hábitos, dormindo juntos, acordando juntos, cantando no banheiro, ajustando nossos gostos um ao outro. Estou tão ansiosa pelas pequenas intimidades. E ele?

Sinto um poderoso senso da vida inimaginável com Hugo ou Eduardo. Meus seios estão inchados. Mantenho as pernas bem afastadas no ato do amor, em vez de fechadas como antes. Desfruto do ato de chupar a ponto de quase chegar a um clímax ao fazê-lo. Finalmente eliminei meu eu infantil.

Afasto Hugo de mim, exarcebo seus desejos, seu terror de me perder. Converso cinicamente com ele, provoco-o, chamo sua atenção para as mulheres. Não há espaço em mim para tristeza ou arrependimento. Os homens olham para mim e eu para eles, com meu ser liberado. Nada mais de véus. Quero muitos amantes. Sou insaciável agora. Quando choro, quero parar fodendo.

Henry vem a Louveciennes numa tarde quente de verão e me põe na mesa e depois no carpete preto. Senta-se na beira da cama e parece transfigurado. O homem espalhado, facilmente abalado, agora se compõe para falar de seu livro. Nesse momento ele é um grande homem. Eu me sento e me maravilho com ele. Um momento antes, corado pela bebida, ele espalhava suas riquezas. O momento em que ele se cristaliza é belo de observar. Fui lenta em me harmonizar com esse estado de espírito. Poderia ter fodido a tarde toda. Mas também gostei de nossa transição para uma conversa solene. Nossas conversas são maravilhosas, interações, não duelos, mas rápidas iluminações um do outro. Consigo fazer com que os pensamentos hesitantes dele se acendam. Ele aumenta os meus. Eu o detono. Ele me faz fluir. Há sempre movimento entre nós. E ele está captando. Toma conta de mim como uma presa.

Aqui estamos nós, ordenando as ideias dele, decidindo sobre o lugar de incidentes realistas em seus romances. Seu livro infla dentro de mim como o meu.

Estou fascinada pela atividade em sua cabeça, as surpresas, a curiosidade, o prazer, a amoralidade, as sensibilidades e as patifarias. E adorei sua última carta para mim:

"Não espere mais que eu seja são. Não vamos ser sensatos. Foi um casamento em Louveciennes, você não pode contestar isso. Fui embora com um pedaço seu grudado a mim; caminho como se estivesse nadando num oceano de sangue, o seu sangue andaluzo, destilado e venenoso. Tudo que faço e digo e penso se relaciona com nosso casamento. Eu a vi como a dona de seu lar, uma moura com rosto pesado, uma negra com corpo branco, os olhos por toda sua pele, mulher, mulher, mulher. Não vejo como posso continuar a viver longe de você – estes intervalos são a morte. Como lhe pareceu quando Hugo voltou? Eu ainda estava aí? Não consigo imaginá-la movendo-se pela casa com ele como você fez comigo. Pernas fechadas. Fragilidade. Aquiescência doce e traiçoeira. Docilidade de passarinho. Você se tornou uma mulher comigo. Fiquei quase aterrorizado com isso. Você não tem apenas trinta anos – tem mil anos.

"Aqui estou eu de volta e ainda ardente de paixão, como uma vinha fumegando. Não mais uma paixão por carne, mas uma fome total por você, uma fome devoradora. Leio os jornais sobre suicídios e assassinato e compreendo tudo isso perfeitamente. Sinto-me homicida, suicida.

"Ainda a ouço cantar na cozinha... uma espécie de gemido cubano sem harmonia, monótono. Sei que você está feliz na cozinha e a refeição que está preparando é a melhor que já tivemos juntos. Sei que você se queimaria e não reclamaria. Sinto a maior paz e alegria sentado na sala de jantar escutando-a farfalhar à minha volta, seu vestido como a deusa

Indra enfeitado com mil olhos. Anaïs, eu apenas pensei que a amava, o que não era nada como esta certeza que está em mim agora. Tudo isso foi tão maravilhoso porque foi breve e roubado? Estávamos representando um para o outro, por causa do outro? Eu fui menos eu, ou mais eu, e você menos ou mais você? É loucura acreditar que isso poderia continuar? Quando e onde os momentos monótonos começariam? Analiso-a tanto para descobrir as possíveis falhas, os pontos fracos, as zonas perigosas. Não as encontro – nenhuma. Isso significa que estou apaixonado, cego, cego, cego. Ficar cego para sempre!

"Imagino-a tocando os discos repetidamente – os discos de Hugo. *Parlez moi d'amour* [Fale-me de amor]. A vida dupla, o gosto duplo, a alegria e a tristeza duplas. Como você deve ser sulcada e lavrada por isso. Sei de tudo mas não posso fazer nada para evitar. Desejo de fato que fosse eu que tivesse que suportar isso. Sei agora que seus olhos estão bem abertos. Em certas coisas você nunca mais acreditará, certos gestos você nunca repetirá, certas tristezas e apreensões você nunca mais experimentará. Uma espécie de febre criminosa branca em sua ternura e crueldade. Nem remorso nem vingança, nem tristeza nem culpa. Um extravasar disso, com nada para salvá-la do abismo, mas uma grande esperança, uma fé, uma alegria que você provou, que você pode repetir quando quiser.

"Enquanto troveja estou deitado na cama e tenho sonhos loucos. Estamos em Sevilha, e depois em Fez, e depois em Capri, e depois em Havana. Estamos viajando constantemente, mas há sempre uma máquina e livros, e seu corpo está sempre perto de mim e o seu olhar nunca se modifica. As pessoas dizem que seremos infelizes, que nos arrependeremos, mas estamos felizes, estamos sempre rindo, estamos cantando. Estamos falando espanhol, francês, árabe e turco. Somos admitidos em toda parte, e eles cobrem nosso caminho de flores. Eu digo que isto é um sonho louco – mas é este sonho que quero realizar. A vida e a literatura combinadas; amor, o dínamo; você, com sua alma de camaleão, dando-me mil amores, sendo ancorada sempre, seja em qualquer tempestade, o lar onde quer que estejamos. De manhã, continuando de onde paramos. Ressurreição após ressurreição. Você se afirmando, tendo a rica vida variada que deseja; e quanto mais se afirma mais você me quer, precisa de mim. Sua voz ficando mais rouca, mais profunda, seus olhos mais pretos, seu sangue mais grosso, seu corpo mais cheio. Uma servidão voluptuosa e uma necessidade tirânica. Mais cruel agora do que antes – conscientemente, obstinadamente cruel. O prazer insaciável da experiência..."

É irônico que a experiência mais profunda de minha vida tenha vindo quando estou faminta não por profundidade, mas por prazer. O sensualismo me consome. O que é profundo e sério, olho com menos intensidade, mas é isso que fascina Henry, as profundezas que ele ainda não experimentou no amor.

É este o momento alto? Se pelo menos June voltasse agora, para deixar em Henry e em mim aquele gosto do clímax, que nunca mais será atingido, nunca será aniquilado.

Henry disse:
– Eu quero deixar uma cicatriz no mundo.

Escrevo para ele como me sinto sobre seu livro. Então: "Nunca haverá escuridão porque em nós dois há sempre movimento, renovação, surpresas. Nunca conheci a estagnação. Nem mesmo a introspecção tem sido uma experiência inerte... Se é assim, então pense o que encontro em você, que é uma mina de ouro. Henry, eu o amo com uma conscientização, um conhecimento de você, que o toma todo, com a força de minha mente e imaginação, além daquela do meu corpo. Eu o amo de tal maneira que June pode voltar, nosso amor pode ser destruído e, no entanto, nada pode quebrar a fusão que tem sido... Penso hoje no que você disse: 'Eu quero deixar uma cicatriz no mundo'. Eu o ajudarei. Quero deixar a cicatriz feminina".

Hoje, seguiria Henry até o fim do mundo. O que me salva é apenas o fato de estarmos ambos sem um tostão.

Lucidez: Há em Henry uma falta de sentimentos (não uma falta de paixão ou emoção) que é traída por sua ênfase em foder e conversar. Quando fala sobre outras mulheres, o que ele lembra delas são os defeitos, as características sensuais ou as disputas. O resto fica ausente ou implícito. Não sei ainda. Mas sentimentos são grilhões. Henry não é para ser venerado como um ser humano, mas como um monstro-gênio. Talvez seja coração-mole, mas apenas indiscriminadamente. Deu a Paulette, por generosidade, o par de meias que eu havia deixado em sua gaveta, meu melhor par, enquanto eu usava meias remendadas para poder economizar e comprar presentes para ele. O dinheiro que lhe mandei da Áustria, para uma mulher, gastou em discos para mim. No entanto, roubou quinhentos francos da herança de Osborn para sua namorada quando ele partiu para a América. Dá ao meu cachorro metade de seu filé, no entanto guarda o troco dado por um chofer de táxi. Estes súbitos atos de mesquinharia, que também aparecem em June, me deixam perplexa e sofro com eles, embora Henry jure que nunca poderia agir dessa forma comigo. E até agora não vejo nada em sua maneira de me tratar a não ser uma extrema delicadeza. Ele não hesita em atirar verdades cruéis – está plenamente consciente de meus defeitos –, mas ao mesmo tempo sucumbe à magia, à suavidade. Por que confio nele assim, acredito nele, não tenho medo dele? Talvez este seja um erro tão grande quanto o de Hugo confiar em mim.

Anseio por Henry, apenas Henry. Quero viver com ele, ser livre com ele, sofrer com ele. Frases de suas cartas me atormentam. No entanto, tenho dúvidas quanto ao nosso amor. Temo minha impetuosidade. Tudo está em perigo. Tudo o que criei. Sigo Henry, o escritor, com minha alma de escritora, entro em seus pensamentos como ele vagueia pelas ruas, partilho de suas curiosidades, seus desejos, suas prostitutas, penso os pensamentos dele. Tudo em nós se casa.

Henry, você não está mentindo para mim; você é tudo o que sinto que é. Não me engane. Meu amor é novo demais, absoluto demais, profundo demais.

Quando Hugo e eu caminhamos hoje à noite lá do alto do morro, vi Paris estender-se numa névoa de calor. Paris Henry. Não pensei nele como um homem, mas como vida.

Perfidamente, disse para Hugo:

– Está tão quente. Será que não podíamos chamar Fred, Henry e Paulette para uma visita durante a noite?

Isso porque recebi esta manhã as primeiras páginas de seu novo livro, páginas estupendas. Ele está fazendo seu melhor trabalho, febril porém coeso. Cada palavra agora atinge a marca. O homem está inteiro, forte, como nunca foi. Quero respirar sua presença por algumas horas, alimentá-lo, esfriá-lo, enchê-lo com aquele hálito pesado da terra e árvores que açoita seu sangue. Deus, isto é como viver cada momento num orgasmo, com apenas pausas entre os mergulhos.

Quero que Henry saiba disso: que posso subordinar a posse ciumenta de mulher a uma devoção apaixonada ao escritor. Sinto uma servidão orgulhosa. Há esplendor nos escritos dele, um esplendor que transfigura tudo o que ele toca.

Ontem à noite, Henry e Hugo conversaram um com o outro, admiraram um ao outro. A generosidade de Hugo floresceu. Quando estávamos em nosso quarto, eu o compensei. No café da manhã, no jardim, leu as últimas páginas de Henry. Seu entusiasmo fulgurou. Tirei vantagem disso para sugerir que abríssemos a casa para ele, o grande escritor. Segurando minha mão, pesando minhas palavras de tranquilização – "Henry me interessa como escritor, é tudo" –, ele consentiu com tudo o que quis. Vou ao portão para me despedir dele. Ele está feliz só por ser amado, e eu estou surpresa com minhas próprias mentiras, minha representação.

Não saí ilesa do inferno da visita de Henry durante a noite. O passar daqueles dois dias foi intricado. Justamente quando eu começava a agir como June, "capaz de veneração, devoção, mas também da maior indiferença para obter o que quer", como Henry havia dito, ele caiu num estado de espírito sentimental.

Foi depois que Hugo saiu para trabalhar. Henry disse:

– Ele é tão sensível, não se deve magoar um homem assim. – Isso provocou uma tempestade em mim. Deixei a mesa e fui para o meu quarto. Ele veio me ver e eu estava chorando, e ficou feliz de me ver chorar, demonstrando a inexistência de indiferença. Porém fiquei tensa, venenosa.

Quando Hugo voltou à noitinha, Henry começou novamente a escutá-lo com atenção, a falar sua língua, a conversar com seriedade, ponderadamente. Nós três estávamos sentados no jardim.

Nossa conversa foi a princípio desconexa, até Henry começar a fazer perguntas sobre psicologia. (Em algum momento durante o dia, provavelmente por ciúme de June, eu havia dito algo que provocara o ciúme de Henry em relação a Allendy.) Tudo o que eu tinha lido no ano anterior, todas as minhas conversas com Allendy, minhas próprias reflexões sobre o assunto, tudo isso jorrou de mim com surpreendente energia e claridade.

Subitamente Henry me deteve e disse:

– Não confio nem nas ideias de Allendy nem em seu pensamento, Anaïs. Ora, eu só o vi uma vez. Ele é um homem bruto, sensual, letárgico, com um quê de fanatismo no fundo dos olhos. E você... ora, você coloca as coisas com tanta clareza e beleza para mim... tão cristalinas... que parecem simples e verdadeiras. Você é tão terrivelmente esperta, tão inteligente. Desconfio de sua inteligência. Você faz um tipo maravilhoso, tudo está em seu lugar, parece claro, claro demais. E nesse meio-tempo, onde está você? Não na superfície clara de suas ideias, mas já mergulhou mais profundamente, para regiões mais escuras, de forma que se pensa apenas que se recebeu todos os seus pensamentos, imagina-se apenas que você se esvaziou naquela claridade. Mas há camadas e camadas... você não tem fundo, é impenetrável. Sua claridade é ilusória. Você é o pensador que desperta mais confusão em mim, mais dúvida, mais perturbação.

Esse é o esboço de seu ataque. Foi lançado com extraordinária irritação e veemência. Hugo acrescentou calmamente:

– A gente sente que ela nos dá um padrão cuidadoso e depois escapole de dentro dele e ri de nós.

– Exatamente – admite Henry.

Eu ri. Notei que a soma total de suas críticas era aduladora e fiquei alegre por tê-lo irritado e confundido, mas então senti-me inclinada pelo rancor com a ideia de ele de repente me combater. Sim, a guerra era inevitável. Ele e Hugo continuaram conversando enquanto eu tentava endurecer-me. Aquilo foi inesperado demais para mim. A admiração de Henry por Hugo também foi surpreendente, depois de tudo o que ele tinha dito.

Eu me lembro de pensar: Agora os dois cautelosos, o alemão enfadonho e o discreto escocês, encontraram solidariedade contra minha vivacidade. Bem, eu vou ser mais viva e mais traiçoeira. Henry se identifica com Hugo, o marido, como eu me identifico com June. June e eu teríamos flagelado os dois homens de prazer.

Que noite! Como se pode ir dormir envenenada, pesada de lágrimas, com a raiva ainda fumegando? Vá em frente, Henry, tenha pena de Hugo, porque vou enganá-lo uma centena de vezes. Eu enganaria o maior e o melhor homem da terra. O ideal de fidelidade é uma piada. Lembre-se do que lhe ensinei hoje à noite: a psicologia tenta restabelecer a base da vida não sobre ideais, mas sobre sinceridade com o próprio eu. Golpeiem, golpeiem o quanto quiserem. Eu darei o troco.

Fui dormir cheia de ódio e amor por Henry. Hugo me despertou mais tarde com carícias e tentava fazer amor comigo. Semiadormecida, eu o afastei, sem sentir. Encontrei desculpas para isso depois.

De manhã, acordei tensa, irritadiça. Henry estava sentado no jardim. Havia ficado para conversar. Estava preocupado com a noite anterior. Eu apenas escutei. Ele me contou que agiu da maneira habitual. Disse e fez coisas que não tinha intenção de dizer nem fazer.

– Não tinha intenção? – repeti. Sim, ele havia sido levado por sua intenção de dissimular seu amor por mim. Não admirava Hugo tanto quanto dizia, não tanto. A verdade é que ele havia ficado maravilhado com minha tirada. Quis abraçar-me. Nunca me vira ir até o fundo de um assunto como aquele. A maior parte do meu pensamento era como taquigrafia para ele. Ele havia lutado contra um sentimento de admiração, ciúme de Allendy, também um ódio perverso da pessoa que lhe pode dizer algo novo. Eu abrira mundos para ele.

Ocorreu-me que ele talvez estivesse representando uma comédia seguida da outra, que agora, por alguma razão, estivesse brincando comigo. Eu lhe disse isso. Ele respondeu calmamente:

– Pelo amor de Deus, Anaïs, nunca minto para você. Não posso fazer nada se você não acredita em mim.

A explicação dele soou fraca. Que necessidade de dissimular? Eu cuidava da cegueira de Hugo. Será que não era, em vez disso, o fato de que ele gostava de dificuldades, que nossa última semana de interpenetração, harmonia, confiança agora provocava seu anseio usual por discórdia?

– Não, Anaïs, eu não quero guerra. Mas perdi minha confiança. Você disse que Allendy... – Ah, Allendy. Então eu o tinha ferido, eu o tinha provocado. O ciúme o inspirou. Eu disse:

– Não vou privá-lo do prazer que você encontrou no ciúme respondendo a suas perguntas.

Então ele disse algo que me tocou. Começava:

– O que o homem quer [o que o homem quer!] é acreditar que uma mulher possa amá-lo tanto que nenhum outro homem possa interessar-lhe. Eu sei que isso é impossível. Sei que cada alegria carrega sua própria tristeza. – Então nós poderíamos novamente ter abertura? Se eu fosse confiável?

– Ouça – disse eu estranhamente –, o que o homem quer é o que eu tenho lhe dado até agora, com um absolutismo que você nunca poderia imaginar.

– Isso é maravilhoso – retrucou ele, muito ternamente, estonteado. Nosso primeiro duelo chegara ao fim.

Houve uma grande insanidade em tudo isso, mais nas explicações dele do que em suas ações iniciais. Isso foi realmente uma cena de ciúmes ou a primeira expressão de sua instabilidade em relacionamentos humanos, sua irresponsabilidade? Pela primeira vez estou diante de uma natureza mais complicada do que a minha. Talvez nós nos tenhamos tornado mais interessantes um para o outro à custa da confiança. Ele está feliz por ter me visto como um instrumento, emitindo todo o seu âmbito de sons. Humanamente, perdi alguma coisa. A fé, talvez. Em lugar daquela abertura cega para ele, convoco minha inteligência.

Mais tarde, quando ele chora ao me dizer que o pai está morrendo de fome, fico paralisada e minha piedade não flui. Eu daria tudo para saber se ele enviou ao pai parte do dinheiro que lhe dei, passando fome ele próprio para fazê-lo. Tudo que preciso saber é: Será que ele consegue mentir para mim? Fui capaz de amá-lo e mentir para ele ao mesmo tempo. Vejo-me envolta em mentiras, que parecem não penetrar em minha alma, como se elas não fossem realmente uma parte de mim. Elas são como roupas. Quando amei Henry, como fiz naqueles quatro dias, amei-o com um corpo nu que tirara suas roupas e esquecera suas mentiras. Talvez não seja assim com Henry. Mas o amor, em tudo isso, treme como uma lança numa duna de areia. Mentir, é claro, é engendrar insanidade. No minuto em que piso na caverna de minhas mentiras caio na escuridão.

Não tenho tido tempo de escrever as mentiras. Quero começar. Suponho que não quis olhar para elas. Se unidade é impossível para o escritor que é "um mar de protoplasma espiritual, capaz de fluir em todas as direções, de engolfar todo objeto em seu caminho, de gotejar em cada fresta, de encher todo molde", como disse Aldous Huxley em *Contraponto,* pelo menos a verdade é possível, ou a sinceridade sobre as insinceridades de alguém. É verdade, como disse Allendy, que o que minha mente engendra ficcionalmente eu enriqueço com sentimento verdadeiro, e sou tomada, em boa-fé, por minhas próprias invenções. Ele me chamou *"le plus sympathique"* das insinceras. Sim, sou a mais nobre das hipócritas. Meus motivos, revela a psicanálise, possuem o menor grau de malevolência. Não é para magoar ninguém que deixei o amante dormir na cama de meu marido. É porque não tenho o senso de sagrado. Se Henry fosse mais corajoso, eu teria dado a Hugo um sonífero durante a visita de Henry para que pudesse dormir com ele. Ele foi tímido demais, contudo, para roubar um beijo. Só quando Hugo partiu ele me jogou sobre as folhas de hera, no fundo do jardim.

Uma vez passei quatro dias com um amante humano apaixonado. Naquele dia fui fodida por um canibal. Fiquei exalando sentimentos humanos, e soube que naquele preciso momento ele não era humano. O escritor está vestido com sua humanidade, mas ela é apenas um disfarce.

Minha conversa na noite anterior sobre sinceridade, sobre dependência um do outro, sobre o fluir de confiança tal que não se consegue ter nem mesmo com o ser que se ama atingira o alvo.

Talvez meu desejo de preservar o esplendor daqueles quatro dias com Henry seja um esforço perdido. Talvez, como Proust, eu seja incapaz de movimento. Escolho um ponto no espaço e revolvo à volta dele, como revolvi por dois anos à volta de John. O movimento de Henry é um constante martelar para tirar centelhas, despreocupado com as mutilações envolvidas.

Mais tarde, eu lhe perguntei:

– Quando seu sentimento por June volta, ele altera, mesmo por um momento, o nosso relacionamento? Nossa ligação se quebra? Os seus sentimentos fluem novamente para um amor de origem ou fluem em duas direções? – Henry disse que era um fluir duplo. Que ele levava em sua cabeça uma carta para June: "Eu a quero de volta, mas você deve saber que amo Anaïs. Tem que aceitar isso".

A desavença entre o corpo de Hugo e o meu me deixará louca. Suas constantes carícias são intoleráveis para mim. Até agora eu conseguia endurecer-me, encontrar um prazer terno em sua proximidade. Mas hoje é como se eu vivesse com um estranho. Odeio quando ele se senta perto de mim, passando as mãos por minhas pernas e por meus seios. Esta manhã, quando ele me tocou, dei um pulo com desagrado. Ele ficou terrivelmente chocado. Não suporto o desejo dele. Tenho vontade de fugir. Meu corpo está morto para o dele. O que vai ser da minha vida agora? Como posso continuar fingindo? Minhas desculpas são tão fúteis, tão fracas – saúde ruim, estado de espírito deprimido. São mentiras transparentes. Eu vou magoá-lo. Como anseio por minha liberdade!

Durante nossa sesta Hugo tentou possuir-me novamente. Fechei os olhos e me entreguei, mas sem prazer. Se é verdade que este ano alcancei novos clímaxes de prazer, também é verdade que nunca alcancei tamanhas profundezas escuras. Esta noite tenho medo de mim mesma. Poderia deixar Hugo neste minuto e me tornar uma mulher qualquer. Eu me venderia, tomaria drogas, morreria de prazer voluptuoso.

Eu disse a Hugo, que se gabava de estar um pouco bêbado:

– Bem, diga-me alguma coisa sobre você que eu não saiba, diga-me algo novo. Você não tem nada a confessar? E não poderia inventar algo?

Ele não compreendeu o que quis dizer. Nem compreendeu quando me afastei de suas carícias. Doce fé. Ser debochado, usado. Por que você não é mais inteligente, menos crédulo? Por que não reage, por que não tem aberrações, paixões, comédias para representar, crueldade?

Enquanto eu trabalhava hoje, percebi que transmitira a Henry muitas de minhas ideias sobre June e que ele as está usando. Sinto-me empobrecida, e ele sabe disso, porque me escreve que se sente um crápula. O que me restou para fazer? Escrever como uma mulher e como uma mulher apenas. Trabalhei a manhã toda, e ainda me senti rica.

O que Henry me pede é intolerável. Eu não só tenho que florescer com um meio amor como tenho que alimentar sua concepção de June e alimentar seu livro. À medida que cada página dele me alcança, na qual faz cada vez mais justiça a ela, sinto que é minha visão que ele tomou emprestada. Certamente nenhuma mulher jamais foi requisitada de tal maneira. Henry não pediria isso da June primitiva. Está testando minha coragem ao máximo. Como posso desembaraçar-me desse pesadelo?

Henry ficou atento à minha primeira fraqueza, ao primeiro sinal de ciúme, e captou, regalou-se nele. Como sou uma mulher que compreende, me pedem para compreender tudo, para aceitar tudo. Vou exigir os meus direitos. Quero um milhão de dias como aqueles quatro dias com Henry, e vou tê-los mesmo que não sejam com ele. Vou devolver Henry a June e vice-versa, lavar as mãos de todos os papéis sobre-humanos.

Não se aprende a sofrer menos, mas a se evadir da dor. Comecei a pensar em Allendy como uma fuga. Suas ideias têm sublinhado muitos de meus atos. Foi ele que me ensinou que mais de um homem consegue me entender, que o apego é uma fraqueza, que sofrer é desnecessário. Acho que meu sentimento por ele se cristalizou quando Henry o descreveu no jardim naquela noite. Falou dele como um homem sensual. Tenho uma nítida lembrança de como ele estava em nosso último encontro. Estava cheia demais de Henry para reparar. No outro dia, escrevi a Allendy uma carta muito agradecida e terminei incluindo uma cópia parcial de uma das cartas de Henry para mim. Isso se adequou logicamente com o que eu estava dizendo e deu provas do que, psicanaliticamente, ele poderia considerar um trabalho bem-sucedido. Mas a verdade é que eu esperava deixá-lo com ciúmes.

O que encontrei em Henry é único; não pode ser repetido. Mas existem outras experiências a serem vividas. No entanto, hoje à noite eu planejava como melhorar seu último livro, como fortalecê-lo, como lhe inspirar segurança.

Mas ele também me fortaleceu, de forma que agora sinto força bastante para viver sem ele, se eu precisar. Não sou escrava de uma maldição da infância. O mito de que procurei reviver a tragédia de minha infância agora está aniquilado. Quero um amor completo e igual. Vou fugir de Henry o mais rápido que puder.

Ele veio ontem. Um Henry sério, cansado. Teve que vir, disse ele. Não dormia há várias noites, incitado pelo livro. Esqueci-me de minhas tristezas. Henry está cansado. Ele e seu livro devem ser alimentados.

– O que você quer, Henry? Deite-se no sofá. Tome um pouco de vinho. Sim, este é o cômodo em que eu tenho trabalhado. Não me beije agora. Nós almoçaremos no jardim. Sim, tenho muito a lhe dizer, mas tudo isso deve esperar. Estou adiando deliberadamente tudo o que possa perturbar o seu livro. Tudo pode esperar.

E então Henry, pálido, intenso, os olhos muito azuis, disse:

– Eu vim para lhe dizer que enquanto trabalhava em meu livro percebi que tudo entre June e eu morreu há três ou quatro anos. Que o que vivemos juntos da última vez em que ela esteve aqui foi apenas uma continuação automática, como um hábito, como a prolongação de um ímpeto que não pode chegar a um ponto morto. É claro que foi uma tremenda experiência, a maior sublevação. É por isso que consigo escrever tão freneticamente sobre isso. Mas esta é a canção do cisne que estou escrevendo agora. Você deve ser capaz de diferenciar a evocação do escritor de seu passado e os sentimentos presentes. Eu lhe digo, eu a amo. Quero que venha comigo para a Espanha, sob qualquer pretexto, por alguns meses. Sonho em trabalharmos juntos. Quero-a perto de mim. Até que as coisas se resolvam de tal maneira que eu possa protegê-la completamente. Aprendi uma lição amarga com June. Você e June são mulheres de tal personalidade que não podem florescer em miséria, passando necessidades. Não é o seu elemento. Vocês são ambas importantes demais. Não vou pedir isso de vocês.

Fiquei estonteada.

– Sem dúvida – acrescentou ele –, tive que viver aquilo tudo, mas, precisamente porque vivi, estou quite com tudo e posso experimentar um novo tipo de amor. Sinto-me mais forte do que June. No entanto, se June voltar, as coisas talvez recomecem por uma espécie de necessidade fatal. O que sinto é que quero que você me salve de June. Não quero ser diminuído, humilhado, destruído por ela novamente. Sei o suficiente para saber que quero acabar o relacionamento com ela. Temo sua volta, a destruição de meu trabalho. Estava pensando como tenho absorvido seu tempo e atenção, como a tenho preocupado, magoado até; como os problemas de outras pessoas são derramados em você também; como você é requisitada para resolver problemas, para ajudar. E nesse meio-tempo há o seu trabalho, mais profundo e melhor do que o de qualquer pessoa, com o qual ninguém se importa e que ninguém ajuda a fazer.

Com isso eu ri.

– Mas, Henry, você se importa, e além disso eu posso esperar. É você que está atrasado no tempo e deve ter a chance de se adiantar.

Contei-lhe um pouco do turbilhão por que eu passara nos últimos dias. Senti-me como alguém condenado a morrer e então subitamente perdoado. Pareceu não importar mais quantas vezes June pudesse tomar Henry de volta. Neste momento ele e eu estávamos indissoluvelmente casados. A fusão de nossos corpos que se seguiu foi quase insignificante – pela primeira vez, apenas um símbolo, um gesto. Uma fusão tão rápida que pareceu tomar lugar no espaço, e os movimentos do corpo seguiram um ritmo mais lento.

Escrevi trinta páginas sobre June de uma maneira intensa e inteiramente imaginativa, o melhor que fiz até agora. É bom ver todas as experiências de laboratório culminarem numa explosão lírica.

Ontem à noite desfrutei profundamente do Grand Guinol: as convulsões de uma mulher tentada pela paixão, deitada nua num sofá de veludo preto. Uma mulher luxuriosa abaixa o pijama. Senti uma enorme excitação sexual.

Hugo e eu visitamos uma outra casa, onde as mulheres eram mais feias do que as da Rue Blondel, 32. O quarto era coberto de espelhos. As mulheres se moviam como um rebanho de animais passivos, duas a duas, virando-se para a música do fonógrafo. De antemão, eu ficara excitada e com altas expectativas. Não pude acreditar na feiura das mulheres quando elas entraram. Em minha cabeça, a dança das mulheres nuas ainda era uma orgia bela e voluptuosa. Quando vi os seios caídos com os enormes bicos endurecidos marrons, as pernas azuladas, as barrigas protuberantes, sorrisos desdentados, e aquela massa de carne pesada virando-se sem vida, como cavalos de madeira de um carrossel, meus sentimentos caíram por terra. Nem mesmo piedade. Apenas observação fria. Novamente vemos as poses monótonas, e no intervalo, quando era menos propício, as mulheres se beijaram indiferentemente, sem sensualidade. Quadris, nádegas abertas, a escuridão misteriosa entre as pernas – tudo exposto tão insensivelmente que Hugo e eu levamos dois dias para separar a associação de meu corpo, minhas pernas, meus seios daquela *troupe* de animais. O que eu gostaria é de juntar-me a elas por uma noite, caminhar nua para dentro do quarto com elas, olhar para os homens e mulheres ali sentados e ver a reação deles quando aparecer, eu e meu halo de ilusão.

Crueldade para Eduardo. Quando ele elabora um plano de dominação intelectual de sua dor, eu me sento bem perto dele no sofá e o faço ler os escritos de Henry, que ele odeia. Ele diz que estou criando um pequeno gigante. Eu o vejo olhando para meus seios mais agressivos. Vejo-o empalidecer e sair correndo num trem mais cedo.

Hoje quase perdi a cabeça ansiando por Henry. Não posso viver três dias sem ele. Escravidão feliz, terrível. Ah, ser um homem, capaz de satisfazer o eu tão facilmente, tão indiscriminadamente.

Voltei, por caminhos muito tortuosos, à simples afirmação de Allendy de que o amor exclui a paixão e a paixão, o amor. A única vez em que o amor de Hugo e o meu virou paixão foi durante as nossas desesperadas discussões depois de nossa volta de Nova York, e da mesma maneira June deu a Henry o máximo de paixão. Eu poderia lhe dar o máximo de amor. Mas me recuso a fazê-lo porque no momento a paixão parece de maior valor. Talvez esteja cega justamente agora para valores mais profundos. Houve perigo em minha reconciliação com Henry outro dia, o perigo de nos apaixonarmos.

Eu não deveria apenas tê-lo deixado enciumado com Allendy, mas tê-lo enganado com Allendy. Isso teria elevado nosso amor à paixão. Até o vocabulário de Henry muda quando me escreve ou escreve sobre mim; seu tom é menos extravagante, mais profundo. E eu me oponho a esse tratamento, porque eu mesma sou estimulada a um paroxismo. Nada menos do que paixão consegue me satisfazer agora. No entanto, não consigo agir de acordo com meus desvarios. Allendy me tornou temerosa de atos premeditados. Meus instintos me conduzem ao amor, sempre.

Depois de um longo fim de semana, Henry telefona dizendo que não virá me ver senão quarta-feira. Eu o esperara o dia todo. Disse-lhe que não podia vê-lo senão na quinta, que estava trabalhando para Allendy. Quis magoá-lo. E quando mencionei nossos planos para a Espanha, ele disse:

– Em tais circunstâncias é melhor não ir.

Soube então que ele me amava apenas para se consolar por sua perda de June, para ajudar-se a viver, apenas pela felicidade que eu poderia lhe dar. Até a viagem para a Espanha foi planejada para se salvar de June, não para estar comigo. Assim que Allendy voltar, eu me entregarei a ele.

Hugo lê minhas trinta páginas sobre June e exclama que são boas. Novamente me pergunto se ele está apenas semivivo ou simplesmente inarticulado. Pergunto-lhe isto e o magoo. Ele faz um comentário notável:

– Se este é o seu verdadeiro eu, aquele que você está afirmando, eu digo que é um eu muito duro.

Sim. Essa afirmação é o começo de June, de um outro vulcão. Fiquei docemente adormecida por alguns séculos, e estou em erupção sem avisar. A dureza em mim, uma quantidade inextinguível, lentamente se acumulou através dos esforços que fiz para subjugar a voracidade do meu ego. Henry vai sofrer, também. Pedi a ele que viesse hoje.

Ele veio imediatamente, em sua bicicleta, suave e ansioso. Eu o deixei ler uma longa carta que escrevi, contendo todas as coisas que disse ao meu diário. Ele não protestou.

Riu, um pouco triste. Então se sentou no sofá, completamente absorto pelo terror de saber como tudo podia desmoronar com tanta facilidade. Esperei, confusa por sua reflexão. Finalmente ele despertou para dizer:

– Eu sou apenas o que você me imagina ser. – Não sei o que mais dissemos. Percebi tanto a extensão quanto os limites do amor de Henry, o fato de ele ser possuído por June contra sua vontade, exatamente como eu, e o fato de ele me amar profundamente, como eu o amo. Quando ele me disse, atormentado:

– Preciso saber o que você quer.

Eu respondi:

– Nada mais do que ficar perto de você. Quando tudo está certo entre nós, eu consigo suportar minha vida.

Ele disse:

– Eu me dei conta de que uma temporada de férias na Espanha por alguns meses não é solução. E sei que, se fizéssemos isso, você nunca voltaria para Hugo. Eu não a deixaria voltar.

Eu respondi:

– E não posso pensar em mais do que um feriado por causa de Hugo. – Nós nos entreolhamos e percebemos o quanto cada um de nós estava pagando por sua fraqueza: ele, por sua escravidão à paixão, e eu, por minha escravidão à pena.

Os dias que se seguiram foram únicos, maravilhosos. Conversa e paixão, trabalho e paixão. O que preciso guardar, ter afetuosamente junto de meu peito são as horas naquele quarto do último andar. Henry não conseguia deixar-me. Ficou dois dias, que culminaram numa tal explosão de frenesi sexual que eu ficava ardendo durante muito tempo depois.

Parei de me preocupar. Deito-me e o amo simplesmente, e recebo tanto amor dele que justificaria toda minha existência. Gaguejo ao mencionar seu nome. A cada dia ele é um novo homem, com novas profundidades e novas sensibilidades.

Recebi uma fotografia dele hoje. Foi uma estranha sensação ver tão claramente a boca cheia, o nariz bestial, os olhos claros, faustianos – aquele misto de delicadeza e animalismo, de dureza e sensibilidade. Sinto que amo o homem mais notável de nossa era.

Passei a maior parte de minha vida enriquecendo o melhor que pude a longa, longa espera pelos grandes acontecimentos que me enchem agora – e tão profundamente que estou subjugada. Agora compreendo a estranha inquietação, o trágico senso de fracasso, o profundo descontentamento. Eu estava esperando. Esta é a hora da expansão, do viver verdadeiro. Todo o resto foi uma preparação. Trinta anos de espera angustiada. E agora estes são os dias por que vivi. E estar consciente disso, tão plenamente consciente, isso é que é quase humanamente insuportável. Os seres humanos não conseguem suportar o conhecimento do futuro. Para mim, o conhecimento do presente é tão fascinante. Estar tão profundamente rica *e saber disso*!

Ontem à noite, Hugo pôs a cabeça sobre meus joelhos. Enquanto olhava ternamente para ele, disse para mim mesma: "Como posso revelar a ele que não o amo mais?". E mais, percebo que não estou inteiramente envolvida com Henry, que Allendy me preocupa, que outra noite fiquei sentimentalmente excitada com a presença de Eduardo. A verdade é que sou inconstante, com estímulos sensuais em muitas direções. Vejo Allendy na quinta-feira. Sou muito sutil nesse encontro. Na imaginação saí com ele e fui ao restaurante russo, e ele me visitou aqui em Louveciennes. Henry pode ficar com ciúmes de Allendy. O próprio Allendy me libertou do sentimento de culpa.

Henry ficou ludibriado pelas minhas novas páginas. Foram mais do que um adorno, perguntou, mais do que bela linguagem? Fiquei desconcertada por ele não compreender. Comecei a explicar. Então ele disse, como todo mundo mais havia dito:

– Bem, você devia dar uma pista, devia conduzir a isso; somos atirados na estranheza inesperadamente. Isto tem que ser lido uma centena de vezes.

– Quem vai ler uma centena de vezes? – disse eu tristemente. Mas então pensei em Ulisses e nos estudos que o acompanham. Mas Henry, com seu detalhismo característico, não pararia aí. Caminhou de um lado para outro e falou com entusiasmo que eu devo tornar-me humana e contar uma história humana. Aqui, enfrentei o problema de minha existência. Quis continuar daquela maneira abstrata, intensa, mas será que alguém conseguiria suportar? Hugo compreendeu isso, não intelectualmente, mas como poesia; Eduardo, como simbolismo. Mas para mim havia significado naquelas frases trabalhadas.

Quanto mais eu falava sobre minhas ideias, mais excitado ficava Henry, até que começou a gritar que eu deveria continuar exatamente naquele tom, que eu estava fazendo algo único. As pessoas teriam que lutar para me decifrar. Ele sempre soube que eu faria algo único. Além disso, disse ele, eu devia isso ao mundo. Se não fizesse algo bom deveria ser enforcada; depois de alimentar este trabalho com uma existência de escritos em diário, o espremedor de laranja, onde todas as sementes e bagaços são deixados de lado.

Ele ficou de pé junto à janela dizendo:

– Como posso voltar para Clichy agora? É como voltar para uma prisão. Este é o lugar onde uma pessoa cresce, se expande, se aprofunda. Como amo esta solidão. Como ela é rica. – E eu fiquei de pé atrás dele, abraçando-o, dizendo:

– Fique, fique.

E quando ele está aqui, Louveciennes é rica para mim, viva. Meu corpo e minha mente vibram o tempo todo. Não sou apenas mais mulher, mas mais escritora, mais pensadora, mais leitora, mais tudo. Meu amor por ele cria um ambiente no qual ele resplandece. Ele se torna enfeitiçado e não pode partir até Fred telefonar dizendo que há pessoas perguntando por ele e correspondência a ser lida.

Como nosso pensamento pula extraordinariamente com oposições de temas, contrastes e acordo fundamental. Ele não confia em minha rapidez, faz meu ritmo ficar mais lento, e eu me atiro em sua criatividade como na riqueza ilimitada.

Nosso trabalho é inter-relacionado, interdependente, casado. Meu trabalho é a esposa do seu.

Frequentemente Henry fica de pé no meio de seu quarto e diz:

— Eu me sinto como se fosse o marido aqui. Hugo é apenas um jovem cheio de charme de quem gostamos muito.

Mais e mais eu percebo que a vida dele com June foi uma aventura perigosa e devastadora. Compreendo quando ele quer que eu o salve de June. Quando começa a falar sobre alugar uma propriedade como Louveciennes em algum local e eu digo: "Quando seu livro sair, você mandará chamar June e fará tudo isso", ele sorri tristemente e me diz que não é isso que quer. Eu sei disso, ou melhor, sei que ele deseja que uma vida como a minha e a de Hugo fosse possível com June.

Ontem à noite, como Henry estava cansado e desejava um momento menos vigoroso, menos truculento, uma ternura tal cresceu em mim que quase fui até ele em frente de Hugo e mamãe para abraçá-lo, para lhe pedir para vir ao andar de cima para nossa grande cama macia e repousar. Como quis cuidar dele. Ele estava quase chorando ao falar sobre mulheres se amando no filme *Jeunes filles en uniforme*.

Então ele disse, em frente a mamãe:

— Tenho que conversar com você alguns minutos. Corrigi seu manuscrito. — Fomos ao andar de baixo e nos sentamos na cama. Eu estava bastante emocionada pelo trabalho que ele havia feito. Começamos a nos beijar. Línguas, mãos, umidade. Mordi os dedos para não gritar.

Fui ao andar de cima, ainda palpitante, e conversei com mamãe. Henry me seguiu, parecendo um santo, de voz macia. E senti a presença dele até os dedos dos pés.

Hugo está tocando e cantando como ele costumava tocar e cantar em Richmond Hill, atrapalhando-se, hesitando. Seus dedos não são hábeis, e sua voz vacila. A tristeza que sinto ao escutá-lo demonstra como suas canções e doçura retrocederam para mim, para um passado ligado ao presente apenas pela continuidade de lembranças. Apenas as lembranças nos unem;

e meu diário as preserva. Ah, ser capaz de pular para a frente sem esta teia à minha volta.

SETEMBRO

Olho no rosto de Allendy com uma nova força, vejo seus olhos intensamente azuis e fanáticos derreterem, e ouço a ansiedade de sua voz quando ele me pede para voltar brevemente. Nós nos beijamos com mais afeto do que da última vez. Henry ainda está entre mim e um pleno gozo de Allendy, mas minha irreverência é mais forte. Repito nosso beijo no espaço, mantendo a cabeça levantada para ele ao caminhar pelas ruas, minha boca aberta ao novo drinque.

Toda noite seus olhos, sua boca e a aspereza de sua barba ficam comigo.

Atormento Eduardo e provoco seu ciúme despertando a admiração de um jovem médico cubano, cujos olhos se demoram no contorno de meu corpo. Fomos dançar. Hugo, Eduardo e eu. Eduardo quer me atrair para si, destruir minha exuberância. Está frio, desligado, malevolente. Ele luta contra a sinuosidade de meu corpo durante nossa dança, o roçar de minha face, a voz semelhante à de uma gata em seus ouvidos. Ele mata minha alegria com a fúria de seus olhos verdes, e quando a matou está infeliz. Vejo as veias inchadas em suas têmporas. Ele termina a noite com:

– O que você me fez há alguns meses!

Allendy ressalta que eu me abandono à crueldade da vida com Henry. A dor se tornou o prazer fundamental. Para cada grito de prazer nos braços de Henry, há um açoite de expiação: June e Hugo, Hugo e June. Como Allendy agora fala veementemente contra Henry, mas sei que não só está discursando sobre meu plano para a autodestruição, como também está sendo levado pelo próprio ciúme. No final da análise vejo que está profundamente perturbado. Tenho exagerado propositalmente. Henry é o homem mais gentil e delicado da face da terra, mais delicado ainda do que eu, embora aparentemente sejamos terroristas e amoralistas. Mas aprecio a preocupação de

Allendy comigo. O poder que ele cultivou em mim é perigoso, mais perigoso do que minha timidez anterior. Ele tem que me proteger agora com a habilidade de sua análise e a força de seus braços e sua boca.

Não creio que os homens jamais tiveram, em uma mulher, tamanha inimiga em potencial e tal amiga. Estou plena de amor inesgotável por Hugo, Eduardo, Henry e Allendy. O ciúme de Eduardo ontem à noite foi também meu ciúme, minha dor. Acompanhei-o pelo curto trajeto que ele quis caminhar, para clarear a cabeça, disse ele. Meus olhos estavam apáticos, minhas mãos, frias. Tenho um tal conhecimento de dor que não consigo infligi-la. Mais tarde, em casa, Hugo quase se atirou sobre mim, e abri minhas pernas passivamente, como uma prostituta, vazia de sentimento. No entanto, sei que só ele ama generosamente e sem egoísmo.

Ontem eu disse a Allendy que adoraria ter uma vida perigosa com Henry e entrar num mundo mais difícil, mais precário, ser heroica e fazer enormes sacrifícios como June, sabendo muito bem que, com minha fragilidade, eu terminaria num sanatório.

Allendy respondeu:

– Você ama Henry por excessiva gratidão, porque ele a fez mulher. Você é grata demais pelo amor que ele lhe dá. É seu dever.

Lembro-me das comunhões sacrílegas durante minha infância nas quais eu recebia meu pai em lugar de Deus, fechando os olhos e engolindo o pão branco com tremores bem-aventurados, abraçando meu pai, comungando com ele, numa confusão de êxtase religioso e paixão incestuosa. Tudo era para ele. Tive vontade de lhe enviar meu diário. Mamãe dissuadiu-me, porque ele poderia se extraviar no caminho. Ah, a hipocrisia de meus olhos abaixados, os acessos de choro escondidos à noite e a voluptuosa obsessão secreta por ele. O que me lembro melhor dele neste momento não é proteção paternal nem ternura, mas uma expressão de intensidade, vigor animal, que reconheço em mim, uma afinidade de temperamento que reconheci com uma intuição inocente de criança.

Uma ânsia vulcânica pela vida – é isso que lembro e de que ainda partilho, secretamente admirando uma potência sensual que automaticamente nega os valores de minha mãe.

Permaneci sendo a mulher que ama o incesto. Ainda pratico os crimes mais incestuosos com um fervor religioso sagrado. Sou a mais corruptora de todas as mulheres, pois busco um refinamento em meu incesto, o acompanhamento de belos cantos, música, de forma que todo mundo acredite em minha alma. Com um rosto de madona ainda engulo Deus e esperma, e meu orgasmo lembra um clímax místico. Os homens que eu amo, Hugo ama, e eu os deixo agir como irmãos. Eduardo confessa seu amor a Allendy. Allendy vai ser meu amante. Agora envio Hugo a Allendy de forma que Allendy o ensine, para sua felicidade, a ser menos dependente de mim.

Quando imolei minha infância à minha mãe, quando abro mão de tudo que possuo, quando ajudo, compreendo, sirvo, que crimes tremendos estou expiando – prazeres estranhos, insidiosos, como meu amor por Eduardo, meu próprio sangue; pelo pai espiritual de Hugo, John; por June, uma mulher; pelo marido de June; pelo pai espiritual de Eduardo, Allendy, que agora é guia de Hugo. Só me resta agora ir para o meu próprio pai e desfrutar por completo a experiência de nossa semelhança sensual, ouvir dos lábios dele as obscenidades, a linguagem brutal que nunca formulei, mas que amo em Henry.

Estarei hipnotizada, fascinada pelo mal porque não possuo nenhum em mim? Ou existe em mim o maior mal secreto?

Minha análise estava realmente terminada quando Allendy me beijou da última vez e senti o nascimento de um relacionamento pessoal. Senti um enorme prazer no beijo dele, e uma hora depois estava nos braços de Henry. Henry está dormindo agora em meu escritório, e eu estou sentada a alguns metros escrevendo sobre o beijo de Allendy. Adorei o tamanho grande de Allendy, sua boca e mão em minha garganta. Henry esperava por mim na estação depois disso. Sei que o amo e que com Allendy é coquetismo, um jogo agradável que estou aprendendo a jogar.

Allendy diz que se eu desse alguns choques em Hugo, como meu desejo por John, eu o despertaria, mas não posso fazer isso, e prefiro pô-lo nas mãos de Allendy. Despertá-lo através da dor – aqui está minha limitação, meu fracasso. E, secretamente, tenho medo de bombear as limitações dele. Tenho medo de encontrar um fundo de sentimento profundo e nada mais. Quanta mente, quanta imaginação, quanta sensualidade existe nele? Será que ele pode algum dia ser ressuscitado, ou devo continuar este curso de homem para homem? Agora que estou me movendo, tenho medo. Onde vou parar?

Vejo o que não gosto em Allendy – um certo convencionalismo, uma tendência de conservadorismo; ele é um ser leve, quando o que amo são homens trágicos, de almas pesadas, exatamente como Henry disse que amava mulheres românticas.

Hoje Allendy tentou não reconhecer que estou bem. Quer que eu precise dele. Sua análise foi menos perfeita uma vez que agora há um elemento pessoal nela. Pude ver o desmoronar de sua objetividade. Fico impressionada de ver que este homem, que conhece o pior a meu respeito, esteja tão fortemente atraído. Eu sou sua criação.

Henry lê o diário de Hugo e descobre que é o diário de um aleijado. Começa a suspeitar de que eu também era uma aleijada quando me casei com ele.

Quando Henry disse isso, mostrei o meu diário daquele período, quando tinha dezenove anos, e o li para ele. Ele ficou surpreso, exultante, também. Quis ler mais, e ler o romance que escrevi aos vinte e um anos.

Hugo estava fora numa viagem de negócios, e durante cinco dias Henry e eu vivemos aqui juntos, sem ir a Paris, trabalhando, lendo, passeando a pé. Uma tarde, pedi a Eduardo para vir. Eles discutiram astrologia, mas secretamente se combateram. Henry disse a Eduardo que ele estava morto, uma estrela fixa, enquanto ele próprio era um planeta sempre revolvendo, sempre em movimento. Eduardo permaneceu composto, superior através de sua frieza, habilidade, cortesia. Henry ficou confuso e perdido. Eduardo pareceu ao mesmo tempo fauno e inteligente, Henry foi lento e germânico, oferecendo-me um sorriso tão infinitamente tocante.

Fiquei feliz por ser Henry a ficar em Louveciennes – o afetuoso, gentil e humano Henry. Ele estava num estado de espírito tão casto. Sentamo-nos no jardim. Ele disse que queria ser enterrado ali, nunca ser mandado embora, ser metamorfoseado num urso que entraria pela janela de meu quarto quando qualquer um estivesse fazendo amor comigo. Tornou-se criança, acalentado por minha ternura. Eu nunca o vira tão pequeno e frágil. Há o contraste mais estranho entre sua embriaguez, quando ele fica corado, combativo, destrutivo, sensual, todo instinto, um homem cuja vitalidade animal fascina e subjuga as mulheres; e sua sobriedade, quando ele consegue ficar diante de uma mulher e ler para ela, conversar com ela num tom quase religioso, ficar pensativo, pálido, santo. É uma transformação surpreendente. Ele se senta no jardim como um Eduardo gentil de cinco anos atrás, e então, algumas horas depois, morde com grande ferocidade e pronuncia as palavras mais obscenas enquanto ficamos deitados convulsos de prazer.

No entanto, uma grande ternura cresce em mim quando Hugo retorna. Eu quero lhe dar prazer, forçar-me, e começo a responder sinceramente à sua paixão. Lembro-me de que uma noite, quando Henry e eu estávamos deitados no sofá em meu estúdio, uma corda da guitarra de Hugo estalou, a corda mais grave, ressonante como sua voz. Aquilo me aterrorizou, um prenúncio de uma finalidade que não desejo.

Fui ver Allendy na segunda-feira e me recusei a ser analisada porque, expliquei, começara a mentir para ele. Então nos sentamos e conversamos, e ele notou minha hostilidade. Quando entrei, esquivei-me de seu beijo. O que senti foi que ele estava destruindo meu relacionamento com Henry; estava provocando fissuras. Ressenti-me de sua forte influência, sua dominação sobre mim. Ele respondeu sensatamente. De repente, eu quis obedecê-lo de novo. Disse que estava pronta para a análise, que não mentiria mais, que eu exagerara os perigos de meu voo com Henry, só para ver como ele se preocupava com minha vida. Seus estranhos olhos azuis fascinaram-me. Levantei-me e dei uma volta à maneira habitual, com os braços levantados atrás da cabeça. Ele estendeu os braços.

Ele possui um corpo graúdo e dominante, como o de John. Abraça-me com tanta força que quase sufoco. Sua boca não é voluptuosa como a de Henry, e não nos compreendemos. Mas permaneço em seus braços. Ele diz:

– Vou ensiná-la a brincar, a não levar o amor tão tragicamente, a não pagar um preço tão alto por ele. Você o transformou numa coisa dramática e intensa demais. Isto será agradável. Sinto um forte desejo por você. – Sensatez detestável. Ah, eu o odeio. Enquanto ele fala, curvo a cabeça e sorrio. Ele me sacode, querendo saber o que estou pensando. Realmente tenho vontade de chorar. Aspirara a este tipo de relacionamento, e agora o tenho. Allendy é posudo, poderoso, mas eu o perturbei. Eu o fiz amar-me primeiro, trair seu amor. Se isto é prazer, não o quero. Ele está consciente de minha reação. – Isto lhe parece insípido? – Só há o corpo dele para me fascinar. Ele é o desconhecido.

Eduardo, a quem eu conto esta história, está feliz por eu me voltar para Allendy. Ambos odeiam Henry.

Porém, quero Henry esta noite, meu amor, meu marido, que vou trair em breve com a mesma tristeza com que traí Hugo. Anseio por amar inteiramente, ser fiel. Amo a rotina para a qual meu amor por Henry está caminhando. No entanto, sou impulsionada por forças diabólicas externas a todas as rotinas.

Hugo está sendo grandemente ajudado e fortalecido por Allendy. Está começando a amá-lo, porque há nele um certo elemento de homossexualismo.

Allendy agora é um deus diabólico dirigindo todas as nossas vidas. Ontem à noite, enquanto Hugo falava, pude observar a influência hábil e bela de Allendy. Ri estrepitosamente quando Hugo disse que Allendy lhe dissera que eu precisava ser dominada. Hugo respondeu:

– É, mas isso é fácil. Anaïs é latina e, assim, dócil. – Allendy deve ter sorrido. Então Hugo chega em casa e se atira sobre mim com uma nova selvageria, e eu me divirto, ah, eu me divirto. Parece-me que neste momento sou abençoada com três homens maravilhosos e capaz de amar os três.

Suponho que apenas um escrúpulo me impede de apreciá-los. Desejo que Allendy fosse mais dominante. Ele se submete às mulheres. Gostou de minha agressividade em nossos jogos sexuais. Sua primeira experiência sexual foi passiva quando ele tinha dezesseis anos e uma mulher mais velha fez amor com ele.

Voltei para vê-lo com grande impaciência, tremendo ora de frio, ora de febre. Deixamos a análise de lado. Conversamos sobre Eduardo, Hugo, astrologia. Pedi a ele para vir ver-me, mas acha que não pode ainda por causa de sua análise de Hugo. Rimos juntos sobre a questão da dominação. Gosto da maneira como ele me acaricia. Não faz nenhum dos gestos obscenos de Henry, no entanto sinto o homem cujo símbolo planetário é o Touro. Gosto quando nos beijamos de pé e fico pequena em seus braços. Ele me conhece melhor do que eu a ele. Fico desconcertada por seu caráter enigmático. Disse-lhe que confiara nele cegamente, que deveríamos simplesmente deixar as coisas acontecerem. Recusei a análise. Isso ele compreendeu.

Da casa dele fui a um café na esquina, onde pedira a Henry para me encontrar. Antes de ver Allendy, conversei com Eduardo. E às oito e meia concordei em encontrar Hugo. Quando vi Henry, senti-me distante dele. Odiei meus caprichos.

Agora devo guardar segredos de Henry, e não posso mais confiar tudo a Allendy porque nós somos homem e mulher com paixão crescendo entre nós. Perdi um pai! Não posso dizer a ele que ainda amo Henry. Devo tentar ser completamente fiel a Henry?

Hugo toca a guitarra esta noite enquanto escrevo e me puxa para ele com uma nova violência, estimulada pela análise. Tem escrito muito em seu diário e conversado expansivamente, e, enfim, de modo interessante.

Eduardo não acredita em minhas confidências sobre Allendy. Acha que planejamos salvá-lo incitando seu ciúme – minha criança patológica amada, Eduardo, a quem amo de certa maneira eternamente. A única vez em que somos felizes é quando retrocedemos a uma esfera mágica de beleza. Ele limpou nossas horas sexuais da memória, mas não minha ofensa. Sonha que um dia irei a ele e me arrastarei de joelhos, para que possa me fazer sofrer por ostentar Henry diante dele.

Ele me combate cega e furiosamente, censurando-me pela noite em que saímos para dançar, por eu tentar forçá-lo a ser vivo. Ao mesmo tempo seu ciúme é óbvio, e ele mostra a Allendy um bilhete no qual lhe digo que o amo e sempre o amarei, de um modo estranho, místico.

Corro a Allendy em busca de ajuda, porque meu desejo aparente por Eduardo foi expresso meramente para apagar a ofensa que ele não pode suportar. Quis que ele tivesse a última palavra, sentisse que ele me recusara, porque precisa sentir sua força. Mas quando Allendy me mostra o amor mais terno, mais protetor, eu me rebelo. Ele quer adiar intimidade pessoal por causa da análise que acha que ainda preciso. Como dispenso a análise, demonstro exatamente o que ele desconfia: que necessito de extravagantes e apaixonadas demonstrações de amor, não ternura ou proteção. Ele percebeu que quero seu amor como um troféu, não por ele mesmo. No entanto, assim que escrevo estas palavras, sei que não são inteiramente verdadeiras.

Deixo-o completamente arrasado. E hoje recebo meu verdadeiro amor, Henry, com grande prazer e ardente união. Como brilhamos! E então percebo que só posso amar plenamente quando tenho confiança. Estou certa do amor de Henry, e então me entrego.

Então Henry me diz, porque tem andado enciumado e preocupado, que leu sobre aquelas mulheres histéricas que são capazes de amar dois ou três homens profundamente ao mesmo tempo. É isso que sou?

A única coisa que a psicanálise consegue é fazer a pessoa mais consciente de suas desgraças. Adquiri um conhecimento mais claro e mais aterrorizante dos perigos em meu curso. Ela não me ensinou a rir. Fico aqui esta noite tão sombriamente quanto ficava quando era criança. Só Henry, o mais vivido de todos os homens, tem o poder de me fazer feliz.

Tive uma cena estupenda com Allendy. Trouxe-lhe duas páginas de "explicações", que a princípio o confundiram. Enfatizei dois momentos que me fizeram afastar-me dele: um, quando ele disse: "E o que vai ser do pobre Hugo se eu desabafar? Se ele descobrir que o traí, sua cura será impossível". Escrúpulos. Como os escrúpulos de John. Eles são insuportáveis para mim, porque já sofri muitos escrúpulos, e assim amo a inescrupulosidade de Henry. A de June. Eles criam um equilíbrio que me deixa à vontade. Mas, como Allendy ressalta, o equilíbrio não deve ser procurado pela associação com outros; deve existir dentro do próprio eu. Eu deveria ser livre o bastante de escrúpulos de outrem.

A segunda queixa: a grande ternura de Allendy, estimulada pela leitura de meu diário da infância. Odeio toda manifestação de ternura, porque me lembra o modo de Eduardo e de Hugo me tratarem, que quase me destruiu. Allendy ficou zangado porque interpretou mal minhas palavras. Eu o estava comparando a Eduardo e a Hugo? Mas tive suficiente presença de espírito, embora estivesse soluçando, para dizer como tinha consciência de que minha reação deformou o verdadeiro sentido de ternura, que não havia fraqueza nela mas, em vez disso, um anseio anormal por agressividade e afirmação em mim. Ele falou suavemente então, explicando como uma separação do erótico e do sentimental não era solução, que embora minha experiência com o amor, antes de Henry, tivesse sido um fracasso, eu não obteria felicidade de uma ligação puramente erótica.

A princípio vagou no emaranhado de ramificações que eu criara. Quis confundi-lo, esquivar-me da verdade exata.

Para minha grande surpresa, subitamente descartou tudo que eu havia dito e disse:

— Você ficou com a impressão da última vez, porque conversei tranquilamente sobre Hugo e meu trabalho, de que eu a amava menos. E imediatamente se afastou de mim, a fim de não sofrer. Endureceu-se. É a tragédia de sua infância repetindo-se. Se, quando você era criança, tivesse sido orientada de que seu pai tinha que viver a própria vida, que ele foi obrigado a abandoná-la, que apesar disso ele a amava, você não teria sofrido tão terrivelmente. E é sempre o mesmo. Se Hugo está ocupado no banco, você acha que ele a está negligenciando. Se converso sobre trabalho, você fica magoada. Creia-me, você está profundamente enganada. Eu a amo de uma maneira que é bem mais profunda e mais verdadeira do que o que você procura. Percebi que você ainda precisava de um analista, que não estava bem. Eu estava decidido a não deixar que nenhuma atração por você interferisse com meus cuidados com você. Se eu estivesse loucamente impaciente apenas em possuí-la, você logo perceberia a mesquinharia que estava lhe fazendo. Quero mais do que isso. Quero acabar com o conflito que lhe causa tanta dor.

— Você não pode fazer nada mais por mim – repliquei. – Desde que comecei a depender de você, sinto-me mais fraca do que nunca. Desapontei-o agindo neuroticamente no exato momento em que deveria ter demonstrado a sensatez de sua orientação. Não quero jamais voltar para você. Sinto que devo ir e trabalhar e viver e esquecer tudo isso.

— Isso não é solução. Desta vez você deve enfrentar a coisa toda comigo. Eu a ajudarei. Devo pôr de lado todo desejo pessoal por enquanto, e você deve deixar de lado essa dúvida completamente hoje. Isso sempre arruína sua felicidade. Se você puder aceitar o que lhe digo desta vez... que a amo, que devemos esperar, que você deve perceber como estou envolvido com Hugo e Eduardo, que devo, em primeiro lugar, terminar minha tarefa como médico antes de desfrutar de qualquer prazer em nosso relacionamento pessoal... então talvez possamos vencer sua reação para sempre.

Ele falou com tanta veemência, com tanta exatidão, que me recostei na cadeira, soluçando baixinho, compreendendo como ele estava certo, atormentada de dor, não só por causa de minha luta para vencê-lo mas por causa da amargura acumulada de todos os meus relacionamentos infelizes.

Quando eu o deixei, senti-me estonteada. Quase adormeci no trem.

Para Henry: "Você se lembra da vez que lhe contei que estava muito revoltada contra Allendy e a análise? Ele me fez chegar a um ponto onde, por grande esforço de lógica de sua parte, resolvera meu caos, estabelecera um padrão. Fiquei furiosa de pensar que podia ser encaixada num daqueles 'padrões fundamentais'.

"Para mim, isso se tornou uma questão de confundir o padrão. Decidi fazer isso com as mentiras mais engenhosas, a representação mais elaborada que já fiz em minha vida. Usei todo o meu talento para análise e lógica, que ele admitiu que eu tinha em alto grau, minha capacidade de dar explicações. Como dei a entender a você, não hesitei em brincar com os sentimentos pessoais dele, toda a força que eu tinha usei para criar um drama, para lograr a teoria dele, para complicar e jogar véus. Menti e menti mais cuidadosamente, mais calculadamente do que June, com toda a força de minha mente. Gostaria de poder lhe dizer como e por quê... De qualquer maneira, fiz tudo isso sem arriscar o nosso amor; foi uma batalha de inteligências na qual senti o maior prazer. E sabe de uma coisa? Allendy nos derrotou, Allendy descobriu a verdade, analisou tudo direito, detectou as mentiras, navegou (não direi jovialmente) por toda a minha tortuosidade e finalmente provou hoje de novo a verdade daqueles malditos 'padrões fundamentais' que explicam o comportamento de todos os seres humanos. Digo-lhe uma coisa: nunca deixaria June ir até ele, pois June simplesmente deixaria de existir, já que June é cheia de ramificações de neuroses. Seria um crime desvendá-la... E amanhã vou procurar Allendy e nós começamos um outro drama, ou eu começo um outro drama, com uma mentira ou uma frase, um drama de outro tipo, a luta para explicar, que é em si mesma profundamente dramática (nossas conversas sobre June não são algumas vezes tão dramáticas quanto o evento que estamos discutindo?). Descubro que não sei em que acreditar, que não decidi ainda se a análise simplifica e desdramatiza nossa existência ou se ela é a mais sutil, a mais insidiosa, a mais magnífica maneira de tornar os dramas mais terríveis, mais enlouquecedores. Tudo o que sei é que o drama não está de modo algum morto no chamado laboratório. Isto é um jogo tão apaixonado quanto tem sido para você viver com June. E então quando se vê o analista apanhado nas correntes, então se pode acreditar que existe drama em toda parte..."

Minha carta para Henry revela minhas mentiras para ele, mentiras necessárias, principalmente mentiras com a intenção de aumentar minha confiança.

OUTUBRO

Passo uma noite com o meu amado. Peço apenas que ele não volte para a América com June, o que revela a ele o quanto me importo. E me faz jurar que, aconteça o que acontecer, quando June vier eu devo acreditar nele e em seu amor. É uma coisa difícil para mim, mas Allendy me ensinou a acreditar, então eu prometo. Henry pergunta:

– Se eu tivesse meios hoje e lhe pedisse para ir embora comigo para sempre, você faria isso?

– Por causa de Hugo e June não, não poderia. Mas se não houvesse nenhuma June e nenhum Hugo, eu iria embora com você, mesmo que não tivéssemos meios.

Ele está surpreso.

– Às vezes me perguntava se isso era um jogo para você. – Mas vê o meu rosto e é levado a se calar. Uma noite de conversa clara, calma, quando a sensualidade é quase supérflua.

Allendy está observando minha vida. Hipnotizou-me para uma sonolência confiante. Quer que eu seja embalada com minha felicidade, que eu descanse em meu amor. Decidimos, pelo bem de Hugo (Hugo ficou com ciúmes dele), que eu não devo ir vê-lo durante dez ou doze dias. Isso é também como um teste de minha confiança. De repente, relaxo meu desejo febril por ele e aceito sua nobreza, sua seriedade, seu autossacrifício, sua preocupação por minha felicidade e me sinto humilde. O que me faz humilde é que ele acredita que eu o amo, e sinto que estou mentindo. Isso me leva a pensar que posso mentir para este grande homem sincero. Pergunto-me se ele sabe melhor do que eu a quem amo ou se o estou enganando, como enganei a todos. Em 1921, quando ainda me correspondia com Eduardo, já estava apaixonada por Hugo. Se Hugo soubesse que em Havana, enquanto trocávamos cartas de amor, eu estava interessada por Ramiro Collazo. Se Henry soubesse que amo os beijos de Allendy, e se Allendy soubesse como desejo viver com Henry...

Allendy acredita que minha vida com Henry, minha vida baixa, não é verdadeira, nem real, nem duradoura, enquanto sei que pertenço a ela. Ele diz:

— Você passou por experiências sombrias, mas sinto que permaneceu pura. Elas são curiosidades temporárias, uma ânsia por experiência.

— Seja qual for a experiência por que passo, saio ilesa. Todo mundo acredita em minha sinceridade e pureza, até Henry.

Allendy quer que eu veja meu amor por Henry como uma excursão literária ou dramática e meu amor por ele como uma expressão de meu verdadeiro eu, enquanto acredito que é exatamente o oposto. Henry tem a mim, mente e útero; Allendy é minha "experiência".

Há música contínua de nosso novo rádio. Hugo escuta enquanto contempla beatificamente os benefícios da ajuda de Allendy. O anunciante fala numa língua de Budapeste. Penso em minhas mentiras a Allendy e me pergunto por que minto. Por exemplo, tenho me preocupado incomumente com os problemas de Henry com os olhos. Se ele ficasse tão cego quanto Joyce, o que seria dele? Digo para mim mesma: "Eu deveria desistir de tudo e viver com ele e cuidar dele". Quando falo a Allendy sobre meu medo, exagero o perigo em que Henry está.

Mentiras são um sinal de fraqueza. Parece-me que não tenho coragem de dizer a Allendy abertamente que não o amo, e assim, em vez disso, quero que ele veja o que estou pronta para fazer por Henry.

Uma tarde com Henry. Ele começa dizendo que nossa conversa na outra noite foi a mais profunda e mais íntima que já tivemos, que ela o modificou, lhe deu força.

– Fugir de June, sinto agora, não é a solução. Sempre fugi das mulheres. Hoje sinto que quero encarar June e o problema que ela representa. Quero testar minha própria força. Anaïs, você me estragou, e agora não me satisfaço com um casamento baseado em paixão apenas. O que você me deu nunca imaginei que poderia encontrar numa mulher. A maneira como falamos e trabalhamos juntos, a maneira como você se adapta, a maneira como nos encaixamos tal qual mão e luva. Com você, encontrei a mim mesmo. Costumava viver com Fred e escutá-lo, mas nada do que ele dizia me atingia até eu viver com você naqueles poucos dias durante a viagem de Hugo. Percebo como você me afetou insidiosamente. Eu mal havia sentido isso, no entanto, percebo a extensão de sua influência. Você fez tudo se acender em mim.

Eu respondi:

– Vou aceitar June como um tornado devastador enquanto nosso amor permanecer profundamente enraizado.

– Ah, se você pudesse fazer isso! Você sabe que minha maior angústia tem sido a de que você começasse a brigar com June, que eu ficasse entre vocês, sem saber o que fazer por vocês, porque June me paralisa com sua selvageria. Se você pudesse compreender e esperar. Talvez seja um tornado, mas eu reagirei de uma vez por todas contra o que June representa. Preciso vencer esta batalha. É a grande questão de toda minha vida.

— Eu compreenderei. Não dificultarei as coisas ainda mais para você.

E aqui estamos, Henry e eu, conversando de tal maneira que o fim da tarde nos encontra ricos, desejosos por escrever, por viver. Quando nos deitamos juntos, estou num tal frenesi que não posso esperar por nossa união.

Mais tarde, ficamos na penumbra do aquário iridescente, curvados com o turbilhão. Henry se levanta e caminha pelo quarto.

— Não posso ir embora, Anaïs, devo ficar aqui. Sou seu marido. — Tenho vontade de me agarrar a ele, de segurá-lo, de aprisioná-lo. — Se eu ficar mais um minuto — continua ele —, farei algo louco.

— Vá embora rapidamente — digo. — Não posso suportar isso. — Ao descermos as escadas, ele sente o cheiro do jantar cozinhando. Levo suas mãos ao meu rosto. — Fique, Henry, fique.

— O que você deseja — diz Allendy — é de menor valor do que o que você descobriu.

Por causa dele, esta noite chego a compreender como John me amou à sua maneira. Acredito no amor de Henry. Acredito que, mesmo se June vencer, Henry me amará para sempre. O que me tenta fortemente é encarar June com Henry, deixar que ela torture a nós dois, amá-la, conquistar seu amor e o de Henry. Planejo usar a coragem que Allendy me dá em grandes planos de autotortura e autodestruição.

Não admira que Henry e eu fiquemos impressionados com nossas semelhanças: odiamos a felicidade.

Hugo fala sobre sua sessão com Allendy. Ele lhe diz que o amor agora é como uma fome para ele, que sente o desejo de me comer, me morder (finalmente!). E que fez isso. Allendy começa a rir com gosto e pergunta:

— Ela gostou?

— É estranho — responde Hugo —, mas parece que sim. — Com isso Allendy ri ainda mais. E por uma estranha razão isto desperta o ciúme de Hugo por Allendy. Ele teve a impressão de que Allendy sentiu prazer nesta conversa e teria gostado de ele próprio me morder.

Com isso sou eu que rio a fartar. Hugo continua sério.

– Esta psicanálise é uma coisa tremenda, mas que coisa mais tremenda deve ser quando os sentimentos são envolvidos. E se por acaso Allendy se interessasse por você?

Nesta altura fico tão histérica que Hugo quase se zanga.

– O que você acha de tão engraçado em tudo isso?

– Sua esperteza – respondi. – A psicanálise certamente põe novas ideias em sua cabeça.

Percebo que isso não passa de coquetismo com Allendy, coquetismo e pouco sentimento. Ele é um homem que quero fazer sofrer, quero fazê-lo vagar, dar uma aventura a *ele*! Descendentes de homens que singraram os mares, este grande homem saudável agora está aprisionado em sua caverna cheia de livros. Gosto de vê-lo de pé à porta de sua casa, com os olhos brilhando como o mar azul de Mallorca.

"Prosseguir do sonho em diante..." Quando ouvi pela primeira vez essas palavras de Jung, elas me incendiaram. Usei a ideia em minhas páginas sobre June. Hoje, ao repetir as palavras para Henry, elas o afetaram fortemente. Ele escreve seus sonhos para mim, e depois os antecedentes e associações. Que tarde. Estava tão frio no apartamento de Henry que deitamos na cama para nos aquecer um ao outro. Depois conversa, montanhas de manuscrito, montes de livros e rios de vinho. (Hugo aparece enquanto escrevo isso, se inclina e me beija. Só tive tempo de virar a páginas.) Estou num estado febril, desesperadamente puxando as barras de minha prisão. Henry sorriu tristemente quando tive que partir, às oito e meia. Ele percebe agora que o fato de não saber que era um homem de grande valor quase o leva à autodestruição. Terei tempo de colocá-lo em seu trono?

– Você está bem aquecida mesmo? – pergunta ele, fechando meu casaco à minha volta. Na outra noite ele cambaleava com os obstáculos na estrada escura, seus olhos fracos cegos pelos faróis de automóveis. Em perigo.

Ao mesmo tempo conduzo Hugo a Allendy, que não só o salva humanamente como desperta nele um entusiasmo por psicologia, que o torna interessante.

Quando olho para Henry conversando, percebo novamente que é sua sensualidade que amo. Quero me aprofundar nela, quero espojar-me nela, prová-la tão profundamente quanto ele, quanto June. Sinto isso com um tipo de desespero, um ressentimento secreto, como se Hugo e Allendy e até o próprio Henry quisessem me deter, enquanto sei que sou eu que me detenho. Estou terrivelmente apaixonada por Henry, então por que a inquietação, a febre, a curiosidade se tornam atenuadas? Estou fumegando de energia, de desejos de longas viagens (quero ir para Bali), e ontem à noite durante um concerto me senti como Mary Rose na peça de Barrie, que ouve música ao visitar uma ilha, afasta-se e desaparece por vinte anos. Senti que poderia sair de casa como uma sonâmbula, esquecendo-me por completo, como naquele quarto de hotel, de todas as minhas ligações, e viver uma nova vida. A cada dia há mais exigências de mim que me privam da liberdade de que preciso. As crescentes exigências de Hugo com relação ao meu corpo, as exigências de Allendy para estimular o meu senso mais nobre, o amor de Henry, que me faz uma esposa submissa e fiel – tudo isso, contra a aventura a que devo todo o tempo renunciar e sublimar. Quando estou mais profundamente enraizada, sinto o desejo mais louco de me soltar.

A leitura que Hugo fez dos livros de Allendy convenceu-o de que não amo Allendy, nem ele a mim. É simplesmente uma atração mútua nascida da análise, da intimidade, de certas correntes fortes de simpatia.

Passo uma hora num café com Henry, que tem lido meu diário de 1920, quando eu tinha dezessete anos, e sofrendo com ele. Ele estava lendo sobre o período em que Eduardo não me escreveu porque estava passando por uma experiência homossexual. Henry disse que desejava escrever-me uma carta por cada dia de decepção, responder a todas as minhas expectativas, compensar-me por cada dádiva negada a mim antes. Eu lhe disse que era precisamente isso que ele estivera fazendo.

Mais tarde, escreveu sobre meu amor aos dezessete anos: "E assim ela exclama: 'Todo o meu coração canta com meu anseio por amor'. Ela está apaixonada pelo amor, mas não como uma mera adolescente, não como uma garota de dezessete anos, mas como a artista embrionária que é, aquela que fecundará o mundo com seu amor, aquela que causará sofrimento e disputas porque ama demais...

"Nas mãos de um indivíduo comum o diário talvez seja visto como um mero refúgio, como uma fuga da realidade, como a piscina de um outro Narciso, mas Anaïs se recusa a deixar que ele mergulhe nesse molde..."

O homem que compreendeu isso, que escreveu essas linhas, de um golpe aceita o desafio de meu amor e despedaça a ideia de narcisismo.

Permaneci deitada no sofá relendo a carta de Henry muitas vezes, com prazer intenso, como se ele estivesse deitado sobre mim, possuindo-me. Não tenho mais o medo de amar demais.

Depois de beber uma garrafa de Anjou a noite passada, Henry falou sobre sua dificuldade em passar de um tratamento delicado das mulheres à corte. Ou conversava com elas ou se jogava sobre elas e corria como um louco.

Teve sua primeira experiência sexual aos dezesseis anos num bordel e pegou uma doença. Então veio a mulher mais velha com quem ele não ousava foder. Ficou surpreso quando isso aconteceu e prometeu a si mesmo não fazê-lo novamente. Mas aconteceu, e continuou achando que não estava correto. Anotou o número de vezes, com datas, como o registro de tantas conquistas. Tremenda exuberância física, jogos, façanhas, jogo violento.

Ele me contou sobre sua conversa com uma prostituta na outra noite. Estava num café lendo Keyserling. A mulher se aproximou dele, e como não era atraente, a princípio repudiou-a. Mas deixou-a sentar-se e conversar com ele.

– Tenho dificuldade em atrair homens, mas quando eles passam a me conhecer percebem que sou melhor do que a maioria das prostitutas, porque gosto de sair com um homem. O que eu quero agora é enfiar a mão em suas calças, puxar o seu membro e chupá-lo.

Henry ficou abalado com a franqueza das palavras dela, a imagem que ela lhe deixou, mas fugiu dela. Não conseguiu compreender por que deveria ter sido tão suscetível quando estava num outro mundo um momento antes e quando nem ao menos gostou da mulher. Prefere agressividade em mulheres. Isso era uma fraqueza?, perguntou. Eu não sabia, mas tive que aprender a ser agressiva para agradá-lo.

Depois que ele falou dessa forma, corado, exultante, dançando diante de mim, ilustrando seu acesso e mordendo a bunda de uma mulher, subitamente ficou quieto, pensativo, e uma grande mudança surgiu em seu rosto.

– Eu superei tudo isso – disse ele. E eu, que aplaudia sua demonstração, fiquei tentada a dizer: "Eu não superei. Ainda enlouqueço".

Olho para o rosto atormentado de Hugo (um período de tormento e ciúme em sua análise) e experimento grandes efusões de ternura. E Henry diz:

– Quando você e eu nos casarmos, levaremos Emilia conosco. – Ao subirmos as escadas para minha "caverna", ele põe a mão entre minhas pernas.

Estou correndo novamente para o caos de June. É June que quero, e não a sabedoria de Allendy, nem mesmo o amor de Henry por agressividade. Quero erotismo, quero aqueles sonhos úmidos que tenho à noite, mais quatro dias como aqueles dias de verão com Henry quando ele estava constantemente me jogando na cama, no tapete ou na grama. Quero me espojar na sexualidade até superá-la ou me tornar tão saciada quanto Henry.

Chego em Clichy para jantar, embriagada e febril. Henry estava escrevendo sobre meus escritos. A última página ainda está na máquina de escrever. E leio estas linhas extraordinárias: "Foi presunção minha querer alterar a língua dela. Se não é inglês, é uma língua de qualquer maneira e, quanto mais longe se acompanha tal língua, mais vital e necessária ela parece. É uma violação de língua que corresponde à violação de pensamento e sentimento. Não podia ter sido escrito num inglês que qualquer escritor capaz consegue usar... Acima de tudo é a língua da modernidade, a língua de nervos, repressões, pensamentos dissimulados, processos inconscientes, imagens não inteiramente divorciadas de seu conteúdo onírico: é a língua dos neuróticos, dos pervertidos, 'raiada de verdete', como Gautier colocou, referindo-se ao estilo da decadência...

"Quando tento pensar a quem você deve este estilo, fico frustrado – não me lembro de ninguém com quem você tenha a menor semelhança. Você me lembra apenas de si mesma..."

Rejubilei-me porque me pareceu que Henry escrevera a cópia máscula de meu trabalho. Sentei-me com ele à mesa da cozinha, embriagada e gaga:

– É maravilhoso o que você escreveu! – Ficamos mais embriagados, fodemos delirantemente. Mais tarde, no táxi, pega minha mão como se fôssemos amantes há apenas alguns dias. Chego em casa com duas de suas expressões gravadas na cabeça: "sobrecarregado de vida" e "saturado de sexo". E lhe darei charadas maiores e mais aterrorizantes para desvendar do que as mentiras de June!

Existe em nosso relacionamento tanto humanidade quanto monstruosidade. Nosso trabalho, nossa imaginação literária são monstruosos. Nosso amor é humano. Eu percebo quando ele está frio, fico ansiosa em relação à sua vista. Arranjo-lhe óculos, um abajur especial, mantas. Mas quando conversamos e escrevemos, uma maravilhosa deformação toma lugar, por meio da qual nós crescemos, exageramos, criamos cor, distendemos. Há prazeres satânicos conhecidos apenas por escritores. Seu estilo muscular e o meu estilo esmaltado lutam e copulam independentemente. Mas quando o toco, o milagre humano é realizado. Ele é o homem para quem eu esfregaria os chãos, para quem eu faria as coisas mais humildes e magníficas. Ele está pensando em nosso casamento, que eu sinto nunca se realizará, mas é o único homem com quem eu me casaria. Somos maiores juntos. Depois de Henry, nunca mais haverá essa polaridade. Um futuro sem ele é escuridão. Não posso nem imaginar.

Allendy admite a Hugo que há perigo em minhas amizades literárias porque eu brinco com a experiência como uma criança e levo meus jogos a sério, que minhas aventuras literárias me levam a meios a que não pertenço. O grande e compassivo Allendy e o fiel e ciumento Hugo, ansiosos com a criança que tem tamanha e perigosa necessidade de amor.

Allendy não leva meu lado literário-criativo a sério, e eu me ressinto de sua simplificação de minha natureza a mera mulher. Ele se recusa a enevoar sua visão com uma consideração sobre minha imaginação.

A absoluta sinceridade de homens como Allendy e Hugo é bela mas pouco interessante para mim. Não me fascina tanto quanto as insinceridades de Henry, seus dramas, travessuras literárias, experiências, velhacarias. Quando Henry e eu estamos deitados nos braços um do outro, todos os jogos se encerram, e naquele momento encontramos nossa plenitude básica. Quando retomamos nosso trabalho, instilamos a imaginação em nossas vidas. Acreditamos em viver não só como seres humanos, mas como criadores, aventureiros.

Aquele lado meu que Allendy descarta, o lado perturbado, perigoso, erótico, é precisamente o lado que Henry toma e ao qual reage, aquele em que ele se realiza e se expande.

Allendy está certo sobre minha necessidade de amor. Não posso viver sem amor. O amor está na raiz de meu ser.

Ele fala para tranquilizar o ciúme devorador de Hugo, talvez para tranquilizar suas próprias dúvidas. Sua paixão é protetora, compassiva, então ele sublinha minha fragilidade, minha inocência; enquanto eu, com um instinto mais profundo, escolho um homem que compele minha força, que faz enormes exigências de mim, que não duvida de minha coragem nem de minha dureza, que não me considera ingênua ou inocente, que tem a coragem de me tratar como uma mulher.

JUNE CHEGOU ONTEM À NOITE.

Fred conta a notícia pelo telefone. Fiquei pasma, embora já tivesse imaginado a cena muitas vezes. Penso o dia todo que June está em Clichy. Engasgo-me com o trabalho e com a comida, lembrando-me das palavras suplicantes de Henry: esperar. Mas o período de espera é insuportável. Engulo grandes doses de sonífero. Pulo quando o telefone toca. Ligo para Allendy. Sou como uma pessoa se afogando.

Henry telefonou para mim ontem e novamente hoje, sério, confuso.

– June chegou num estado de espírito decente. Está dócil e sensata. – Ele está desarmado. Será que isso vai durar? Quanto tempo June ficará? O que devo fazer? Não posso esperar, aqui, neste quarto, cara a cara com meu trabalho.

Vou dormir com a dor me oprimindo. Quando desperto de manhã, a dor está em minha nuca como uma pedra. O amor de Hugo, neste momento, é tremendo, sobre-humano. E o de Allendy. Eles lutam por mim. Eu quase morri, quando criança, para ganhar o amor de meu pai, e me deixo morrer psiquicamente pela mesma razão, para atormentar e tiranizar aqueles que amo, para receber seus cuidados. Essa conscientização me açoitou. Agora estou lutando para ajudar a mim mesma.

Não deveria desistir de Henry simplesmente porque June está sensata. No entanto, devo desistir dele temporariamente, e para fazer isso tenho que encher o imenso vazio que sua ausência cria em minha vida.

June me telefonou, e não senti nada com o som de sua voz, nenhum êxtase, nada da excitação que esperava sentir. Ela vem a Louveciennes amanhã à noite.

Hugo me levou de carro até Allendy. Eu planejara uma viagem a Londres, onde encontraria novas pessoas e acharia salvação, sanidade. Na hora em que vi Allendy, tive controle sobre mim mesma. Ele ficou tão feliz por ter me salvado do masoquismo. Imaginou o fim da minha sujeição a Henry e June. Enquanto beijava minhas mãos continuamente, falava eloquente e humanamente. O ciumento Allendy *versus* Henry. Ele é tão hábil. Por acaso disse que a grande necessidade que Henry tem da mulher se devia ao fato de ele ser um homem como era, um homem cem por cento; graças aos deuses pagãos não havia nenhuma feminilidade nele. Mas Allendy disse que é precisamente o homem sexualmente maduro que contém qualidades femininas intuitivas e ternas. O verdadeiro homem tem fortes instintos protetores, que Henry não tem. Allendy é um sábio, exceto no que concerne a Henry. Ele, o grande analista, é tão ciumento que fez a afirmação insana de que talvez Henry seja um espião alemão.

Ele quer que eu seja liberada da necessidade de amor de forma que possa amá-lo por minha própria vontade. Não quer que a necessidade de amor me empurre para seus braços. Não quer usar sua influência sobre mim para me possuir, como poderia. Quer primeiro que eu fique de pé com meus próprios pés.

Ele disse que Henry gostava do poder de um amor tal como eu lhe dava, que nunca mais possuiria uma dádiva tão preciosa em sua vida, que isso acontecia apenas porque eu não tinha o senso do meu próprio valor. Ele esperava, para o meu bem, que isso estivesse terminado.

Aceitei tudo isso racionalmente. Confio em Allendy, e sou atraída por ele. (Particularmente hoje, quando vi a modulação sensual de sua boca, a possibilidade de selvageria.) Mas intimamente sentia, como todas as mulheres, um amor forte e protetor por Henry – o mais imperfeito, o mais digno de ser amado.

Eu me fortaleço. Telefono para Eduardo para ajudá-lo, para apoiá-lo. Desisto da viagem a Londres. Não preciso disso. Posso encarar Henry e June. O nó de dor sufocante desapareceu. Não preciso recostar-me em mudanças externas, em novos amigos.

Tudo isso é nada, mas uma implacável defesa contra a perda do amor que eu nunca esquecerei. O que vai ser do trabalho dele, de sua felicidade? O que June fará a ele? – meu amor, Henry, a quem eu enchi de força e autoconhecimento; minha criança, minha criação, suave e dócil nas mãos das mulheres. Allendy diz que ele nunca mais terá um amor como o meu, mas sei que sempre estarei lá para ele, que no dia em que June o magoar estarei lá para amá-lo novamente.

Meia-noite. June. June e loucura. June e eu de pé na estação e nos beijando enquanto o trem passa correndo por nós. Estou me despedindo dela. Meu braço está em volta de sua cintura. Ela está tremendo.

– Anaïs, estou feliz com você. – É ela que oferece a boca.

Durante nossa noite juntas ela falou sobre Henry, sobre seu livro, sobre si mesma. Foi sincera, ou eu sou a maior tola que já existiu. Só consigo acreditar em nosso êxtase. Não quero saber, só quero amá-la. Tenho um grande temor, o de que Henry lhe mostre minha carta escrita para ele e a magoe, a mate.

Ela me comparou à professora em *Jeunes filles en uniforme,* e ela própria à adorável garota Manuela. A professora tinha belos olhos, era cheia de piedade, mas era forte. Por que June quer me achar forte, e a si mesma uma criança apaixonada amada pela professora?

Ela deseja proteção, um refúgio da dor, de uma vida que é terrível demais para ela. Procura em mim uma imagem intacta de si mesma. Assim, me conta a história completa dela e de Henry, a outra face da história. Amava e confiava em Henry até ele a trair. Não só a traiu com mulheres, mas distorceu sua personalidade. Criou uma pessoa cruel, que ela não era, ferindo seu eu mais tenro, mais fraco. Ela sentiu uma ausência de confiança, uma gigantesca necessidade de amor, de fidelidade. Refugiou-se em Jean, na lealdade de Jean, em sua fé, compreensão. E agora criou uma barreira de mentiras autoprotetoras. Quer proteger-se contra Henry, criar um novo eu inacessível a ele, invulnerável. Retira força de minha fé, de meu amor.

– Henry não é bastante imaginativo – diz ela. – É falso. Não é simples o bastante também. Foi ele que me fez complexa, que me desvitalizou, que me matou. Introduziu uma personagem fictícia que poderia fazê-lo sofrer tormentos, a quem ele poderia odiar; ele tem que se chicotear com ódio a fim de criar. Não acredito nele como escritor. Ele tem momentos humanos, é claro, mas é um malandro. É tudo que me acusa de ser. Ele que é mentiroso, insincero, farsista, um ator. Ele que procura dramas e cria monstruosidades. Não quer simplicidade. É um intelectual. Procura simplicidade e depois começa a distorcê-la, a inventar monstros. É tudo falso, falso.

Fico pasma. Percebo uma nova verdade. Não estou vacilando entre Henry e June, entre suas versões contraditórias de si mesmos, mas entre duas verdades que vejo com clareza. Acredito na humanidade de Henry, embora esteja plenamente consciente do monstro literário. Acredito em June, embora esteja consciente de seu poder destrutivo inocente e de suas comédias.

A princípio ela quis combater-me. Temeu que eu acreditasse na versão de Henry a seu respeito. Teve vontade de chegar em Londres, em vez de Paris, e me pedir para juntar-me a ela lá. Ao olhar para os meus olhos pela primeira vez, confiou em mim novamente.

Conversou bem, com coerência ontem à noite. Trouxe as fraquezas de Henry à luz cruelmente. Despedaçou a sinceridade dele, sua plenitude. Despedaçou minha proteção em relação a ele. Eu não alcançara nada, de acordo com ela.

– Henry apenas finge compreender, para que então possa se virar e atacar, destruir.

Só saberei a verdade através de minha própria experiência com cada um. Henry não tem sido mais humano comigo, e June mais sincera? Eu, que partilho da natureza de ambos, será que fracassarei em destruir suas poses, em captar sua verdadeira essência?

Allendy me privou do meu ópio; me tornou lúcida e sã, e estou sofrendo cruelmente da perda de minha vida imaginária.

June também se tornou sã. Não é mais histérica nem confusa. Quando percebi essa mudança nela hoje, fiquei assombrada. Sua sanidade, sua humanidade, é isso que Henry desejava, e é isso que ele está recebendo. Eles conseguem conversar juntos. Eu o modifiquei, eu o suavizei e ele a compreende melhor.

Então ela e eu nos sentamos juntas, com os joelhos se tocando, e nos entreolhamos. A única loucura é a febre entre nós. Dizemos:

– Vamos ser sãs com Henry, mas juntas vamos ser loucas.

Entro no caos de June e Henry e encontro-os tornando-se mais claros para si mesmos e um para o outro. E eu? Sofro da insanidade que estão deixando para trás. Como capto suas intrigas, suas insinceridades, suas complexidades, revivo-as em minha imaginação. Posso ver June novamente privando Henry da fé em si mesmo, confundindo-o. Ela está destruindo seu livro. Através de seu amor por mim, está procurando remover minha influência sobre Henry, conquistar-me dele, dominá-lo novamente, apenas para deixá-lo sem nada e reduzido; para isso, ela chegará até a me amar. Aconselha-o fortemente contra a publicação de seu livro pelo caminho que abri. Ressente-se por ele ter perdido a fé em sua capacidade de ajudá-lo. Vejo-a usando meu meio agora – sensatez, calma – para realizar a mesma destruição.

Estou nos braços dela num táxi. Ela me abraça com força e diz:

– Você está me dando vida, você está me dando o que Henry tirou de mim. – E ouço-me responder com palavras febris. Esta cena no táxi – joelhos se tocando, mãos dadas, rostos colados – se prolonga enquanto estamos conscientes de nossa inimizade fundamental. Nós não nos entendemos. No entanto, não posso fazer nada por Henry. Ele é fraco demais enquanto ela está lá, como é fraco em minhas mãos. Enquanto digo a ela que a amo, estou pensando em como salvar Henry, a criança, não mais o amante para mim, porque sua fraqueza o tornou uma criança. Meu corpo lembra um homem que morreu.

Mas que jogo soberbo nós três estamos jogando. Quem é o demônio? Quem é o mentiroso? Quem é o ser humano? Quem é o mais inteligente? Quem é o mais forte? Quem ama mais? Somos três egos imensos lutando por dominação ou por amor, ou estas coisas estão misturadas? Sinto-me protetora em relação tanto a Henry quanto a June. Alimento-os, trabalho para eles, sacrifico-me por eles. Também devo dar vida a eles, porque eles se destroem mutuamente. Henry se preocupa com minha saída da estação à meia-noite depois de me despedir de June, e June diz:

– Tenho medo de sua perfeição, de sua acuidade – e se aninha em meus braços, para se fazer pequena.

E então uma bela carta de Henry, a mais sincera, por causa de sua simplicidade: "Anaïs, graças a você não estou sendo esmagado desta vez... Não perca a fé em mim, eu lhe imploro. Amo-a mais do que nunca, verdadeiramente, verdadeiramente. Odeio escrever o que desejo lhe dizer sobre as primeiras duas noites com June, mas quando eu a vir e lhe disser, você perceberá a absoluta sinceridade de minhas palavras. Ao mesmo tempo, estranhamente, não estou discutindo com June. É como se eu tivesse mais paciência, mais compreensão e simpatia do que nunca... Sinto muito a sua falta e tenho pensado em você em momentos em que, Deus me ajude, nenhum homem são e normal deveria pensar... E por favor, querida, querida Anaïs, não me diga coisas cruéis como disse pelo telefone – que está feliz por mim. O que significa isso? Não estou feliz nem muito infeliz; tenho uma sensação triste que não consigo explicar bem. Eu a quero. Se você me abandonar agora, estou perdido. Você deve acreditar em mim por mais difícil que isso possa parecer às vezes. Você pergunta sobre ir à Inglaterra. Anaïs, o que devo dizer? O que eu gostaria? Ir para lá com você – ficar com você sempre. Estou lhe dizendo isso quando June veio até mim com seu melhor aspecto, quando deve haver mais esperança do que nunca, se eu desejasse esperança. Mas como você e Hugo, vejo tal esperança chegar tarde demais. Já superei isso. E agora, sem dúvida, devo viver uma bela mentira triste com ela por algum tempo, e isso lhe causa angústia e me magoa terrivelmente.

"E talvez você esteja vendo mais em June do que nunca, o que seria certo, e talvez me odeie ou me despreze, mas o que posso fazer? Tome June pelo que ela é – ela pode significar muito para você –, mas não deixe que ela se interponha entre nós. O que vocês duas têm para dar mutuamente não é de minha conta. Eu a amo, apenas lembre-se disso. E, por favor, não me castigue, evitando-me."

Ontem à noite eu chorei. Chorei porque o processo pelo qual me tornei mulher foi doloroso. Chorei porque não era mais uma criança com a fé cega de criança. Chorei porque meus olhos estavam abertos para a realidade – para o egoísmo de Henry, para o amor de June pelo poder, para minha criatividade insaciável que deve preocupar-se com outras e não consegue ser suficiente a si mesma. Chorei porque não podia mais acreditar, e adoro acreditar. Ainda consigo amar apaixonadamente sem acreditar. Isso significa que amo humanamente. Chorei porque daqui por diante chorarei menos. Chorei porque perdi minha dor e ainda não estou acostumada à ausência dela.

Assim Henry virá esta tarde, e amanhã vou sair com June.

L&PMPOCKET**ENCYCLOPAEDIA**

Inovação

Série **L&PM**POCKET**ENCYCLOPAEDIA**

Alexandre, o Grande Pierre Briant
Bíblia John Riches
Budismo Claude B. Levenson
Cabala Roland Goetschel
Capitalismo Claude Jessua
Cérebro Michael O'Shea
China moderna Rana Mitter
Cleópatra Christian-Georges Schwentzel
A crise de 1929 Bernard Gazier
Cruzadas Cécile Morrisson
Dinossauros David Norman
Drogas Leslie Iversen
Economia: 100 palavras-chave Jean-Paul Betbèze
Egito Antigo Sophie Desplancques
Escrita chinesa Viviane Alleton
Evolução Brian e Deborah Charlesworth
Existencialismo Jacques Colette
Filosofia pré-socrática Catherine Osborne
Geração Beat Claudio Willer
Guerra Civil Espanhola Helen Graham
Guerra da Secessão Farid Ameur
Guerra Fria Robert McMahon
História da escrita Andrew Robinson
História da medicina William Bynum
História da vida Michael J. Benton
Império Romano Patrick Le Roux
Impressionismo Dominique Lobstein
Inovação Mark Dodgson & David Gann
Islã Paul Balta
Jesus Charles Perrot
John M. Keynes Bernard Gazier
Jung Anthony Stevens
Kant Roger Scruton
Lincoln Allen C. Guelzo
Maquiavel Quentin Skinner
Marxismo Henri Lefebvre
Memória Jonathan K. Foster
Mitologia grega Pierre Grimal
Nietzsche Jean Granier
Paris: uma história Yvan Combeau
Platão Julia Annas
Pré-história Chris Gosden
Primeira Guerra Mundial Michael Howard
Relatividade Russell Stannard
Revolução Francesa Frédéric Bluche, Stéphane Rials e Jean Tulard
Revolução Russa S. A. Smith
Rousseau Robert Wokler
Santos Dumont Alcy Cheuiche
Sigmund Freud Edson Sousa e Paulo Endo
Sócrates Cristopher Taylor
Teoria quântica John Polkinghorne
Tragédias gregas Pascal Thiercy
Vinho Jean-François Gautier